中国中药资源大典

资源大典

湖南卷

①

黄璐琦 / 总主编

张水寒　刘　浩 / 湖南卷主编

张水寒　刘　浩 / 主　编

北京科学技术出版社

图书在版编目（CIP）数据

中国中药资源大典. 湖南卷. 1 / 张水寒, 刘浩主编. --

北京 : 北京科学技术出版社, 2024. 6. -- ISBN 978-7

-5714-3756-5

Ⅰ. R281.4

中国国家版本馆CIP数据核字第2024Y2A031号

责任编辑： 侍　伟　李兆弟　尤竞爽　王治华　吕　慧　庞璐璐　刘　雪

责任校对： 贾　荣

图文制作： 樊润琴

责任印制： 李　茗

出 版 人： 曾庆宇

出版发行： 北京科学技术出版社

社　　址： 北京西直门南大街16号

邮政编码： 100035

电　　话： 0086-10-66135495（总编室）　　0086-10-66113227（发行部）

网　　址： www.bkydw.cn

印　　刷： 北京博海升彩色印刷有限公司

开　　本： 889 mm × 1 194 mm　　　1/16

字　　数： 765千字

印　　张： 34.5

版　　次： 2024年6月第1版

印　　次： 2024年6月第1次印刷

审 图 号： GS京（2023）1758号

ISBN 978-7-5714-3756-5

定　　价： 490.00元

《中国中药资源大典·湖南卷》

编写委员会

总　主　编	黄璐琦
顾　　　问	邵湘宁　郭子华　肖文明　蔡光先　谭达全　秦裕辉　葛金文
主　　　编	张水寒　刘　浩
技术牵头单位	湖南省中医药研究院
普查队依托单位	（按拼音排序）

安化县中医医院	安仁县中医医院
安乡县中医医院	保靖县中医医院
茶陵县中医医院	长沙市中医医院
长沙县中医医院	常德市第二中医医院
常德市第一中医医院	常宁市中医医院
郴州市中医医院	辰溪县中医医院
城步苗族自治县中医医院	慈利县中医医院
道县中医医院	东安县中医医院
洞口县中医医院	凤凰县民族中医院
古丈县中医医院	桂东县中医医院
桂阳县中医医院	汉寿县中医医院
赫山区中医医院	衡东县中医医院
衡南县中医医院	衡山县中医医院
衡阳市中医医院	衡阳市中医正骨医院
衡阳县中医医院	洪江市第一中医医院
湖南省直中医医院	湖南医药学院
湖湘中医肿瘤医院	华容县中医医院
花垣县民族中医院	会同县中医医院

嘉禾县中医医院	江华瑶族自治县民族中医医院
江永县中医院	津市市中医医院
靖州苗族侗族自治县中医医院	蓝山县中医医院
耒阳市中医医院	冷水江市中医医院
澧县中医医院	醴陵市中医院
涟源市中医医院	临澧县中医医院
临武县中医医院	临湘市中医医院
零陵区中医医院	浏阳市中医医院
龙山县中医院	隆回县中医医院
娄底市中医医院	泸溪县民族中医院
渌口区淦田镇中心卫生院	麻阳苗族自治县中医医院
汨罗市中医医院	南县中医医院
宁乡市中医医院	宁远县中医医院
平江县中医医院	祁东县中医医院
祁阳市中医医院	汝城县中医医院
桑植县民族中医院	邵东市中医医院
邵阳市中西医结合医院	邵阳市中医医院
邵阳县中医医院	韶山市人民医院
石门县中医医院	双峰县中医医院
双牌县中医医院	绥宁县中医医院
桃江县中医医院	桃源县中医医院
通道侗族自治县民族中医医院	望城区人民医院
武冈市中医医院	湘潭市中医医院
湘潭县中医医院	湘乡市中医医院
湘阴县中医医院	新化县中医医院
新晃侗族自治县中医医院	新宁县中医医院
新邵县中医医院	新田县中医医院

溆浦县中医医院	炎陵县中医医院
宜章县中医医院	益阳市中医医院
永顺县中医院	永兴县中医医院
永州市中医医院	攸县中医院
沅江市中医医院	沅陵县中医医院
岳阳市中医医院	岳阳县中医医院
云溪区中医医院	张家界市中医医院
芷江侗族自治县中医医院	资兴市中医医院

主编简介

>> 张水寒

二级研究员，博士研究生导师。享受国务院政府特殊津贴专家、享受湖南省政府特殊津贴专家、湖南省卫生健康高层次人才医学学科领军人才，入选国家"百千万人才工程"，并被授予"有突出贡献中青年专家"荣誉称号。主要从事中药资源、中药制剂及中药质量标准方面的研究。

近 10 年来，主持和参与"重大新药创制"、国家自然科学基金、"十二五"国家科技支撑计划等 20 余项课题。获得新药证书 12 项、药物临床批件 22 项、国家发明专利 13 项。发表学术论文 200 余篇，其中以第一作者和通讯作者发表 SCI 论文 30 余篇，编写专著 7 部。获得国家科学技术进步奖二等奖 1 项、省部级奖励 5 项。

2011 年以来，担任湖南省第四次全国中药资源普查技术总负责人、湖南省中药资源动态监测省级中心主任，主持建立"技术分层、突出量化、严把质控"的中药资源普查组织管理与技术保障模式；开展重点品种研究示范，大力推动普查成果转化、应用。

主编简介

>> 刘 浩

副研究员。湖南省中医药研究院中药资源研究所中药资源与鉴定研究室主任。主要从事中药资源、中药鉴定与本草学研究。

历任湖南省中药资源普查工作领导小组办公室成员、专家委员会委员、专家委员会办公室副主任，负责湖南省第四次全国中药资源普查组织管理与技术保障工作的具体实施，采集、鉴定普查标本近10万号，参与建成湖南省中药资源数据库、药用植物标本馆，熟悉湖南省中药资源基本情况及道地药材传承与发展的情况，编制省级、县级中药材产业发展规划10余份。2014年起任湖南省中药资源动态监测省级中心秘书，参与建成"一个中心，三个监测站，百个监测点"的湖南省中药资源动态监测与技术服务体系。

谢　谊（湖南省中医药研究院）

谢　景（湖南省中医药研究院）

蔡　萍（湖南省中医药研究院）

镇兰萍（湖南省中医药研究院）

序 言

　　中药资源是中医药事业和产业发展的重要物质基础。随着中医药事业和产业蓬勃发展，社会各界对中药资源的需求量逐渐增加。为摸清中药资源家底，科学制定中药资源保护和产业发展政策措施，国家中医药管理局组织实施了第四次全国中药资源普查，对促进中药资源可持续利用、助力健康中国行动的实施和区域社会经济发展做出了重要贡献。

　　湖南地处云贵高原向江南丘陵、南岭山脉向江汉平原过渡的地带，属大陆性亚热带季风湿润气候区，独特的地理环境孕育了丰富的中药资源。锦绣潇湘，物华天宝，人杰地灵。湖南省作为首批 6 个中药资源普查试点省区之一，由湖南省中医药研究院作为技术牵头单位，组织全省技术人员队伍，出色地完成了湖南第四次中药资源普查工作任务。

　　张水寒和刘浩两位"伙计"基于湖南中药资源普查获得的第一手调查资料，系统整理分析、总结普查成果，牵头主编了《中国中药资源大典·湖南卷》。该书既有湖南自然社会概况、中药资源种类等总体情况介绍，又有湖南特色中药资源的历史源流与生产现状阐述，还对 4 196 种中药资源的基本情况进行详细介绍。该书可作为认识和了解湖南中药资源的工具书，具有重要的学术价值和应用价值。希望该书的出版，能助力湖南中药产业高质量发展，为中药资源的可持续发展、优化中药产业布局、促进学术交流和科学研究起到积极推动作用。

付梓之际，欣然为序。

中国工程院院士
中国中医科学院院长
第四次全国中药资源普查技术指导专家组组长

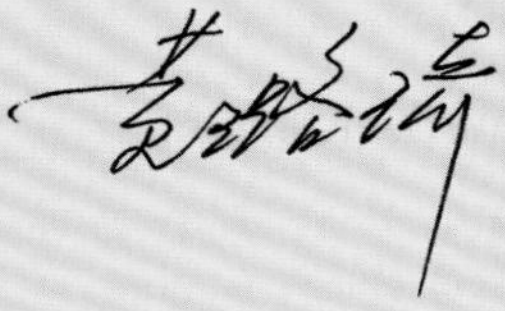

2024 年 4 月

前　言

　　湖南地处云贵高原向江南丘陵过渡、南岭山脉向江汉平原过渡的中亚热带，位于东经 108° 47′ ~ 114° 15′、北纬 24° 38′ ~ 30° 08′。东以幕阜、武功诸山系与江西交界，西以云贵高原东缘连贵州，西北以武陵山脉毗邻重庆，南枕南岭与广东、广西相邻，北以滨湖平原与湖北接壤，形成了东、南、西三面环山，中部丘岗起伏，北部湖盆平原展开的马蹄形地形。湖南有半高山、低山、丘陵、岗地和平原等多种地貌类型，其中山地面积占全省总面积的 51.22%。湖南位于长江以南的东亚季风区，加之离海洋较远，形成了气候温暖、四季分明、热量充足、雨水集中、春温多变、夏秋多旱、严寒期短、暑热期长、雨热同期的亚热带季风湿润气候。湖南为华东、华中、华南、滇黔桂 4 个植物区系的过渡地带，其境内植物具有较明显的东西、南北过渡性。地带性植被为常绿阔叶林，地带性土壤为红壤。湖南亚热带季风的大气候与复杂地势地貌的小环境，共同孕育了丰富的中药资源。

　　湖南历史文化悠久，是华夏文明的重要发祥地之一。道县玉蟾岩遗址出土了世界上现存最早的人工栽培稻标本，距今 1.2 万年。澧县城头山古文化遗址被称为"中国最早的城市"，距今约 6 000 年。宋代罗泌《路史》载炎帝"崩，葬长沙茶乡之尾……唐世尝奉祀焉"。《古今图书集成·衡州府古迹考》载："炎帝神农氏陵，在酃之康乐乡。""康乐乡"即今株洲市炎陵县鹿原镇。长沙马王堆汉墓出土的 16 部医书涉及方剂学、脉学、经络学等多门学科，代表了我国先秦时期的医药成就，其中《五十二病方》是我国现存最早的方书。

湖南中药资源的研究与应用历史悠久。马王堆汉墓出土的药材有桂皮、花椒、干姜、藁本、佩兰、辛夷、牡蛎、朱砂等，出土医书中的中药名共406个。《新唐书·地理志》载："岳州巴陵郡贡鳖甲，潭州长沙郡贡木瓜，永州零陵郡贡零陵香、石蜜、石燕，道州江华郡贡零陵香、犀角，辰州泸溪郡贡光明砂、犀角、水银、黄连、黄牙……锦州卢阳郡贡光明丹砂、犀角、水银。"唐代柳宗元《捕蛇者说》云："永州之野产异蛇，黑质而白章。"此即常用中药蕲蛇。宋代苏颂等编撰的《本草图经》，实际上是继《新修本草》后本草史上第二次全国药物普查的成果，集中反映了宋代实际的药物出产与使用情况，该书收载了当时湖南境内8州的28幅药图，包括辰州丹砂、道州石钟乳、道州滑石、道州石南、永州石燕、衡州菖蒲、衡州玄参、衡州栝楼、衡州地榆、衡州百部、衡州马鞭草、衡州五加皮、衡州乌药、澧州莎草、邵州苦参、邵州天麻、邵州乌头、鼎州茅根、鼎州连翘、鼎州地芙蓉、鼎州水麻、岳州假苏、岳州薄荷等。清代吴其濬所著《植物名实图考》收载的湖南药用植物达267种。明清之际，湖南各府县广泛修著地方志，并在"物产"中记载本地所产药材，如清道光《宝庆府志》（1849）与光绪《邵阳县志》（1876）均记载："百合，邵阳出者特大而肥美。"清末《邵阳县乡土志》（1907）载："玉竹参一名葳蕤，又名女萎，近谷皮洞多产此。"并载邵阳常见中药材尚有黄精、香附子、金樱子、栀子、金银花、桑白皮、厚朴、丹皮、天花粉、天南星、何首乌、前胡、桔梗、牛膝、五倍子、络石藤、吴茱萸、木通、车前草、香薷、木鳖子等。

中华人民共和国成立以来，党和政府高度重视中医药的传承与发展。湖南先后开展了4次全省范围的中药资源调查工作，掌握了全省中药资源的种类、分布、产量与民间药用情况的本底资料。20世纪50年代末，湖南开展了"群众性的中医采风运动"，全省献方达数十万个，湖南中医药研究所（1957年创办，1962年更名为湖南省中医药研究所，1984年更名为湖南省中医药研究院）组织专家对献方进行了研究，为各地挖掘使用中药资源奠定了坚实的基础。20世纪60—70年代，湖南开始兴起中草药群众运动。为了更好地开展中草药群众运动，湖南省中医药研究所对基层医疗工作者、赤脚医生、老药农、老草医与地方卫生局、药品检验所、医药公司提供的大量标本和资料进行了整理与鉴定，系统地梳理了这一时期湖南中药资源的种类和应用情况。1962年，湖南省中医药研究所出版了《湖南药物志（第一辑）》，该书收载药用植物 417 种。1972 年，《湖南药物志（第二辑）》出版，收载药用植物 406 种。1979 年，《湖南药物志（第三辑）》出版，收载药用植物 341 种。20 世纪 80 年代，湖南第三次中药资源普查正式开始，此次普查共采集植物、动物、矿物标本 298 785 份，拍摄照片 13 457 张，调查到全省中药资源种类 2 384 种，其中植物药 2 077 种，动物药 256 种，矿物药 51 种；全国重点调查的 363 种药材中，湖南产 241 种；测算全省植物药蕴藏量 107.8 万 t，动物药蕴藏量 1 306 t，矿物药蕴藏量 1 147 万 t；共收集单验方 25 355 个，经各地（州、市）筛选汇编的有 8 000 多个，经名老中医严格审查选用的有 2 400 余个，这 2 400 余个单验方编成了《湖南省中草药民间单验方选编》。

2011 年，第四次全国中药资源普查试点工作启动。湖南作为首批 6 个试点省区之一率先启动普查工作，历时 11 年，先后分 6 批，进行了全省 122 个县级行政区域的中药资源普查工作。湖南本次普查共调查代表区域 550 个，代表区域总面积 149 101.03 km^2；调查样地 4 598 个，样方套 22 904 个；采集腊叶标本 116 443 号、药材样品 10 204 份、种质资源 5 913 份；调查传统知识 1 252 份；拍摄照片 1 519 340 张；计算蕴藏量的种类 584 种；调查栽培品种 160 种、市场流通中药材 479 种；调查数据约 210 万条。本次普查全面掌握了湖南中药资源种类与分布、重点品种的资源量、中药材市场流通等信息，为湖南中医药事业、产业发展提供了科学依据。

湖南第四次中药资源普查为适应时代发展需求，创新应用了大量现代技术，提高了工作效率，保障了数据的完整性、一致性、准确性和实用性。通过引入空间信息技术与分层抽样方法设置的调查区域与样地更具代表性，从而使资源蕴藏量的估算更加科学。野外调查中应用 GPS、数码相机、信息采集软件等获取经度、纬度、海拔等信息化数据，搭建了信息化工作平台。湖南在约 210 万条数据的基础上建成了湖南省中药资源数据库，实现了全省中药资源数据的长久保存、可视查询、成果转化和共享服务。本书中的基原图片、资源分布等内容充分利用了数据库的查询、统计功能，湖南省最新中药资源区划也利用了普查数据，全省被划分为湘西北武陵山中药资源区、湘西南雪峰山中药资源区、湘南南岭北部中药资源区、湘中湘东丘陵中药资源区、洞庭湖及环湖丘岗中药资源区 5 个中药资源分区。

编著一套图文并茂、系统全面反映湖南中药资源家底的著作是普查工作的重要组成部分。2021 年，湖南第四次中药资源普查进入收尾阶段，我们组织专家对《中国中药资源大典·湖南卷》的编写体例、资源名录、图片整理及分工安排进行了多轮讨论，最后形成了编写工作方案。野外工作得到的一手数据，是我们编著本书的关键素材，书中的图片来源于野外拍摄，分布信息来源于凭证标本的采集地点，资源蕴藏量信息来源于实际调查，因此，本书充分体现了湖南第四次中药资源普查的全方位成果。

第四次全国中药资源普查技术指导专家组组长黄璐琦院士多次带领普查专家组莅临湖南指导普查工作。湖南省委、省政府高度重视中药资源普查工作；湖南省中医药管理局作为普查组织实施单位，构建了符合湖南实际情况的普查组织模式；湖南省中医药研究院作为技术牵头单位，组织成立了专家委员会，指导全省普查工作。在各方的共同努力下，湖南顺利完成了第四次中药资源普查工作。我们向支持普查工作的社会各界表示由衷的感谢，向奋战在普查一线的"伙计们"致以诚挚的敬意！

普查的大量数据是我们编著本书的优势，同时也为整理图片、撰写文稿带来了巨大的挑战，加之编者学术水平有限，书中难免存在资料取舍失当及错漏之处，敬请有关专家、学者批评指正。

编　者

2024 年 4 月

凡 例

（1）本书共 14 册，分为上、中、下篇。上篇综述了湖南自然社会概况、中药资源调查历史、第四次中药资源普查情况、中药资源分布；中篇论述了 34 种湖南道地、大宗中药资源；下篇共收录中药资源 4 196 种，其中药用菌类资源 36 种、药用植物资源 3 799 种、药用动物资源 315 种、药用矿物资源 46 种。另外，附录中收录药用资源 305 种。

（2）分类系统。菌类参考 Index Fungorum 最新的分类学研究成果。蕨类植物采用秦仁昌分类系统（1978）。裸子植物采用郑万钧分类系统（1978）。被子植物采用恩格勒系统（1964）。

（3）本书下篇主要介绍各中药资源，以中药资源名为条目名，下设药材名、形态特征、生境分布、资源情况、采收加工、药材性状、功能主治、用法用量及附注等，其中采收加工、药材性状、用法用量为非必要项，资料不详者项目从略。各项目编写原则简述如下。

1）条目名。该项记述中药资源物种及其科属的中文名、拉丁学名。其中蕨类植物、裸子植物、被子植物的名称主要参考《中国植物志》，藻类、动物、矿物的名称主要参考《中华本草》。

2）药材名。该项记述中药资源的药材名、药用部位与药材别名。凡《中华人民共和国药典》等法定标准收载者，原则上采用法定药材名；法定标准未收载者，主要参考《中华本草》《全国中草药名鉴》《中国中药资源志要》。药材别名记载湖南各地乡村中医、草医及民间习惯用名。

3）形态特征。该项简要描述中药资源的形态特征，突出鉴别特征。主要参考《中国植物志》，并结合普查实际所获取的信息进行描述。

4）生境分布。该项记述中药资源在湖南的生存环境与分布区域。生存环境主要源于凭证标本的生境，并参考相关志书的描述。分布区域源于凭证标本的采集地，以"地市级行政区划（县级行政区划）"的形式进行描述。在湖南五大中药资源分区中皆有分布且凭证标本超过20号者，记述为"湖南各地均有分布"。

5）资源情况。该项记述中药资源的蕴藏量情况，用丰富、较丰富、一般、较少、稀少来表示；并用"野生"或"栽培"记述药材的主要来源。

6）采收加工。该项记述药材的采收时间与加工方法。

7）药材性状。该项主要记述药材的性状特征、品质评价等内容。

8）功能主治。该项记述药材的性味、毒性、归经、功能和主治。

9）附注。该项记述中药资源最新的分类学地位与接受名的变动情况；记述《中华人民共和国药典》与地方标准收载的物种学名；描述物种的濒危等级、其他医药相关用途，以及本草、地方志书中的资源方面的记载情况等。

（4）附录。以名录形式收载中篇、下篇没有收载的湖南分布的中药资源。

目 录

Contents

第 1 册

上 篇

湖南省中药资源概论

中 篇

湖南省道地、大宗中药资源

下 篇

湖南省中药资源各论

第 2 册

第 3 册

第 4 册

第 5 册

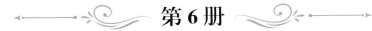

第 6 册

第 7 册

第 8 册

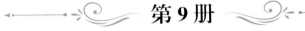

第 9 册

第 10 册

第 11 册

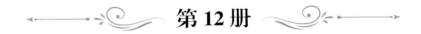

第 12 册

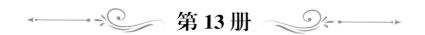

第 13 册

第 14 册

上 篇

湖南省中药
资源概论

湖南省自然社会概况

　　湖南①位于我国中部、长江中游地区，因大部分区域处于洞庭湖以南而得名"湖南"，又因湘江流贯全境而简称"湘"。湖南又称"三湘四水"，因湘江流经永州时与"潇水"相汇、流经衡阳时与"蒸水"相汇、入洞庭湖时与"沅水"相汇而有"潇湘""蒸湘""沅湘"之称，故名"三湘"；"四水"则指湖南境内湘江、资江、沅江和澧水4条主要河流（见图1-1-1）。

图1-1-1　蓝山境内的湘江源头

---

　　① 本书正文除篇、章标题外，"湖南省"通常简称为"湖南"。

湖南历史文化悠久，是华夏文明的重要发祥地之一。道县玉蟾岩遗址出土了世界上现存最早的人工栽培稻标本，距今 1.2 万年；澧县城头山古文化遗址被称为"中国最早的城市"，距今约 6 000 年；宋代罗泌《路史》载炎帝"崩，葬长沙茶乡之尾……唐世尝奉祀焉"。《古今图书集成·衡州府古迹考》载："炎帝神农氏陵，在酃之康乐乡。""康乐乡"即今株洲市炎陵县鹿原镇。（见图 1-1-2）。湖南地处云贵高原向江南丘陵过渡地带，也是南岭山脉向江汉平原过渡地带，三面环山，一面临水，为具有大陆性气候特点的亚热带季风湿润气候。湖南复杂的地势地貌与气候环境孕育了丰富的中药资源。

图 1-1-2　炎帝神农氏之墓

第一节　自然环境概况

一、地理位置

湖南地处东经 108°47′ ~ 114°15′，北纬 24°38′ ~ 30°08′，东以幕阜、武功诸山系与江西交界，西以云贵高原东缘连贵州，西北以武陵山脉毗邻重庆，南枕南岭与广东、广西相邻，北以滨湖平原与湖北接壤。省界极端位置，东为桂东黄连坪，西为新晃韭菜塘，南为江华姑婆山，北为石门壶瓶山。湖南东西宽 667 km，南北长 774 km，土地总面积 211 829 km²，其中，平原 27 786 km²，盆地 29 412 km²，丘陵 32 622 km²，山地 108 472 km²，水面 13 537 km²。湖南土地总面积占全国土地总面积的 2.21%，在全国各省（区、市）中排第 10 位。

二、地质构造

湖南受到 3 个地质成矿构造单元的控制。一为八面山褶皱区，该区地处湘西土家族苗族自治州（以下简称湘西州）和常德的西北部，区内地壳运动比较缓和，岩浆活动微弱，沉积作用普遍发育；区内主要矿产有磷、锰、铁、煤、汞、砷、铅、锌等。二为雪峰山隆起区（即江南地轴的一部分），由湖南、广西、贵州边境伸向东北经洞庭盆地东延出省，区内地层出露单一，主要为一老一新的沉积岩层和变质岩层，岩浆活动较弱，仅在东北端局部地区有较强的岩浆活动；区内主要矿产有磷、岩盐、芒硝、石膏、萤石、金刚石砂矿、钨、锑、金、铅、锌、铜等。三为中部、东南部褶皱区，古生代海相碳酸盐沉积发育，岩浆活动极为频繁，多次侵入，形成了许多大小不等的复式岩体或同期的多次侵入体，造成了岩浆成矿作用的多期性和矿化作用的多样性，构成了中部、东南部 2 个大的成矿带；该区是湖南矿产资源高度富集的地区，内生矿产有铅、锌、铜、钨、锡、钼、铋、锑、金及分散元素矿产，外生矿产有煤、铁、石墨、高岭土、石膏、岩盐、芒硝、耐火黏土及工业用的石灰岩。

三、地势地貌

湖南地处云贵高原向江南丘陵过渡地带，也是南岭山脉向江汉平原过渡地带，属云贵高原东延部分和东南山丘转折线南端。地形轮廓以雪峰山—武陵山为界，以西为全国地势第二阶梯，以东为全国地势第三阶梯，整体地势由南向北倾斜，东、南、西三面环山。东部凭山脉与江西相隔，如幕阜山脉、罗霄山系（见图 1-1-3）、连云山脉（见图 1-1-4）等，山脉为北东—南西走向，呈雁行排列，海拔大都在 1 000 m 以上。南部是由大庾、骑田、萌渚、都庞和越城山岭组成的南岭山脉（又称五岭山脉，见图 1-1-5），山脉为北东—南西走向，山体大体为东西向，海拔大都在 1 000 m 以上。西部有北东—南西走向的雪峰—武陵山脉（见图 1-1-6 ～图 1-1-7），山脉跨地广阔，山势雄伟，为湖南东西自然景观的分野；北段海拔 500 ～ 1 500 m，南段海拔 1 000 ～ 1 500 m。炎陵神农峰海拔 2 115.3 m，是全省最高点。桂东八面山海拔 2 042 m，是东南部最高点。道县韭菜岭海拔 2 009 m，是湘南最高点。城步二宝鼎海拔 2 024 m，是西南部最高点。石门壶瓶山海拔 2 099 m，是西北部最高点。中部为断续红岩盆地、灰岩盆地及丘陵、阶地，海拔在 500 m 以下。北部是湖南地势最低、最平坦的洞庭湖平原，海拔大都在 50 m 以下，临湘谷花洲海拔仅 24 m，是省内地面最低点。湖南东、南、西三面环山，中部丘岗起伏，北部湖盆平原展开，沃野千里，形成了朝东北开口的不对称马蹄形地形。

图 1-1-3　桂东县境内罗霄山系的八面山

图 1-1-4　浏阳市境内的连云山脉主峰大围山

图 1-1-5　南岭山脉

图 1-1-6　绥宁县境内的雪峰山

图 1-1-7　武陵山脉的天子山

湖南地貌（不含水域）按成因可分为流水地貌、岩溶地貌和湖成地貌三大类。其中，流水地貌为主，占全省总面积的 64.76%；岩溶地貌次之，占全省总面积的 25.97%；湖成地貌较少，仅占全省总面积的 2.88%。

湖南地貌（不含水域）按组成物质可分为沉积岩（包括砂页岩、碳酸盐岩、红岩、第四纪松散堆积物）地貌、变质岩地貌和岩浆岩地貌三大类。其中，沉积岩地貌最多，占全省总面积的 59.75%；其次是变质岩地貌，占全省总面积的 24.99%；最后是岩浆岩地貌，占全省总面积的 8.87%。

湖南地貌（含水域）按海拔可分为海拔 300 m 以下地貌、海拔 300～500 m 地貌、海拔＞500～800 m 地貌、海拔 800 m 以上地貌四大类。其中，海拔 300 m 以下地貌为主，占全省总面积的 44.27%；其次是海拔 300～500 m 地貌，占全省总面积的 22.58%；然后是海拔＞500～800 m 地貌，占全省总面积的 18.43%；最后是海拔 800 m 以上地貌，占全省总面积的 14.72%。

湖南地貌（含水域）按形态可分为山地（包括山原）、丘陵、岗地、平原、水面五大类。其中，山地（包括山原）面积为 108 498.79 km²，占全省总面积的 51.22%；丘陵面积为 32 627.30 km²，占全省总面积的 15.40%；岗地面积为 29 381.00 km²，占全省总面积的 13.87%；平原面积为 27 790.40 km²，占全省总面积的 13.12%；水面面积为 13 537.64 km²，占全省总面积的 6.39%。

湖南地貌类型复杂多样，山地广阔，山体高大，土壤类型多，土层深厚，土壤砂黏适中、湿度大，加之雨量充沛、气候温湿，具备药材生长的良好生态环境，为中药资源生长提供了有利条件。

四、土壤类型

湖南土壤涉及铁铝土纲、淋溶土纲、半淋溶土纲、初育土纲、水成土纲、半水成土纲和人为土纲 7 个土纲，红壤、黄壤等 13 个土类，29 个亚类，129 个土属和 463 个土种。

湖南土壤的分布规律大致为：东部、西部、南部山地以黄红壤、黄壤、暗黄棕壤为主；北部为潮土、水稻土和棕红壤；中部为红壤、红黏土、紫色土和水稻土；西南部一带也有成片的紫色土分布；石灰土则集中分布在西北部、中部和南部一带的丘岗和低山地区。

湖南红壤（见图 1-1-8）面积最大，达 12 613.2 万亩①，占全省土壤总面积的 50.4%。红壤分布极为广泛，除气候寒冷的高寒山区外，省内海拔 700 m 以下的地方均有分布，尤以长沙、株洲、湘潭分布最集中且分布面积最大，衡阳、益阳、娄底、郴州、永州、怀化次之，湘西州分布最少。

---

① 亩为中国传统土地面积单位，一亩约等于 667 m²。在中药材生产实践中，亩为常用面积单位，本书未作换算。

图 1-1-8　湖南分布面积最大的土壤类型——红壤

红壤区为经济作物的主要生产基地，一般土层深厚，酸性强，有机质含量少，富含铁、铝离子，缺乏养分，肥力较低，适宜种植的药材有玉竹、百合、栀子等。

　　湖南水稻土面积为 4 133.65 万亩，占全省土壤总面积的 16.5%，仅次于红壤，居第二位。水稻土主要分布在洞庭湖湖畔的水网冲积平原与"四水"流域沿岸，其他丘陵、山区也有散布。此种土壤一般层次明显，有犁底层，有机质含量为 2.3%，铁的活动性很强，适宜车前、半夏、荔枝草、半边莲等药材的生长。

　　湖南黄壤的面积为 3 159.58 万亩，占全省土壤总面积的 12.62%，居第三位。黄壤广泛分布于湖南南部、西部、西北部地区的中低山地区，以怀化、郴州、永州等地的分布面积最大，从北向南逐渐增多。黄壤呈酸性反应，自然肥力比红壤高，是湖南林业生产的重要土壤，也是湖南厚朴、黄柏、杜仲"三木"药材的主要种植土壤。

　　湖南黑色石灰土、红色石灰土、紫色土和潮土的面积占全省土壤总面积的 16.54%，红黏土、石质土、粗骨土、草甸土等的面积仅占全省土壤总面积的 3.94%，且分布零散。这些土壤面积虽小，但却是珍稀药用植物的主要分布土壤。

五、气候特征

　　湖南位于东亚季风区内，气候温暖，四季分明，热量充足，雨水集中，春温多变，夏秋多旱，严寒期短，暑热期长，全年温度高，寒暖程度迥然不同，太阳辐射强。湖南因处于东亚季风气候区的西侧，加之地形特点且离海洋较远，气候为具有大陆性气候特点的亚热带季风湿润气候，既有大陆性气候光温丰富的特点，又有海洋性气候雨水充沛、空气湿润的特征。

　　湖南复杂的地形地貌造就了其气候的多样性。首先，在三面环山、朝北开口的马蹄形地貌背景下，湖南的雨、热等气候要素等值线打破了与纬线平行的一般规律，而是与地形等高线大致平行。东西走向的南岭山脉横亘在湖南南部的边界上，使得北方南下的冷空气受阻，在湖南上空形成冷空气垫，导致湖南气候湿冷，阴雨天气多，温度比同纬度邻近省区的低，北部绝对最低气温可达 −11 ℃，南部在 −10 ~ −6 ℃之间，这成为限制湖南药用植物分布的关键性因素（见图1-1-9）。夏季盛行的偏南风翻越南岭山脉产生的焚风效应，加重了湖南夏季的炎热高温，在南岭山地形成了很多"暖窝子"，这使得部分热带植物在湖南也可生长。湖南雨量分布不均，少雨中心在衡邵盆地、洞庭湖平原及河谷地区，多雨中心位于雪峰山、幕阜山脉、九岭山脉和东南地区山地的迎风坡，如安化、平江、浏阳、汝城、桂东等地；高温中心也在衡邵盆地、洞庭湖平原及河谷地区，向东、西、南三面温度递减。其次，全省大多数县市都存在不同程度的立体气候现象，在一些地势复杂的区域，这种垂直方向的气候差异相当于水平方向 7 ~ 10 个纬距的气候差异，这就形成了全省气候的多样性。

　　综上所述，湖南的气候特点可以归纳为以下 4 点。

图 1-1-9　蓝山县云冰山冬景

（一）气候温暖，四季分明

湖南各县市气象站统计资料表明，湖南各地年平均气温一般为 16 ~ 19 ℃。最冷月（1 月）平均气温在 4 ℃以上，日平均气温在 0 ℃以下的天数平均每年不到 10 天。春、秋季平均气温为 16 ~ 19 ℃，秋季气温略高于春季气温。夏季平均气温为 26 ~ 29 ℃，衡阳一带可高达 30 ℃。

湖南四季分明，且各季节之间的气候差异较大。湖南南部一般 3 月初入春，西北部可迟至 3 月 20 日左右入春。春季一般 65 ~ 75 天，入春后气温逐渐回升，但常有阴雨连绵、低温寡照的天气。5 月中旬起自南至北先后入夏，夏季一般 4 个月左右（南部较长，可达 4.5 个月；西北部较短，约 3.5 个月），是时间最长的季节，高温暑热，常连晴数日，骄阳似火，蒸发强盛，降雨集中，因而易发生洪涝灾害。9 月底前后相继入秋（西部常在 9 月中旬入秋），秋季最短，一般只有 2 个月左右，经常是前一个月秋高气爽，后一个月秋风秋雨。冬季一般自 11 月下旬或 12 月初开始（南部及个别山间盆地可推迟 20 天），通常达 3 个多月，气温虽不是很低，但比较湿冷，降雪较少，有时会发生雨凇冰冻天气。

（二）热量充足，雨水集中

湖南热量充足，大部分地区日平均气温在 0 ℃以上的活动积温为 5 600 ~ 6 800 ℃；在 10 ℃以上的活动积温为 5 000 ~ 5 840 ℃，可持续 238 ~ 256 天；在 15 ℃以上的活动积温为 4 100 ~ 5 100 ℃，可持续 180 ~ 208 天；无霜期 253 ~ 311 天。湖南的热量条件仅次于海南、广东、广西、福建，与江西接近，较其他省区好。

湖南雨水丰沛，平均年降水量为 1 200 ~ 1 700 mm，但降水时空分布不均。雨季一般只有 3 个月，却集中了全年 50% ~ 60% 的降雨量。由于夏季风转换时间不一，湖南各地雨季起止时间也不同，南部为 3 月下旬（或 4 月初）至 6 月底，中部及洞庭湖地区为 3 月底（或 4 月上旬）至 7 月初，西部为 4 月上中旬至 7 月上旬，西北部为 4 月中旬至 7 月底。夏季风转换时间并不固定，常在年际之间出现差异，导致雨季提前或推迟、延长或缩短，从而引发洪涝或干旱。

（三）春温多变，夏秋多旱

湖南春季乍寒乍暖，天气变化剧烈，气温虽逐渐回暖，但北方南下的冷空气仍经常入侵，导致气温骤降，并伴随大风、冰雹、暴雨等强对流天气；冷空气过后，雨过天晴，气温很快回升。通常情况下，3 ~ 4 月每个月有 3 ~ 4 次冷空气入侵，日平均气温一般下降 10 ℃以上，有时甚至超过 15 ℃；5 月有 2 ~ 3 次冷空气入侵，日平均气温可下降 7 ℃以上。

湖南夏、秋季少雨，几乎每年都出现干旱问题。6 月下旬到 7 月上旬，除西北部外，湖南大部分地区雨季结束，雨日和降雨量都显著减少。7 ~ 9 月，湖南各地总降雨量约为 300 mm，不足雨季降雨量的一半，加之南风高温，蒸发量大，常常发生干旱。

（四）严寒期短，暑热期长

湖南各地大多数年份没有严寒期（连续 5 天或 5 天以上日平均气温不超过 0 ℃），只有少数年份有严寒期，且多出现在 1 月中下旬。阳明山以南地区（江华、江永、宁远、道县、蓝山等地）基本无冬冷期（候平均气温不超过 5 ℃），永州、郴州一带仅有几天冬冷期，湖南东部、西南部一般有 10 ~ 20 天冬冷期，西北部及长沙以北有 30 ~ 40 天冬冷期。有些年份有几天或十几天可见冰雪雨凇，一般年份降雪天数仅为 2 天。湖南北部降雪天数一般为 10 天左右，南部仅为 5 天左右。湖南北部地表水面结冰的天数为 20 ~ 25 天，其他地区不足 20 天。因此，湖南冬季严寒期很短，但冬季较长，且阴湿多雨。

湖南夏季时间长，暑热时间也长。大部分地区暑热期（候平均气温不低于 28 ℃）一般自 6 月底或 7 月初开始，至 7 月底或 8 月上中旬结束，个别年份延至 9 月初结束，可达 1.5 ~ 2 个月。长沙、衡阳一带最热，日平均气温不低于 30 ℃的天数，长沙平均每年有 28 天，衡阳有 33 天；日最高气温不低于 35 ℃的天数，长沙平均每年有 26 天，衡阳有 33 天。

第二节　植被生态系统类型

一、植被类型

湖南的地带性植被是常绿阔叶林，按照《中国植被》中的分类应属于中亚热带常绿阔叶林北部亚地带。组成林木层的优势树种主要是壳斗科的青冈属 Cyclobalanopsis、锥属 Castanopsis、柯属 Lithocarpus，山茶科的木荷属 Schima，樟科的润楠属 Machilus、楠属 Phoebe、樟属 Cinnamomum 的种类。乔木层还经常混生北亚热带未见的杜英科的杜英属 Elaeocarpus 和猴欢喜属 Sloanca、木兰科的含笑属 Michelia 和木莲属 Manglictia、山矾科的山矾属 Symplocos、虎皮楠科虎皮楠属 Daphniphyllum、槭树科的槭属 Acer 的常绿树种及蔷薇科李属 Prunus 的常绿稠李类。

湖南南部南岭地带的乔木层有一些更喜温的种类，如金缕梅科的蕈树属 Altingia、马蹄荷属 Exbucklandia、半枫荷属 Semiliquidambar 和木兰科的观光木属 Tsoongiodendron 植物。乔木亚层则有时会出现樟科的厚壳桂属 Cryptocarya、琼楠属 Beilschmiedia、新木姜子属 Neolitsea 及山茶科的大头茶属 Gordonia、折柄茶属 Hartia、茶梨属 Anneslea 等的种类。

湖南海拔 1 000 ~ 1 500 m 的山地上有中山常绿落叶阔叶混交林，组成树种为耐寒的常绿栎类，如甜槠 Castanopsis eyrei、曼青冈 Cyclobalanopsis oxyodon、多脉青冈 Cyclobalanopsis multinervis、包果柯 Lithocarpus cleistocarpus、灰柯 Lithocarpus henryi 等常绿种类及水青冈属 Fagus、槭属 Acer、椴树属 Tilia、桦木属 Betula、鹅耳枥属 Carpinus 等的落叶种类。在组成种类与多度上，本

地带的中山常绿落叶阔叶混交林与北亚热带的同类常绿落叶阔叶混交林有所不同，本地带偏南的中山山地上分布的木瓜红属 *Rehderodendron*、陀螺果属 *Melliodendron*、银钟花属 *Halesia* 等安息香科植物不会出现在北亚热带地区。

湖南石灰岩地区还分布着另一类常绿落叶阔叶混交林，常绿树种主要是青冈 *Cyclobalanopsis glauca*，落叶树种多为榆科的榆属 *Ulmus* 和朴属 *Celtis*、漆树科的黄连木属 *Pistacia*、桦木科的鹅耳枥属 *Carpinus* 等种类。

自然植被中马尾松林在湖南分布很广，在海拔 800 m 以下的丘陵山地几乎随处可见，但面积较小，破坏严重。林下灌木主要为檵木 *Loropetalum chinense*、杜鹃 *Rhododendron simsii*、白栎 *Cyclobalanopsis fabri*、南烛 *Vaccinium bracteatum* 等，北部林下有较多的枹栎 *Cyclobalanopsis serrata*、白栎 *Cyclobalanopsis fabri*、茅栗 *Castanea seguinii*、胡枝子 *Lespedeza* spp. 等，南部林下出现了桃金娘 *Rhodomyrtus tomentosa* 和岗松 *Baeckea frutescens*，呈现出南北过渡的特征。此外，面积最大的人工林为杉木林、毛竹林，在湖南分布非常广泛。

湖南丘陵山地还有大面积的次生热性灌丛和草丛。灌丛组成种类以壳斗科、山茶科、蔷薇科为主；草丛多为禾草草丛、蕨类草丛等。

湖南植被分为以下 12 个类型。

1. 常绿阔叶林

（1）南部沟谷常绿阔叶林（见图 1-1-10）。

（2）低山丘陵常绿阔叶林（见图 1-1-11）。

（3）中山常绿阔叶林（见图 1-1-12）。

图 1-1-10　南部沟谷常绿阔叶林

图 1-1-11　湖南中部的低山丘陵常绿阔叶林

图 1-1-12　南岭的中山常绿阔叶林

2. 常绿落叶阔叶混交林

（1）中山常绿落叶阔叶混交林（见图1-1-13）。

（2）石灰岩常绿落叶阔叶混交林。

图1-1-13　衡山的中山常绿落叶阔叶混交林

3. 落叶阔叶林

（1）中山落叶阔叶林（见图1-1-14）。

（2）丘陵、低山落叶阔叶林（见图1-1-15）。

（3）水湿地落叶阔叶林。

图1-1-14　衡山的中山落叶阔叶林

图 1-1- 15　丘陵、低山落叶阔叶林

4. 山顶矮林

（1）典型山顶矮林（见图 1-1-16）。

（2）陡峭地矮林。

图 1-1-16　莽山的山顶矮林

5. 竹林

（1）河谷盆地竹林。

（2）低山丘陵竹林（见图 1-1-17）。

（3）中山山地竹林。

图 1-1-17　低山丘陵竹林

6. 低山针叶林

低山常绿针叶林。

7. 中山针叶林

中山常绿针叶林（见图 1-1-18）。

图 1-1-18　莽山的中山常绿针叶林（华南五针松）

8. 灌丛（见图 1-1-19）

（1）暖性灌丛。

（2）温性灌丛。

（3）石灰岩灌丛。

图 1-1-19　山顶灌丛

9. 灌草丛（见图 1-1-20）

（1）暖性灌草丛。

（2）温性灌草丛。

图 1-1-20　山顶灌草丛

10. 草甸

沼泽化草甸（见图 1-1-21）。

图 1-1-21　蓝山县云冰山山顶的草甸

11. 沼泽

（1）木本沼泽。

（2）草本沼泽（见图 1-1-22）。

1

图 1-1-22　浏阳市大围山山顶的沼泽

12. 水生植被（见图 1-1-23）

图 1-1-23　洞庭湖区的水生植被

二、生态系统类型

湖南属亚热带常绿阔叶林区，主要自然生态系统类型为森林和湿地生态系统。湖南森林生态系统拥有 5 个森林类型、12 个植被型组、23 个植被型亚组、63 个群组、143 个群系；湿地生态系统分为江河、湖泊、沼泽湿地。雪峰山脉和罗霄山系亚热带常绿阔叶林生态区被认为是全球同纬度地带最有价值的生态区，植被丰茂，四季常青。截至 2022 年，湖南省级以上自然保护区有 53 个，面积达 9 060 km²。其中，国家级自然保护区 23 个，省级自然保护区 30 个。

（一）亮叶水青冈、多脉青冈混交林生态系统

该生态系统分布于湖南西北部、西部和中部海拔 1 000 ~ 1 800 m 的中山山地，土壤为山地黄棕壤。湖南桑植天平山、八大公山的森林面积较大，群落所在地多为重山阴坡或沟谷。群落外貌郁茂、林冠密接，呈深浅绿色斑块镶嵌，郁闭度 0.8 ~ 0.9。

乔木层一般高 6 ~ 18 m，可分为 3 个亚层。第一亚层高 > 15 ~ 20 m，除优势种亮叶水青冈 *Fagus lucida*、多脉青冈 *Cyclobalanopsis multinervis* 外，雷公鹅耳枥 *Carpinus viminea* 等也是主要种类，其他种类还有水青树 *Tetracentron sinense*、四照花 *Dendrobenthamia japonica* var. *chinensis*、天师栗 *Aesculus chinensis* var. *wilsonii*、兴山榆 *Ulmus bergmanniana*、香桦 *Betula insignis*、蓝果树 *Nyssa sinensis*、香椿 *Toona sinensis*、香槐 *Cladrastis wilsonii*、千金榆 *Carpinus cordata*、珙桐 *Davidia involucrata*、红麸杨 *Rhus punjabensis* var. *sinica* 和吴茱萸五加 *Acanthopanax evodiifolius* 等，郁闭度 0.6。第二亚层高 > 8 ~ 15 m，种类除第一亚层的树种外，以交让木 *Daphniphyllum macropodum*、尖连蕊茶 *Camellia cuspidata*、长蕊杜鹃 *Rhododendron stamineum* 和红果山胡椒 *Lindera erythrocarpa* 为主，常绿层片占优势，郁闭度 0.3。第三亚层高 5 ~ 8 m，种类多为第一亚层、第二亚层的幼树，以常绿成分为主体，郁闭度 0.1。

灌木层一般高 1 ~ 2 m，以箭竹 *Fargesia spathacea* 为主，蕊帽忍冬 *Lonicera pileata*、喜马拉雅珊瑚 *Aucuba himalaica*、匙叶黄杨 *Buxus harlandii* 等也较常见，覆盖度 20%。

草本层种类很少，有浆果薹草 *Carex baccans*、麦冬 *Ophiopogon japonicus*、宝铎草 *Disporum sessile*、蔓赤车 *Pellionia scabra*、鳞柄短肠蕨 *Allantodia squamigera* 等，分布稀疏，覆盖度 5% 以下。

地被层枯枝落叶覆盖度大，树干常附生苔藓和地衣。林下湿润，有较多的乔木幼树。

（二）亮叶水青冈、小叶青冈栎林生态系统

该生态系统分布在湖南全境，包括罗霄山系、南岭山脉、武陵山脉海拔 1 000 ~ 1 900 m 的山地，一般山体较大，主要由花岗岩、千枚岩、石英岩、板岩构成，坡度多在 20° ~ 35°。由于分布区位于我国中亚热带东部地区，冬季受西伯利亚寒潮的微弱影响，夏季受东南海洋季风的强烈影响，所以气候温暖湿润。土壤为山地黄壤及黄棕壤，土层一般较厚，达 1.3 ~ 1.5 m，呈酸性反应，pH 4.7 ~ 5.5。外貌为落叶阔叶树占优势的混交林，可分乔木、灌木及草本 3 层。

乔木层可分为 2 个亚层，组成种类较复杂，林冠整齐，林内阴暗湿润。上层一般高 > 15 ~ 28 m，亮叶水青冈 *Fagus lucida* 最高可达 30 m，胸径 38 ~ 70 cm，最大可达 1.2 m，郁闭度 0.25 ~ 0.65。其他落叶树种还有水青冈 *Fagus longipetiolata*、米心水青冈 *Fagus engleriana*、中华 槭 *Acer sinense*、三峡槭 *Acer wilsonii*、野茉莉 *Styrax japonicus*、野漆 *Toxicodendron succedaneum*、 枫香树 *Liquidambar formosana*、金钱槭 *Dipteronia sinensis*、山樱花 *Cerasus serrulata*、连香树 *Cercidiphyllum japonicum*、水青树 *Tetracentron sinense*、椴树 *Tilia tuan* 等。混生的常绿阔叶树种 除小叶青冈 *Cyclobalanopsis myrsinifolia* 外，还有厚皮锥 *Castanopsis chunii*、耳叶柯 *Lithocarpus grandifolius*、褐叶青冈 *Cyclobalanopsis stewardiana*、曼青冈 *Cyclobalanopsis oxyodon*、巴东栎 *Cyclobalanopsis engleriana* 等。下层高 8 ~ 15 m，郁闭度 0.3 ~ 0.4，主要种类有云南恺叶树 *Clethra delavayi*、紫果冬青 *Ilex tsoii*、齿缘吊钟花 *Enkianthus serrulatus*、青榨槭 *Acer davidii*、光叶 山矾 *Symplocos lancifolia*、腺果杜鹃 *Rhododendron davidii*、黄肉楠 *Actinodaphne reticulata*。

灌木层高 2 m 以下，短锥玉山竹 *Yushania brevipaniculata* 占相当优势，其他种类有半齿 柃 *Eurya semiserrulata*、尖连蕊茶 *Camellia cuspidata*、日本扁枝越桔 *Vaccinium japonicum*、箬叶 竹 *Indocalamus longiauritus*、杜茎山 *Maesa japonica*、香叶树 *Lindera communis*、簇叶新木姜子 *Neolitsea confertifolia* 及溪畔杜鹃 *Rhododendron rivulare* 等。

草本层高多在 30 cm 以下，主要种类有竹叶草 *Oplismenus compositus*、鳞轴短肠蕨 *Allantodia hirtipes*、迷人鳞毛蕨 *Dryopteris decipiens* 等。藤本植物仅有三叶崖爬藤 *Tetrastigma hemsleyanum*、 华中乌蔹莓 *Cayratia oligocarpa* 等。

（三）水青冈、甜槠混交林生态系统

该生态系统分布于湖南中部和东部山区海拔 800 ~ 1 200 m 的地带，生境为阳坡或山脊，土 壤为黄壤和黄棕壤，土层较薄。阳明山、连云山脉有小面积森林。群落外貌季相明显，深浅绿色 相间。

林冠层分为 2 个亚层。第一亚层树种以水青冈 *Fagus longipetiolata*、甜槠 *Castanopsis eyrei* 为 共建种，其次还有锥栗 *Castanea henryi*。第二亚层有小叶青冈 *Cyclobalanopsis myrsinifolia*、紫果 槭 *Acer cordatum*、短柄枹栎 *Cyclobalanopsis serrata* var. *brevipetiolata*、山槐 *Albizia kalkora*、红楠 *Machilus thunbergii* 和银木荷 *Schima argentea*。下木层种类比较多，但并无优势成分，主要有齿缘 吊钟花 *Enkianthus serrulatus*、杜鹃 *Rhododendron simsii*、峨眉鼠刺 *Itea omeiensis*、细枝柃 *Eurya loquaiana*、南烛 *Vaccinium bracteatum*、粗叶木 *Lasianthus chinensis*、野鸦椿 *Euscaphis japonica*、 紫花含笑 *Michelia crassipes*、长叶冻绿 *Rhamnus crenata*、山槐 *Albizia kalkora*、细柄百两金 *Ardisia crispa* var. *dielsii*、黄檀 *Dalbergia hupeana*、香粉叶 *Lindera pulcherrima* var. *attenuata*、山胡椒 *Lindera glauca*、东方古柯 *Erythroxylum sinense*、大叶胡枝子 *Lespedeza davidii* 等 10 余种，郁闭度 0.3。

草本层很稀疏，覆盖度小，分布零散，种类有五节芒 *Miscanthus floridulus*、狗脊 *Woodwardia japonica*、羊耳菊 *Inula cappa*、淡竹叶 *Lophatherum gracile*、蕨 *Pteridium aquilinum* var. *latiusculum*、铁芒萁 *Dicranopteris linearis* 等。

层外植物有羊角藤 *Morinda umbellata* subsp. *obovata*、忍冬 *Lonicera japonica*、五月瓜藤 *Holboellia fargesii* 和菝葜 *Smilax* spp.。

（四）珙桐、常绿阔叶树混交林生态系统

珙桐 *Davidia involucrata* 为我国特有的珙桐科单型属植物，是稀有的古生孑遗植物，分布于北纬 25°～32°，处于我国的中亚热带和北亚热带地区，常散生或以亚优势种的形式与其他阔叶树一起形成混交林，分布于张家界慈利和桑植及郴州莽山的部分山区。

珙桐 *Davidia involucrata* 分布区气候温凉潮湿，云雾多，湿度大，日照少，蒸发小；年平均气温 12.4 ℃，7 月平均气温 22.0 ℃，1 月平均气温 0.43 ℃，极端最低气温 −5.7 ℃；平均年降水量 2 600 mm，6 月降水量最大，为 557 mm，1 月降水量最小，仅 47 mm；不低于 10 ℃的年积温为 4 153.3 ℃。我国现有的珙桐混交林均为天然林，一般分布于海拔 1 000～2 000 m 的山间溪谷两侧，分布区的基岩多为砂岩、板岩、花岗岩等酸性基岩，林下土壤也为酸性，pH 4.5～5.5，属山地黄壤或黄棕壤类型，常含大量碎石，质地疏松，潮湿，透水、透气性均较好，土壤肥力也较高。

（五）珙桐、多脉青冈混交林生态系统

该生态系统分布于湖南西北部海拔 1 400～1 700 m 的中山地带，以天平山、八大公山和天门山等地分布面积较大。土壤为板岩母质发育的山地黄棕壤，土层偏浅至深厚，肥沃，水分条件良好，枯枝落叶层较厚。群落外貌呈深浅绿色相间，林冠整齐，层次结构分明。

乔木层可分为 2 个亚层。第一亚层高 8～15 m，最高达 28 m，郁闭度 0.6。在共建种中，多脉青冈 *Cyclobalanopsis multinervis* 的优势较大，珙桐 *Davidia involucrata* 次之，但在整个群落中，白辛树 *Pterostyrax psilophyllus*、兴山榆 *Ulmus bergmanniana*、伯乐树 *Bretschneidera sinensis*、扇叶槭 *Acer flabellatum*、水青树 *Tetracentron sinense*、灯台树 *Bothrocaryum controversum*、亮叶水青冈 *Fagus lucida*、野漆 *Toxicodendron succedaneum* 和臭辣吴萸 *Evodia fargesii* 等落叶树种占有优势，常绿树种仅有樟科的某些种类，且种类因地区的不同而异，如湖北木姜子 *Litsea hupehana* 等。第二亚层高 5～8 m，郁闭度 0.3，种类有西南红山茶 *Camellia pitardii*、楠木 *Phoebe* spp.、四照花 *Dendrobenthamia japonica* var. *chinensis*、野桐 *Mallotus japonicus* var. *floccosus*、中华槭 *Acer sinense* 和光叶石楠 *Photinia glabra* 等，以落叶树种为主，这可能是群落所处位置偏北、气温偏低的缘故。

灌木层高 0.8～2 m，主要种类有新木姜子 *Neolitsea aurata*、篌竹 *Phyllostachys nidularia*、细柄十大功劳 *Mahonia gracilipes*、中国绣球 *Hydrangea chinensis*、中国旌节花 *Stachyurus chinensis*、异叶榕 *Ficus heteromorpha*、棣棠花 *Kerria japonica*、朱砂根 *Ardisia crenata*、巴东胡颓子 *Elaeagnus difficilis*、喜马拉雅珊瑚 *Aucuba himalaica* 和荚蒾 *Viburnum dilatatum* 等，覆盖度为

10% ~ 20%。

草本层多为喜阴湿的种类，主要有大叶金腰 *Chrysosplenium macrophyllum* 、堇菜 *Viola* spp.、长梗薹草 *Carex glossostigma*、麦冬 *Ophiopogon* spp. 等。

（六）青冈、白栎混交林生态系统

该生态系统主要分布于湖南北部和西北部的低山地带，桃源、永定、慈利等地海拔 600 m 以下有小面积森林。土壤为寒武纪石灰岩发育的棕黄色石灰土或黄色石灰土。不足 5 cm 土层棕黑色，轻壤土，pH 5.6；5 ~ 12 cm 土层淡黄色，壤土，pH 6.0；岩缝土层浅薄处无剖面发育，黑色，pH 8.0。群落外貌呈黄绿色，林冠稍整齐，郁闭度 0.6 左右。

乔本层分为 2 个亚层。第一亚层高 8 ~ 12 m，以青冈 *Cyclobalanopsis glauca*、白栎 *Cyclobalanopsis fabri* 为共建种，其他树种还有黄檀 *Dalbergia hupeana*、枫香树 *Liquidambar formosana*、化香树 *Platycarya strobilacea*、樟 *Cinnamomum camphora*、黄连木 *Pistacia chinensis*、女贞 *Ligustrum lucidum*、朴树 *Celtis sinensis*、刺楸 *Kalopanax septemlobus*、梾木 *Swida macrophylla* 和黑壳楠 *Lindera megaphylla* 等。第二亚层高 5 ~ 7 m，种类不多，数量也比较稀少，有鸡仔木 *Sinoadina racemosa*、川钓樟 *Lindera pulcherrima* var. *hemsleyana*、毛豹皮樟 *Litsea coreana* var. *lanuginosa*、香叶树 *Lindera communis*、榔榆 *Ulmus parvifolia* 和野漆 *Toxicodendron succedaneum*。

灌木层高 0.5 ~ 1 m，覆盖度为 30% ~ 40%，种类以乔木层的幼树为主，主要有青冈 *Cyclobalanopsis glauca*，还有香粉叶 *Lindera pulcherrima* var. *attenuata*、篌竹 *Phyllostachys nidularia*、竹叶花椒 *Zanthoxylum armatum*、砚壳花椒 *Zanthoxylum dissitum*、石岩枫 *Mallotus repandus*、海金子 *Pittosporum illicioides*、勾儿茶 *Berchemia* spp.、梗花雀梅藤 *Sageretia henryi*、蓬莱葛 *Gardneria multiflora* 等。真正灌木优势种不明显。

草本层种类主要有麦冬 *Ophiopogon japonicus*、薹草 *Carex* sp.，频度分别为 62.5% 和 75%。蕨类植物有阔鳞鳞毛蕨 *Dryopteris championii*、贯众 *Cyrtomium fortunei* 和毛轴碎米蕨 *Cheilanthes chusana* 等，覆盖度在 10% 以下。

（七）青冈、黄连木、山合欢混交林生态系统

该生态系统主要分布于湖南中部、东部和南部海拔 500 m 以下的石灰岩低山丘陵。土壤为红色石灰土，土层厚薄不一，瘠薄，岩石露头程度中等，树木扎根于石缝中生长，土壤呈弱酸性，pH 6.5。群落高 5 ~ 8 m，外貌呈浅绿色，林冠不连续。

乔木第一亚层以青冈 *Cyclobalanopsis glauca*、黄连木 *Pistacia chinensis*、山槐 *Albizia kalkora* 为主，共计 96 株，占乔木层株数的 60%，三者的优势度分别为 43.64%、26.51% 和 10.71%。其他种类还有秀丽锥 *Castanopsis jucunda*、粗糠柴 *Mallotus philippensis*、黄檀 *Dalbergia hupeana*、青檀 *Pteroceltis tatarinowii* 和香槐 *Cladrastis wilsonii*，优势度在 4.5% 以下。第二亚层树种较多，有梾木

Swida macrophylla、海桐 *Pittosporum tobira*、苦枥木 *Fraxinus insularis*、山牡荆 *Vitex quinata*、木犀 *Osmanthus fragrans*、黑弹树 *Celtis bungeana*、柞木 *Xylosma racemosum*、榔榆 *Ulmus parvifolia*、刺叶冬青 *Ilex bioritsensis* 和总状山矾 *Symplocos botryantha* 等，但优势成分不明显，湖南南部还有圆叶乌桕 *Triadica rotundifolia*。

灌木层有牡荆 *Vitex negundo* var. *cannabifolia*、小果蔷薇 *Rosa cymosa*、大青 *Clerodendrum cyrtophyllum*、白马骨 *Serissa serissoides*、圆叶鼠李 *Rhamnus globosa*、南天竹 *Nandina domestica*、红背山麻杆 *Alchornea trewioides*、竹叶花椒 *Zanthoxylum armatum*、柘 *Cudrania tricuspidata*、球核荚蒾 *Viburnum propinquum*，高 1 ~ 2 m，覆盖度为 30%，湖南南部还有铜钱树 *Paliurus hemsleyanus*、毛果巴豆 *Croton lachnocarpus* 以及樟叶木防己 *Cocculus laurifolius*。

草本层种类少，且分布不均，麦冬 *Ophiopogon japonicus*、贯众 *Cyrtomium fortunei*、江南卷柏 *Selaginella moellendorffii*、鳞毛蕨 *Dryopteris* spp. 较常见，覆盖度为 10%，湖南南部还有牛耳朵 *Chirita eburnea* 等种类。

层间植物有络石 *Trachelospermum jasminoides* 和金樱子 *Rosa laevigata*。

第三节　社会经济概况

一、行政沿革

湖南在夏商周时期属荆州南境，春秋战国时期属楚国，秦朝设置有黔中、长沙两郡，两汉时期属荆州刺史部辖区，三国时期属吴国荆州，两晋时期设有以"湘"命名的"湘州"，唐代设湖南观察使，为湖南建置之名始，宋代设荆湖南路和荆湖北路，元代设湖广行省，明代设湖广承宣布政使司，清代分湖广省，置湖南省，省名沿用至今。

二、人口民族

据第七次人口普查数据，湖南有常住人口 6 644.49 万，少数民族人口为 668.52 万，占全省总人口的 10.06%，少数民族分布呈"大杂居、小聚居"的格局，14 个市（州）、122 个县（市、区）均有少数民族分布。少数民族人口 100 万以上的市（州）有湘西州、怀化、张家界，100 万以下、10 万以上的市（州）有永州、邵阳、常德、长沙。

湖南土家族、苗族、侗族、瑶族、白族、回族、壮族、维吾尔族 8 个少数民族建有民族自治地方或民族乡，这 8 个少数民族为湖南的世居少数民族。

湖南有 1 个少数民族自治州——湘西州，湘西州辖龙山、永顺、保靖、花垣、古丈、凤凰、泸溪和吉首；有 7 个少数民族自治县，分别是通道、江华、城步、新晃、芷江、靖州、麻阳；有 3 个比照民族自治地方享受有关优惠政策的县区，分别是桑植、永定、武陵源；有 6 个少数民族人口过半的县，分别是绥宁、会同、沅陵、江永、石门、慈利；有 84 个民族乡。民族地区的 24 个县（市、区）的面积占全省土地面积的 28%，其中民族自治地方的 1 州 7 县（即湘西州和 7 个少数民族自治县）的面积占全省土地面积的 17.8%。

三、经济发展

2023 年，湖南全省生产总值达 50 012.9 亿元，比上年增长 4.6%，居民人均可支配收入 35 895 元，比上年增长 5.5%，按常住地划分，城镇居民人均可支配收入 49 243 元，比上年增长 4.1%；农村居民人均可支配收入 20 921 元，比上年增长 7.0%。城乡居民人均可支配收入比为 2.35，比上年缩小 0.07。全省粮食产量 3 068.0 万 t，比上年增加 50 万 t，增长 1.7%，连续 4 年保持在 3 000 万 t 以上，其中，夏粮产量 46.2 万 t，比上年增长 1.2%；早稻产量 743.2 万 t，比上年增长 0.3%；秋粮产量 2 278.7 万 t，比上年增长 2.1%。全省粮食播种面积 7 145.2 万亩。粮食单位面积产量为每亩 429.4 kg，比上年增长 1.7%，比全国平均水平高 0.9%。

湖南省中药资源调查历史

中华人民共和国成立以来，湖南开展了4次全省范围的中药资源调查工作，掌握了全省中药资源的种类、分布、产量与民间药用情况的本底资料。

第一节　民间单验方整理

1956年，湖南省卫生厅收集了省内部分中医单方、验方，整理出《湖南省中医单方验方》于内部刊行。该内部资料取得了显著的积极影响，鼓舞了广大中医、民间医生继续积极贡献出手中的单方、验方。1957年3月，湖南中医药研究所（现湖南省中医药研究院）成立，湖南省卫生厅将收到的单方、验方转至该所并委托其编辑《湖南省中医单方验方》一书。湖南中医药研究所将收到的单方、验方按照中医病名分类，先后编辑了《湖南省中医单方验方（第一辑）》《湖南省中医单方验方（第二辑）》，两书1958年由湖南人民出版社出版。

1958年，湖南开展了"群众性的中医采风运动"，全省献方达数十万个。为更好地利用这批献方，湖南省卫生厅从全省选调经验丰富的中医协助湖南中医药研究所对这批献方进行了整理和研究，由湖南中医药研究所编印了《湖南省中医单方验方》（见图1-2-1）第三至十辑，其中，第三、四、五辑为内科，第六辑为妇科，第七辑为儿科，第八辑为外科，第九辑为五官科，第十辑为针灸科、伤科。

图1-2-1　《湖南省中医单方验方》第一至十辑

虽然此次调查是针对民间单方、验方进行的，但这些单方、验方涉及了丰富的中药资源种类与应用知识。编写组对单方、验方中的一些药物名称进行了考证，将地方名、异名考订为较正规的药物名称，为各地挖掘使用中药资源奠定了坚实的基础，中药民间使用方法调查自此成为中药资源普查的重要组成部分。

第二节　中草药群众运动

1958 年，湖南开始兴起中草药群众运动。为了更好地开展中草药群众运动，宣传新品种、新经验，消除名实混淆现象，发展药材生产，湖南中医药研究所对基层医疗工作者、赤脚医生、老药农、老草医与地方卫生局、药品检验所、医药公司提供的大量标本和资料进行了整理，系统地梳理了这一时期湖南中药资源的种类和应用情况。同年，湖南中医药研究所主持编写了《湖南药物志（第一辑）》（见图 1-2-2）。该书共收载湖南常用药物 417 种，一药一图，文字部分介绍了药材的中文名称、各地别名，原植物的拉丁学名、形态、生长环境、分布、栽培技术，此外，还介绍了药材的产地、采收、产地加工、品质、炮制、储藏、性味、功效、主治、民间应用，以及附注，该书系湖南第一部图文并茂的中药资源学专著。该书的拉丁学名根据标本鉴定结果而确定，各地别名内容便于当地群众辨识使用，栽培药材还附有精要栽培技术内容。该书编写资料精当、绘图准确美观，是湖南一部优秀的中药资源著作。

图 1-2-2　《湖南药物志（第一辑）》

1972 年 2 月，湖南省中医药研究所在以往工作的基础上，完成了《湖南药物志（第二辑）》的编写工作，该书收集了湖南常见中草药植物 406 种，基本沿用了第一辑的体例，适当增加了民间应用内容。

1979 年 12 月，《湖南药物志（第三辑）》出版，该书共收载植物药 341 种，在之前体例的基础上，增加了化学成分和药理作用的内容，民间应用也相应地改为临床应用。随后，湖南省中医药研究所又完成了《湖南药物志（第四辑）》的编写工作，其中包括矿物药、动物药的内容，但因经费等原因最终未能出版。

《湖南药物志》是湖南第一次系统地整理、研究省内主要中药资源的成果，是这一时期湖南中药资源研究进展的集中体现。

第三节　湖南第三次中药资源普查

一、技术准备

1980 年 5 月—1982 年 5 月，在湖南省科学技术委员会的资助下，湖南省中医药研究所李庚嘉、谌铁民与蓝山胡久玉、盘伍仔等在湖南蓝山开展了中药资源调查工作。调查内容包括中药资源的种类和分布调查、珍稀药用资源专题调查、栽培中药材产销调查、药材市场流通情况调查、民族药专题调查及民族民间单验方收集。本次调查共发现蓝山中药资源 956 种，包括植物药资源 838 种，动物药资源 113 种，矿物药资源 5 种，其中 64 种（包括变种）为当时尚无文献记载的药用资源，54 种为各类保护动植物；辨析了蓝山地方混淆中药材 76 种，调查了蓝山端午药市；收集到单验方 1 340 个，最后筛选整理出 734 个。1983 年 5 月，完成了调查资料汇编，印制了《湖南省蓝山县中草药资源考察与研究》（见图 1-2-3）。

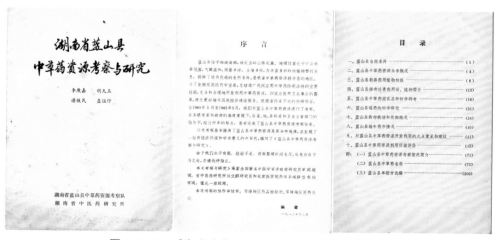

图 1-2-3　《湖南省蓝山县中草药资源考察与研究》

此次调查为湖南第三次中药资源普查构建了基本框架，奠定了技术要求，提供了实施范例。

二、主要历程

1982 年 12 月 28 日，国务院召开第 45 次常务会议，决定对全国中药资源进行系统的调查研究并制订发展规划。1983 年，国家经济委员会发布《关于开展全国中药资源普查的通知》（经医〔1983〕310 号），全国中药资源普查领导小组发布《关于下达全国中药资源普查方案的通知》（〔1983〕国药联材字第 310 号）。同年 11 月，湖南省政府批准成立了由省医药局、农业厅、卫生厅、林业厅、科学技术委员会、对外经济贸易厅、统计局、供销合作社等单位组成的湖南省中药资源普查领导小组，下设办公室（简称省普查办）。1983 年 11 月 30 日，省普查办下发《关于开展全省中药资源普查的通知》与《湖南省中药资源普查方案》，要求各地相应建立普查机构，开展普查工作，并明确提出了普查的内容、方法、步骤、质量和时间要求。各县（市、区）相继成立了中药资源普查领导小组和普查队。湖南省林业厅、省国家土地管理局区划办公室、省药品检验所、省中医药研究所、湖南师范大学生物系、湖南省植物园、湖南医药工业研究所、湖南中医学院第一附属医院、湖南医药中等专业学校等单位均派出专家、教授为普查提供技术指导。

1984 年 10 月，省普查办召开了 43 个山区县的普查工作会。会上，湖南省中医药研究所为普查技术人员讲解了普查关键技术，先行开展工作的蓝山、石门介绍了普查工作经验。会议确定，平江等 8 个县为试点县，共同承担省科学技术委员会下达的"山区药用资源调查与开发利用研究"的课题，为全省普查工作积累经验。

1985 年春，经过前期准备和先行试点，全省范围内大规模的中药资源普查工作开展起来（见图 1-2-4）。1986 年 3 月，外业调查全面铺开，全省 13 个地（州、市）98 个县（市、区）的 916 名专业技术人员参加普查工作，行程 46 万 km，调查覆盖了全省 80% 的乡镇，对药用动物、植物、矿物的来源、种类、分布、生态环境、野生资源蕴藏量，家种药材的面积、产量、收购量、年需要量，资源开发的历史与现状，新资源、地产混淆品种、民间单验方等进行了详细的调查研究，并在摸清家底、弄清中药资源开发历史和现状、总结经验的基础上，进行中药区划，制订了中药生产发展规划。

1987 年 10 月，基本完成了全省中药资源普查验收工作。1988 年 3 月，基本完成了普查资料整理汇编。1989 年 12 月，湖南科学技术出版社出版了《湖南省中药资源普查报告集》《湖南省中药资源名录》《湖南省中草药民间单验方选编》3 部著作（见图 1-2-5）。

图 1-2-4　湖南第三次中药资源普查部分工作照

图 1-2-5　湖南第三次中药资源普查成果著作

三、主要成果

　　本次普查，共采集植物、动物、矿物标本 298 785 份，拍摄照片 13 457 张。经鉴定，全省中药资源种类 2 384 种，其中植物类 2 077 种，动物类 256 种，矿物类 51 种；全国重点调查的363 个药材中，湖南产 241 种；通过样方测算及对老药农、老药工、老收购员进行访谈测算，全省植物药蕴藏量约 107.8 万 t，动物药蕴藏量约 1 306 t，矿物药蕴藏量约 1 147 万 t。本次普查还发现了粗筒唇柱苣苔 *Chirita crassituba*、新宁唇柱苣苔 *Chirita xinningensis*、宽脉唇柱苣苔 *Chirita latinervis*、新宁毛茛 *Ranunculus xinningensis*、双牌泡果荠 *Hilliella shuangpaiensis* 等 7 个植物新分类群；共收集单验方 25 355 个，经各地（州、市）筛选汇编的有 8 000 多个，经名老中医严格审查选用的有 2 400 余个，编成了《湖南省中草药民间单验方选编》。

四、少数民族药用资源调查

　　在湖南第三次中药资源普查过程中，还对侗族、瑶族、土家族、苗族 4 个少数民族的药用资源进行了调查。

（一）侗族药用资源调查

1983—1986 年，谌铁民、刘育衡、唐承安等对侗族药用资源进行了调查，考证侗族药用资源

689 种，整理医方 1 420 个、非药物疗法 7 种，考辨病名 938 个、病证 453 个，首次记载了 46 种药用新资源的药用价值，以及 436 种药物的临床新用途，对侗族医药进行了系统研究。1988 年 5 月，完成了《湖南侗族医药研究》的编写。

（二）瑶族药用资源调查

1983—1986 年，谌铁民对湖南瑶族医药进行了调查，采集瑶药动植物标本 1 135 号。经鉴定，瑶族药用资源共有 156 科 847 种，大部分与汉族习用的品种相同，但仍有 125 种品种新颖、疗效特异、其他民族少用而瑶族常用的资源，如铁轴草 *Teucrium quadrifarium*、五岭龙胆 *Gentiana davidii*、华空木 *Stephanandra chinensis* 等。

（三）土家族药用资源调查

1983—1986 年，王万贤、彭延辉、方博儒、夏明庆等组织了一支由土家族医药人员组成的土家药资源调查队，开展了湘西土家族医药调查与研究。本次调查在张家界桑植采集标本 1 512 号，在湘西州永顺小溪国家级自然保护区采集植物标本 1 000 余号；经整理研究，共调查到植物药资源 1 386 种，动物药资源 149 种，矿物药资源 21 种，合计 1 556 种；本次调查到的药用资源在种类和用法上颇具土家族特色，如雪胆 *Hemsleya chinensis* 的土家名为"百味莲"、竹节参 *Panax japonicus* 的土家名为"白三七"、菱叶红景天 *Rhodiola henryi* 的土家名为"豌豆七"、小八角莲 *Dysosma difformis* 的土家名为"翻天印"、掌裂叶秋海棠 *Begonia pedatifida* 的土家名为"血蜈蚣"、瓜叶乌头 *Aconitum hemsleyanum* 的土家名为"羊角七"等。另外，本次调查还收集到土家族单验方 1 512 个。1987 年 9 月，根据以上调查结果编印了《湘西土家族医药调查与研究》（油印本，未出版）。

（四）苗族药用资源调查

1983—1986 年，湖南省中医药研究所对湖南苗族用药进行了初步调查，并在《湖南中药资源调查研究》中做了专题报告，调查苗药 800 多种，其中常用的约 200 种，以植物药为主。

第三章

湖南省第四次中药资源普查

第一节　基本情况

湖南第四次中药资源普查于 2011 年、2013 年、2014 年、2017 年、2018 年、2019 年分 6 批启动，共进行了 122 个县级行政区域的中药资源普查工作，共投入中央财政资金 6 699 万元。

湖南以全国普查技术方案为标准，结合本省中药资源专业技术现状，创立了"技术分层、突出量化、严把质控"的普查组织管理与技术保障模式，编制标准工作细则，创新普查工具。湖南第四次中药资源普查以各县级中医医院为主组成普查队，发挥行政力量确保各项量化任务落到实处，保证外业工作时间，采集大量实物、数据（见图 1-3-1）；充分调动省内技术力量组成专家委员会，建立专家驻县指导制度，专家委员会负责帮助解决普查技术难题，并核实普查数据（见图 1-3-2）。

图 1-3-1　湖南第四次中药资源普查工作

图 1-3-2　指导专家驻县工作

湖南第四次中药资源普查共调查代表区域 550 个，代表区域总面积 149 101.03 km²；调查并填报数据库的样地 4 598 个，样方套 22 904 个；采集腊叶标本 116 443 份、药材样品 10 204 份、种质资源 5 913 份，并上交国家标本库；调查传统知识 1 252 份；拍摄照片 1 519 340 张；计算蕴藏量的种类 584 种；调查栽培品种 160 种、市场流通中药材 479 种；录入数据约 210 万条；调查中药资源 4 667 种，较第三次普查增加了 2 283 种；本次普查建成药用植物标本馆（国际代码：HUTM），馆藏腊叶标本 16 万号。本次普查全面掌握了湖南中药资源种类与分布、重点品种的资源量、中药材市场流通等信息，为湖南中医药事业、产业发展提供了科学依据。在丰富数据的基础上，成功建立了湖南省中药资源数据库，实现了全省数据的查询、统计与应用。

建成拥有"一个省中心、三个监测站、百个监测点"的监测与技术服务体系，体系覆盖全省重点产区和 CMA 实验室，实现对 14 种大宗道地药材的监测，信息与技术服务项目投入达 1 200 万元。

建成湖南省稀缺中药材种苗繁育基地 5 个，总面积 700 亩，示范推广面积 19 000 亩，基地繁育品种有茯苓 *Poria cocos*、多花黄精 *Polygonatum cyrtonema*、白及 *Bletilla striata*、吴茱萸 *Evodia rutaecarpa*、川黄檗 *Phellodendron chinense*、华重楼 *Paris polyphylla* var. *chinensis*、百合 *Lilium brownii* var. *viridulum*、玉竹 *Polygonatum odoratum*、杜仲 *Eucommia ulmoides* 等，平均每年提供种苗 500 万株、繁殖根茎或鳞茎 1 500 t、菌种 180 万袋。

本次普查发现药用植物新种 13 个、湖南新记录种 29 个；发表论文 103 篇，其中 SCI 论文 55 篇，出版专著 7 部，授权发明专利 15 项、实用新型专利 3 项、国际专利 2 项，获得软件著作权 3 项；获批植物新品种 2 个；发布标准 16 项，制订省级发展规划 4 份、县级发展规划 30 份；获团体科技奖 3 项、科普奖 1 项；培养中药资源专业人才 2 000 余人；技术负责人被评为国家百千万人才工程"国家有突出贡献中青年专家"、享受国务院特殊津贴专家、湖南省中医药领军人才培养对象。

本次普查还对发现的药用新资源开展民族民间传统应用历史与现状调查、生态环境与种群结构调查及生药学特征、转录组与质体全基因组测序等资源学研究，以评估其资源价值。新资源雪峰线虫草 *Ophiocordyceps xuefengensis* 的系统研究"民族特色药用资源雪峰虫草生物特性与物质基础的系统研究"获湖南省中医药科技奖一等奖、中国中西医结合学会科技进步奖三等奖。

积极应用转化中药资源普查成果，协助各级政府编制产业发展规划，先后起草并由省政府或相关职能部门联合发布了《湖南省中医药"产业振兴"工程实施方案（2021—2025年）》《湖南省中医药健康服务业发展行动计划（2022—2025年）》等省级发展规划，为《湖南省"十四五"中医药发展规划》等省级规划的编制提供了数据支撑；向省政府提交湖南智库成果专报《打造湖南中医药千亿级新兴产业链对策研究》；以中药资源普查成果为基础，系统梳理湖南道地药材传承历史，协助湖南省中医药管理局遴选《湖南省道地药材目录》，参与《湖南省中药饮片炮制规范》（2021年版）、《湖南省中药材标准》的制修订工作；先后为安化、平江、桂东、桑植、华容、汝城等30个中药材产业大县编制了中药材产业发展规划、中药资源生产区划，为政府及企业发展中药产业提供了重要参考，将普查成果落实到地方中药材产业发展中。

第二节 中药资源种类

一、各县（市、区）中药资源种类

湖南122个县（市、区）中，普查品种超过500种的有97个，普查品种超过700种的有59个，普查品种超过800种的有32个，普查品种超过900种的有14个，普查品种超过1 000种的有4个。（见表1-3-1）。

表 1-3-1　湖南 122 个县（市、区）的普查品种数

序号	县（市、区）	普查品种数	腊叶标本份数
1	芙蓉	211	250
2	天心	225	252
3	岳麓	514	799
4	开福	241	276
5	雨花	236	288
6	长沙	667	1 169
7	望城	631	1 077
8	宁乡	641	864
9	浏阳	745	1 114
10	荷塘	356	525
11	芦淞	379	480

续表

序号	县（市、区）	普查品种数	腊叶标本份数
12	石峰	362	557
13	天元	377	565
14	渌口	719	1 046
15	攸县	769	1 163
16	茶陵	747	1 144
17	炎陵	674	715
18	醴陵	869	1 230
19	雨湖	406	681
20	岳塘	440	780
21	湘潭	683	1 036
22	湘乡	341	693
23	韶山	364	579
24	珠晖	540	631
25	雁峰	603	675
26	石鼓	614	675
27	蒸湘	535	622
28	南岳	770	934
29	衡阳	826	1 101
30	衡南	879	1 349
31	衡山	897	1 198
32	衡东	589	760
33	祁东	649	895
34	耒阳	701	1 190
35	常宁	534	768
36	双清	385	804
37	大祥	561	801
38	北塔	391	610
39	邵东	554	886
40	新邵	634	1 005
41	邵阳	841	1 200
42	隆回	712	828
43	洞口	764	1 174

续表

序号	县（市、区）	普查品种数	腊叶标本份数
44	绥宁	751	1 010
45	新宁	523	785
46	城步	825	1 204
47	武冈	954	1 148
48	岳阳楼	247	356
49	云溪	498	632
50	君山	413	634
51	岳阳	658	984
52	华容	456	790
53	湘阴	499	767
54	平江	335	356
55	汨罗	682	943
56	临湘	608	775
57	武陵	373	589
58	鼎城	443	566
59	安乡	570	803
60	汉寿	674	976
61	澧县	674	982
62	临澧	615	780
63	桃源	682	1 113
64	石门	812	1 136
65	津市	618	875
66	永定	912	1 296
67	武陵源	836	1 186
68	慈利	852	1 194
69	桑植	790	1 000
70	资阳	455	596
71	赫山	649	1 005
72	南县	440	702
73	桃江	787	1 232
74	安化	746	1 104
75	沅江	258	328

续表

序号	县（市、区）	普查品种数	腊叶标本份数
76	北湖	793	1 166
77	苏仙	743	1 160
78	桂阳	901	1 408
79	宜章	813	1 191
80	永兴	658	962
81	嘉禾	767	1 159
82	临武	861	1 247
83	汝城	1 068	1 305
84	桂东	836	767
85	安仁	663	727
86	资兴	748	1 181
87	零陵	566	1 352
88	冷水滩	833	1 108
89	祁阳	597	1 102
90	东安	841	1 219
91	双牌	931	1 290
92	道县	916	1 383
93	江永	778	1 298
94	宁远	746	924
95	蓝山	950	1 458
96	新田	757	1 204
97	江华	652	803
98	鹤城	691	852
99	中方	905	1 237
100	沅陵	815	1 092
101	辰溪	1 021	1 210
102	溆浦	680	819
103	会同	679	1 208
104	麻阳	912	1 207
105	新晃	900	1 185
106	芷江	787	1 226
107	靖州	784	1 124

续表

序号	县（市、区）	普查品种数	腊叶标本份数
108	通道	762	922
109	洪江	906	1 220
110	娄星	520	735
111	双峰	935	1 164
112	新化	773	1 101
113	冷水江	659	872
114	涟源	629	750
115	吉首	899	1 238
116	泸溪	743	1 106
117	凤凰	735	968
118	花垣	885	1 257
119	保靖	713	792
120	古丈	1 095	1 170
121	永顺	1 240	1 418
122	龙山	706	902

二、湖南重点保护中药资源

2021 年 8 月 7 日，经国务院批准，《国家重点保护野生植物名录》发布。2023 年 8 月 14 日，湖南省林业局、湖南省农业农村厅联合发布《湖南省地方重点保护野生植物名录》。《中华人民共和国野生植物保护条例》规定：禁止采集国家一级保护野生植物。因科学研究、人工培育、文化交流等特殊需要，采集国家一级保护野生植物的，应当按照管理权限向国务院林业行政主管部门或者其授权的机构申请采集证；或者向采集地的省、自治区、直辖市人民政府农业行政主管部门或者其授权的机构申请采集证。采集国家二级保护野生植物的，必须经采集地的县级人民政府野生植物行政主管部门签署意见后，向省、自治区、直辖市人民政府野生植物行政主管部门或者其授权的机构申请采集证。禁止出售、收购国家一级保护野生植物。出售、收购国家二级保护野生植物的，必须经省、自治区、直辖市人民政府野生植物行政主管部门或者其授权的机构批准。湖南分布的药用植物中，列入《国家重点保护野生植物名录》105 种，列入《湖南省地方重点保护野生植物名录》56 种，合计 161 种（见表 1-3-2）。

表 1-3-2　湖南重点保护药用植物名录

序号	中文名	拉丁学名	保护级别
1	水蕨 *	*Ceratopteris thalictroides*	国一
2	水松	*Glyptostrobus pensilis*	国一
3	水杉	*Metasequoia glyptostroboides*	国一
4	红豆杉	*Taxus wallichiana* var. *chinensis*	国一
5	南方红豆杉	*Taxus wallichiana* var. *mairei*	国一
6	绒毛皂荚	*Gleditsia japonica* var. *velutina*	国一
7	珙桐	*Davidia involucrata*	国一
8	中华石杉	*Huperzia chinensis*	国二
9	皱边石杉	*Huperzia crispata*	国二
10	峨眉石杉	*Huperzia emeiensis*	国二
11	南川石杉	*Huperzia nanchuanensis*	国二
12	南岭石杉	*Huperzia nanlingensis*	国二
13	蛇足石杉	*Huperzia serrata*	国二
14	福氏马尾杉	*Phlegmariurus fordii*	国二
15	闽浙马尾杉	*Phlegmariurus mingcheensis*	国二
16	福建观音座莲	*Angiopteris fokiensis*	国二
17	金毛狗	*Cibotium barometz*	国二
18	桫椤	*Alsophila spinulosa*	国二
19	粗梗水蕨 *	*Ceratopteris chingii*	国二
20	百日青	*Podocarpus neriifolius*	国二
21	福建柏	*Fokienia hodginsii*	国二
22	穗花杉	*Amentotaxus argotaenia*	国二
23	篦子三尖杉	*Cephalotaxus oliveri*	国二
24	巴山榧树	*Torreya fargesi*	国二
25	榧树	*Torreya grandis*	国二
26	江南油杉	*Keteleeria fortunei* var. *cyclolepis*	国二
27	华南五针松	*Pinus kwangtungensis*	国二
28	金钱松	*Pseudolarix amabilis*	国二
29	黄杉	*Pseudotsuga sinensis*	国二
30	莼菜 *	*Brasenia schreberi*	国二
31	金耳环	*Asarum insigne*	国二

续表

序号	中文名	拉丁学名	保护级别
32	马蹄香	*Saruma henryi*	国二
33	鹅掌楸	*Liriodendron chinense*	国二
34	油樟	*Cinnamomum longepaniculatum*	国二
35	闽楠	*Phoebe bournei*	国二
36	楠木	*Phoebe zhennan*	国二
37	龙舌草 *	*Ottelia alismoides*	国二
38	凌云重楼 *	*Paris cronquistii*	国二
39	球药隔重楼 *	*Paris fargesii*	国二
40	具柄重楼 *	*Paris fargesii* var. *petiolata*	国二
41	亮叶重楼 *	*Paris nitida*	国二
42	华重楼 *	*Paris polyphylla* var. *chinensis*	国二
43	长药隔重楼 *	*Paris polyphylla* var. *pseudothibetica*	国二
44	狭叶重楼 *	*Paris polyphylla* var. *stenophylla*	国二
45	宽瓣重楼 *	*Paris yunnanensis*	国二
46	荞麦叶大百合 *	*Cardiocrinum cathayanum*	国二
47	天目贝母 *	*Fritillaria monantha*	国二
48	浙贝母 *	*Fritillaria thunbergii*	国二
49	老鸦瓣 *	*Tulipa edulis*	国二
50	金线兰 *	*Anoectochilus roxburghii*	国二
51	白及 *	*Bletilla striata*	国二
52	独花兰	*Changnienia amoena*	国二
53	杜鹃兰	*Cremastra appendiculata*	国二
54	建兰	*Cymbidium ensifolium*	国二
55	蕙兰	*Cymbidium faberi*	国二
56	多花兰	*Cymbidium floribundum*	国二
57	春兰	*Cymbidium goeringii*	国二
58	寒兰	*Cymbidium kanran*	国二
59	绿花杓兰	*Cypripedium henryi*	国二
60	扇脉杓兰	*Cypripedium japonicum*	国二
61	杨氏丹霞兰	*Danxiaorchis yangii*	国二
62	串珠石斛 *	*Dendrobium falconeri*	国二
63	重唇石斛 *	*Dendrobium hercoglossum*	国二

续表

序号	中文名	拉丁学名	保护级别
64	罗河石斛 *	*Dendrobium lohohense*	国二
65	细茎石斛 *	*Dendrobium moniliforme*	国二
66	铁皮石斛 *	*Dendrobium officinale*	国二
67	天麻 *	*Gastrodia elata*	国二
68	独蒜兰	*Pleione bulbocodioides*	国二
69	陈氏独蒜兰	*Pleione chunii*	国二
70	台湾独蒜兰	*Pleione formosana*	国二
71	云南独蒜兰	*Pleione yunnanensis*	国二
72	野生稻 *	*Oryza rufipogon*	国二
73	拟高粱 *	*Sorghum propinquum*	国二
74	石生黄堇	*Corydalis saxicola*	国二
75	小八角莲	*Dysosma difformis*	国二
76	贵州八角莲	*Dysosma majorensis*	国二
77	八角莲	*Dysosma versipellis*	国二
78	黄连 *	*Coptis chinensis*	国二
79	短萼黄连 *	*Coptis chinensis* var. *brevisepala*	国二
80	莲 *	*Nelumbo nucifera*	国二
81	连香树	*Cercidiphyllum japonicum*	国二
82	山豆根 *	*Euchresta japonica*	国二
83	野大豆 *	*Glycine soja*	国二
84	光叶红豆	*Ormosia glaberrima*	国二
85	花榈木	*Ormosia henryi*	国二
86	红豆树	*Ormosia hosiei*	国二
87	海南红豆	*Ormosia pinnata*	国二
88	软荚红豆	*Ormosia semicastrata*	国二
89	大叶榉树	*Zelkova schneideriana*	国二
90	细果野菱 *	*Trapa incisa*	国二
91	梓叶槭	*Acer amplum* subsp. *catalpifolium*	国二
92	宜昌橙 *	*Citrus cavaleriei*	国二
93	川黄檗	*Phellodendron chinense*	国二
94	红椿	*Toona ciliata*	国二
95	伯乐树	*Bretschneidera sinensis*	国二

续表

序号	中文名	拉丁学名	保护级别
96	金荞麦 *	*Fagopyrum dibotrys*	国二
97	茶 *	*Camellia sinensis*	国二
98	软枣猕猴桃 *	*Actinidia arguta*	国二
99	中华猕猴桃 *	*Actinidia chinensis*	国二
100	金花猕猴桃 *	*Actinidia chrysantha*	国二
101	条叶猕猴桃 *	*Actinidia fortunatii*	国二
102	香果树	*Emmenopterys henryi*	国二
103	崖白菜	*Triaenophora rupestris*	国二
104	竹节参 *	*Panax japonicus*	国二
105	珠子七 *	*Panax japonicus* var. *major*	国二
106	卷柏	*Selaginella tamariscina*	省保
107	竹柏	*Nageia nagi*	省保
108	铁坚油杉	*Keteleeria davidiana*	省保
109	长苞铁杉	*Tsuga longibracteata*	省保
110	睡莲 *	*Nymphaea tetragona*	省保
111	巴东木莲	*Manglietia patungensis*	省保
112	黄心夜合	*Michelia martinii*	省保
113	天女木兰	*Oyama sieboldii*	省保
114	观光木	*Tsoongiodendron odorum*	省保
115	望春玉兰	*Yulania biondii*	省保
116	黄山玉兰	*Yulania cylindrica*	省保
117	武当玉兰	*Yulania sprengeri*	省保
118	沉水樟	*Cinnamomum micranthum*	省保
119	川桂	*Cinnamomum wilsonii*	省保
120	窄叶泽泻	*Alisma canaliculatum*	省保
121	泽苔草	*Caldesia parnassifolia*	省保
122	湖北百合	*Lilium henryi*	省保
123	南川百合	*Lilium rosthornii*	省保
124	药百合	*Lilium speciosum* var. *gloriosoides*	省保
125	兔耳兰	*Cymbidium lancifolium*	省保
126	长叶山兰	*Oreorchis fargesii*	省保
127	黄花鹤顶兰	*Phaius flavus*	省保

续表

序号	中文名	拉丁学名	保护级别
128	鹤顶兰	*Phaius tancarvilleae*	省保
129	仙茅	*Curculigo orchioides*	省保
130	卵叶韭	*Allium ovalifolium*	省保
131	茖葱	*Allium victorialis*	省保
132	多星韭	*Allium wallichii*	省保
133	领春木	*Euptelea pleiosperma*	省保
134	川鄂獐耳细辛	*Hepatica henryi*	省保
135	半枫荷	*Semiliquidambar cathayensis*	省保
136	管萼山豆根 *	*Euchresta tubulosa*	省保
137	雷公青冈	*Cyclobalanopsis hui*	省保
138	云山青冈	*Cyclobalanopsis sessilifolia*	省保
139	米心水青冈	*Fagus engleriana*	省保
140	水青冈	*Fagus longipetiolata*	省保
141	青钱柳	*Cyclocarya paliurus*	省保
142	华南桦	*Betula austrosinensis*	省保
143	香桦	*Betula insignis*	省保
144	雪胆	*Hemsleya chinensis*	省保
145	广东西番莲	*Passiflora kwangtungensis*	省保
146	川黔紫薇	*Lagerstroemia excelsa*	省保
147	金钱槭	*Dipteronia sinensis*	省保
148	天师栗	*Aesculus chinensis* var. *wilsonii*	省保
149	裸芸香	*Psilopeganum sinense*	省保
150	茶梨	*Anneslea fragrans*	省保
151	厚皮香	*Ternstroemia gymnanthera*	省保
152	厚叶厚皮香	*Ternstroemia kwangtungensis*	省保
153	尖萼厚皮香	*Ternstroemia luteoflora*	省保
154	四川杜鹃	*Rhododendron sutchuenense*	省保
155	灵香草	*Lysimachia foenum-graecum*	省保
156	四川大头茶	*Polyspora speciosa*	省保
157	浙江红山茶	*Camellia chekiangoleosa*	省保
158	多齿红山茶	*Camellia polyodonta*	省保
159	紫茎	*Stewartia sinensis*	省保

续表

序号	中文名	拉丁学名	保护级别
160	单叶蔓荆	*Vitex rotundifolia*	省保
161	列当	*Orobanche coerulescens*	省保

注：1. 本表中的中文名、拉丁学名依据原目录，故未作改动。
2. * 表示农业部门管理品种。

三、湖南药食同源类中药资源

湖南药食同源类中药资源特色明显，可以分为药食两用类与新食品原料类。

（一）药食两用类中药资源

2002 年，卫生部颁布了《卫生部关于进一步规范保健食品原料管理的通知》（卫法监发〔2002〕51 号），公布了《既是食品又是药品的物品名单》，名单中包括 87 种物质。2019 年 11 月，国家卫生健康委员会发布《关于当归等 6 种新增按照传统既是食品又是中药材的物质公告》（2019 年第 8 号），将当归、山柰、西红花、草果、姜黄、荜茇 6 种物质仅作为香辛料和调味品纳入药食两用物质管理。2023 年 11 月 17 日，国家卫生健康委员会发布《关于党参等 9 种新增按照传统既是食品又是中药材的物质公告》，新增党参、杜仲叶等 9 种药食两用物质。至此，按照药食两用物质管理的中药材共 102 种。

在 102 种中药材中，湖南有分布且资源量较大的种类有：马齿苋、乌梢蛇、木瓜、代代花、玉竹、白芷、白果、白扁豆、白扁豆花、决明子、百合、芡实、罗汉果、鱼腥草、姜（生姜、干姜）、枳椇子、栀子、茯苓、桑叶、桑椹、橘红、桔梗、荷叶、莲子、淡竹叶、淡豆豉、菊花、黄精、紫苏、紫苏籽、葛根、槐米、槐花、蒲公英、蜂蜜、榧子、鲜白茅根、鲜芦根、蝮蛇、橘皮、薄荷、薏苡仁、薤白、灵芝、铁皮石斛、杜仲叶，共 46 种。其中，玉竹、黄精、百合、莲子、栀子、蝮蛇、橘皮、茯苓、葛根、白芷 10 种是《湖南省道地药材目录》收载品种。湘黄精、湘玉竹、湘莲子、龙牙百合、龙山百合、靖州茯苓等在全国享有盛誉的中药材皆是药食两用中药材，药食两用中药材是湖南中药材产业最显著的特征。

玉竹、陈皮（橘皮、橘红）、黄精、百合、莲子是湖南种植面积排名前十的品种。玉竹全省种植面积约 40 万亩，产量约占全国的 80%。莲子主产于湘潭、常德、岳阳等地，全省种植面积约 50 万亩，产量约占全国的 60%。龙牙百合主产于隆回、洞口、新化、中方等县，全省种植面积约 10 万亩，龙山百合主产于龙山、邵东等地，全省种植面积约 12 万亩，2 种百合的总产量约占全国的 50%。近年来湖南黄精种植发展迅速，全省种植面积约 25 万亩，产量约占全国的 50%。橘皮、橘红是水果柑橘的副产物，全省柑橘种植面积达百万亩，但作为药材利用的仅为其中一小部分。

此外，湖南种植面积较大的药食两用品种还有杜仲（约 30 万亩）、栀子（约 10 万亩）、木瓜（约

5万亩）、罗汉果（约5万亩），乌梢蛇、蝮蛇养殖也颇具规模，淡竹叶、鱼腥草、薤白野生资源丰富，其中鱼腥草、薤白还是湖南地方特色美食，生姜、干姜、薏苡仁也是湖南地方特色食品，种植面积也较大。

（二）新食品原料类中药资源

自2008年以来，已获批的新食品原料（包括原称新资源食品）共计134种，其中湖南具有一定资源量的种类有杜仲籽油、牡丹籽油、乌药叶、盐肤木果油、丹凤牡丹花、杜仲雄花、青钱柳叶、木姜叶柯叶、显齿蛇葡萄叶、葛仙米、湖北海棠叶、枇杷花、枇杷叶13种。青钱柳叶、木姜叶柯叶、显齿蛇葡萄叶具有明显的降血压、降血脂、降血糖功效。青钱柳 *Cyclocarya paliurus*、木姜叶柯 *Lithocarpus litseifolius*、显齿蛇葡萄 *Ampelopsis grossedentata* 在湖南不但野生资源量大，而且青钱柳 *Cyclocarya paliurus* 在绥宁、武冈、桑植等地有较大种植面积，木姜叶柯 *Lithocarpus litseifolius* 在溆浦、芷江等地，显齿蛇葡萄 *Ampelopsis grossedentata* 在永顺、永定等地有较大种植面积。显齿蛇葡萄 *Ampelopsis grossedentata* 在湖南的种植面积超过10万亩，产品莓茶已成为张家界特色旅游产品。杜仲籽油、杜仲雄花依托湖南丰富的杜仲资源，发展迅速，潜力较大。

第三节　重点调查情况

湖南第四次中药资源普查重点调查品种有226种（见表1-3-3），涉及中药材251种。

表1-3-3　湖南重点调查中药资源名录

序号	中文名	拉丁学名
1	菝葜	*Smilax china*
2	银杏	*Ginkgo biloba*
3	白及	*Bletilla striata*
4	白蔹	*Ampelopsis japonica*
5	白茅	*Imperata cylindrica*
6	柳叶白前	*Cynanchum stauntonii*
7	白前	*Cynanchum glaucescens*
8	白屈菜	*Chelidonium majus*
9	芍药	*Paeonia lactiflora*
10	白术	*Atractylodes macrocephala*
11	白薇	*Cynanchum atratum*
12	白芷	*Angelica dahurica*

序号	中文名	拉丁学名
13	大百部	*Stemona tuberosa*
14	百合	*Lilium brownii* var. *viridulum*
15	卷丹	*Lilium lancifolium*
16	细叶百合	*Lilium pumilum*
17	侧柏	*Platycladus orientalis*
18	半边莲	*Lobelia chinensis*
19	半夏	*Pinellia ternata*
20	半枝莲	*Scutellaria barbata*
21	阴行草	*Siphonostegia chinensis*
22	山鸡椒	*Litsea cubeba*
23	萹蓄	*Polygonum aviculare*
24	薄荷	*Mentha haplocalyx*
25	茅苍术	*Atractylodes lancea*
26	北柴胡	*Bupleurum chinense*
27	狭叶柴胡	*Bupleurum scorzonerifolium*
28	常山	*Dichroa febrifuga*
29	川楝	*Melia toosendan*
30	小木通	*Clematis armandii*
31	绣球藤	*Clematis montana*
32	鸢尾	*Iris tectorum*
33	穿龙薯蓣	*Dioscorea nipponica*
34	大血藤	*Sargentodoxa cuneata*
35	丹参	*Salvia miltiorrhiza*
36	川党参	*Codonopsis pilosula* subsp. *tangshen*
37	枸杞	*Lycium chinense*
38	碎米桠	*Rabdosia rubescens*
39	重齿当归	*Angelica biserrata*
40	杜仲	*Eucommia ulmoides*
41	灯笼草	*Clinopodium polycephalum*
42	风轮菜	*Clinopodium chinense*
43	粉防己	*Stephania tetrandra*
44	榧树	*Torreya grandis*

续表

序号	中文名	拉丁学名
45	粉葛	*Pueraria lobata* var. *thomsonii*
46	茯苓	*Poria cocos*
47	乌头	*Aconitum carmichaelii*
48	掌叶覆盆子	*Rubus chingii*
49	漆树	*Toxicodendron vernicifluum*
50	杠板归	*Polygonum perfoliatum*
51	藁本	*Ligusticum sinense*
52	野葛	*Pueraria lobata*
53	阔叶十大功劳	*Mahonia bealei*
54	十大功劳	*Mahonia fortunei*
55	钩藤	*Uncaria rhynchophylla*
56	华钩藤	*Uncaria sinensis*
57	金毛狗	*Cibotium barometz*
58	枸骨	*Ilex cornuta*
59	槲蕨	*Drynaria roosii*
60	栝楼	*Trichosanthes kirilowii*
61	双边栝楼	*Trichosanthes rosthornii*
62	瓜子金	*Polygala japonica*
63	贯叶金丝桃	*Hypericum perforatum*
64	南酸枣	*Choerospondias axillaris*
65	合欢	*Albizia julibrissin*
66	何首乌	*Fallopia multiflora*
67	天名精	*Carpesium abrotanoides*
68	凹叶厚朴	*Magnolia officinalis* var. *biloba*
69	厚朴	*Magnolia officinalis*
70	湖北贝母	*Fritillaria hupehensis*
71	虎杖	*Reynoutria japonica*
72	柚	*Citrus maxima*
73	川黄檗	*Phellodendron chinense*
74	多花黄精	*Polygonatum cyrtonema*
75	黄连	*Coptis chinensis*
76	黄山药	*Dioscorea panthaica*

序号	中文名	拉丁学名
77	芥菜	*Brassica juncea*
78	青牛胆	*Tinospora sagittata*
79	过路黄	*Lysimachia christinae*
80	金荞麦	*Fagopyrum dibotrys*
81	忍冬	*Lonicera japonica*
82	金樱子	*Rosa laevigata*
83	金疮小草	*Ajuga decumbens*
84	大戟	*Euphorbia pekinensis*
85	千里香	*Murraya paniculata*
86	铁冬青	*Ilex rotunda*
87	桔梗	*Platycodon grandiflorus*
88	菊苣	*Cichorium intybus*
89	腺毛菊苣	*Cichorium glandulosum*
90	瞿麦	*Dianthus superbus*
91	石竹	*Dianthus chinensis*
92	垫状卷柏	*Selaginella pulvinata*
93	卷柏	*Selaginella tamariscina*
94	决明	*Cassia tora*
95	苦参	*Sophora flavescens*
96	楝	*Melia azedarach*
97	苦树	*Picrasma quassioides*
98	款冬	*Tussilago farfara*
99	路边青	*Geum aleppicum*
100	柔毛路边青	*Geum japonicum* var. *chinense*
101	雷丸	*Omphalia lapidescens*
102	活血丹	*Glechoma longituba*
103	蓼蓝	*Polygonum tinctorium*
104	赤芝	*Ganoderma lucidum*
105	紫芝	*Ganoderma sinense*
106	滇龙胆草	*Gentiana rigescens*
107	龙胆	*Gentiana scabra*
108	条叶龙胆	*Gentiana manshurica*

续表

序号	中文名	拉丁学名
109	罗汉果	*Siraitia grosvenorii*
110	络石	*Trachelospermum jasminoides*
111	大马勃	*Calvatia gigantea*
112	脱皮马勃	*Lasiosphaera fenzlii*
113	紫色马勃	*Calvatia lilacina*
114	麦冬	*Ophiopogon japonicus*
115	单叶蔓荆	*Vitex rotundifolia*
116	猫爪草	*Ranunculus ternatus*
117	福州薯蓣	*Dioscorea futschauensis*
118	绵萆薢	*Dioscorea septemloba*
119	牡丹	*Paeonia suffruticosa*
120	木鳖子	*Momordica cochinchinensis*
121	皱皮木瓜	*Chaenomeles speciosa*
122	白木通	*Akebia trifoliata* subsp. *australis*
123	木通	*Akebia quinata*
124	三叶木通	*Akebia trifoliata*
125	云木香	*Saussurea costus*
126	木贼	*Equisetum hyemale*
127	板蓝	*Strobilanthes cusia*
128	野胡萝卜	*Daucus carota*
129	沙参	*Adenophora stricta*
130	华中五味子	*Schisandra sphenanthera*
131	牛膝	*Achyranthes bidentata*
132	女贞	*Ligustrum lucidum*
133	佩兰	*Eupatorium fortunei*
134	枇杷	*Eriobotrya japonica*
135	续随子	*Euphorbia lathyris*
136	千里光	*Senecio scandens*
137	前胡	*Peucedanum praeruptorum*
138	芡实	*Euryale ferox*
139	白蜡树	*Fraxinus chinensis*
140	苦枥白蜡树	*Fraxinus rhynchophylla*

序号	中文名	拉丁学名
141	毛青藤	*Sinomenium acutum* var. *cinereum*
142	风龙	*Sinomenium acutum*
143	青葙	*Celosia argentea*
144	苘麻	*Abutilon theophrasti*
145	拳参	*Polygonum bistorta*
146	假豪猪刺	*Berberis soulieana*
147	小黄连刺	*Berberis wilsonae*
148	黑三棱	*Sparganium stoloniferum*
149	独蒜兰	*Pleione bulbocodioides*
150	杜鹃兰	*Cremastra appendiculata*
151	锐尖山香圆	*Turpinia arguta*
152	华南忍冬	*Lonicera confusa*
153	黄褐毛忍冬	*Lonicera fulvotomentosa*
154	灰毡毛忍冬	*Lonicera macranthoides*
155	山茱萸	*Cornus officinalis*
156	垂序商陆	*Phytolacca americana*
157	商陆	*Phytolacca acinosa*
158	蛇床	*Cnidium monnieri*
159	射干	*Belamcanda chinensis*
160	石松	*Lycopodium japonicum*
161	石菖蒲	*Acorus tatarinowii*
162	吊石苣苔	*Lysionotus pauciflorus*
163	庐山石韦	*Pyrrosia sheareri*
164	石韦	*Pyrrosia lingua*
165	有柄石韦	*Pyrrosia petiolosa*
166	使君子	*Quisqualis indica*
167	水飞蓟	*Silybum marianum*
168	红蓼	*Polygonum orientale*
169	冬青	*Ilex chinensis*
170	天师栗	*Aesculus chinensis* var. *wilsonii*
171	孩儿参	*Pseudostellaria heterophylla*
172	天门冬	*Asparagus cochinchinensis*

续表

序号	中文名	拉丁学名
173	天葵	*Semiaquilegia adoxoides*
174	天麻	*Gastrodia elata*
175	一把伞南星	*Arisaema erubescens*
176	天南星	*Arisaema heterophyllum*
177	马兜铃	*Aristolochia debilis*
178	铁皮石斛	*Dendrobium officinale*
179	播娘蒿	*Descurainia sophia*
180	通脱木	*Tetrapanax papyrifer*
181	金钱松	*Pseudolarix amabilis*
182	麦蓝菜	*Vaccaria segetalis*
183	威灵仙	*Clematis chinensis*
184	乌药	*Lindera aggregata*
185	石虎	*Evodia rutaecarpa* var. *officinalis*
186	疏毛吴茱萸	*Evodia rutaecarpa* var. *bodinieri*
187	吴茱萸	*Evodia rutaecarpa*
188	五加	*Acanthopanax gracilistylus*
189	菥蓂	*Thlaspi arvense*
190	华细辛	*Asarum sieboldii*
191	伏生紫堇	*Corydalis decumbens*
192	仙茅	*Curculigo orchioides*
193	香附子	*Cyperus rotundus*
194	石香薷	*Mosla chinensis*
195	青荚叶	*Helwingia japonica*
196	西域旌节花	*Stachyurus himalaicus*
197	中国旌节花	*Stachyurus chinensis*
198	望春玉兰	*Magnolia biondii*
199	武当玉兰	*Magnolia sprengeri*
200	玉兰	*Magnolia denudata*
201	徐长卿	*Cynanchum paniculatum*
202	川续断	*Dipsacus asperoides*
203	玄参	*Scrophularia ningpoensis*
204	亚麻	*Linum usitatissimum*

序号	中文名	拉丁学名
205	芫花	*Daphne genkwa*
206	林泽兰	*Eupatorium lindleyanum*
207	野木瓜	*Stauntonia chinensis*
208	一枝黄花	*Solidago decurrens*
209	薏苡	*Coix lacryma-jobi*
210	三枝九叶草	*Epimedium sagittatum*
211	玉竹	*Polygonatum odoratum*
212	西伯利亚远志	*Polygala sibirica*
213	彩绒革盖菌	*Coriolus versicolor*
214	毛叶地瓜儿苗	*Lycopus lucidus* var. *hirtus*
215	栀子	*Gardenia jasminoides*
216	蜘蛛香	*Valeriana jatamansi*
217	酸橙	*Citrus aurantium*
218	甜橙	*Citrus sinensis*
219	草珊瑚	*Sarcandra glabra*
220	华重楼	*Paris polyphylla* var. *chinensis*
221	云南重楼	*Paris polyphylla* var. *yunnanensis*
222	朱砂根	*Ardisia crenata*
223	竹节参	*Panax japonicus*
224	紫花前胡	*Angelica decursiva*
225	紫萁	*Osmunda japonica*
226	紫苏	*Perilla frutescens*

　　湖南122个县（市、区）中，预设样地完成率皆超过80%，其中预设样地完成率不低于100%的县（市、区）有74个，不低于120%的县（市、区）有20个，最高完成率为130.56%；重点调查种类10种以上的县（市、区）有98个，50种以上的县（市、区）有52个，100种以上的县（市、区）有9个，140种以上的县（市、区）有2个，分别是武冈、通道（见表1-3-4）。

表 1-3-4　湖南 122 个县（市、区）重点调查工作完成情况

县（市、区）	样方套数量	记录个体数的种类数	记录重量的种类数	有蕴藏量的重点品种数
芙蓉	4	1	1	1
天心	5	5	1	1
岳麓	131	40	30	30
开福	25	8	1	1
雨花	9	5	1	1
长沙	205	81	55	55
望城	195	27	30	30
宁乡	200	46	54	53
浏阳	200	133	128	128
荷塘	150	41	11	11
芦淞	110	62	17	17
石峰	150	40	11	11
天元	146	36	10	10
渌口	205	100	36	36
攸县	210	226	54	54
茶陵	210	100	61	61
炎陵	205	146	119	119
醴陵	230	88	55	55
雨湖	90	27	20	20
岳塘	155	18	10	0
湘潭	190	123	78	58
湘乡	190	58	55	55
韶山	190	14	13	13
珠晖	205	53	44	44
雁峰	20	40	20	20
石鼓	200	56	59	59
蒸湘	195	52	46	46
南岳	185	88	33	33
衡阳	212	80	77	77
衡南	230	83	62	62
衡山	230	92	77	77

县（市、区）	样方套数量	记录个体数的种类数	记录重量的种类数	有蕴藏量的重点品种数
衡东	190	148	86	0
祁东	180	133	24	24
耒阳	220	105	23	23
常宁	220	107	59	59
双清	130	27	19	19
大祥	180	68	15	15
北塔	25	25	7	7
邵东	180	149	138	138
新邵	184	111	7	7
邵阳	230	80	58	58
隆回	180	107	102	0
洞口	200	86	55	55
绥宁	220	82	76	56
新宁	180	43	17	17
城步	225	73	69	69
武冈	235	244	143	143
岳阳楼	70	32	3	3
云溪	162	62	3	3
君山	110	31	3	3
岳阳	208	110	57	57
华容	185	37	36	36
湘阴	182	48	1	1
平江	180	333	95	95
汨罗	186	36	42	42
临湘	182	66	7	7
武陵	35	50	8	8
鼎城	180	63	11	11
安乡	50	23	20	20
汉寿	225	117	31	31
澧县	206	98	17	17
临澧	200	149	16	16
桃源	180	84	27	27

续表

县（市、区）	样方套数量	记录个体数的种类数	记录重量的种类数	有蕴藏量的重点品种数
石门	304	216	66	0
津市	180	56	26	26
永定	215	117	94	94
武陵源	200	65	4	4
慈利	340	144	126	126
桑植	250	183	122	122
资阳	175	65	5	5
赫山	185	74	2	2
南县	5	1	1	1
桃江	200	131	72	72
安化	200	106	88	87
沅江	80	13	1	1
北湖	203	80	49	49
苏仙	196	58	45	45
桂阳	185	72	73	73
宜章	210	91	71	71
永兴	185	52	40	40
嘉禾	200	83	45	45
临武	200	82	78	78
汝城	227	86	64	64
桂东	180	166	93	93
安仁	220	199	100	100
资兴	210	74	15	15
零陵	235	48	38	38
冷水滩	180	44	35	35
祁阳	195	51	8	8
东安	205	73	61	61
双牌	205	125	94	94
道县	240	63	46	45
江永	185	86	67	66
宁远	235	90	55	55
蓝山	230	141	52	52

续表

县（市、区）	样方套数量	记录个体数的种类数	记录重量的种类数	有蕴藏量的重点品种数
新田	200	95	15	15
江华	506	233	132	132
鹤城	180	30	27	27
中方	195	36	26	26
沅陵	205	99	63	0
辰溪	210	76	67	62
溆浦	200	104	77	77
会同	230	55	53	53
麻阳	230	70	44	44
新晃	205	107	90	90
芷江	226	70	57	56
靖州	200	83	48	48
通道	311	154	141	141
洪江	230	111	58	58
娄星	195	24	31	31
双峰	212	51	50	50
新化	230	88	76	76
冷水江	207	48	56	56
涟源	205	116	119	0
吉首	215	88	72	72
泸溪	216	73	19	19
凤凰	210	75	21	21
花垣	215	87	71	71
保靖	211	150	77	77
古丈	199	401	23	23
永顺	213	427	29	29
龙山	186	111	41	41

第四节　栽培药用植物调查情况

中药材栽培历来是湖南重要的农业生产活动，据湖南第三次中药资源普查成果——《湖南省中药资源普查报告集》记载，湖南大宗家种中药材品种有枳壳、百合、白术、茯苓、干姜、玉竹、山药、玄参、牡丹皮、黄柏、白芍、厚朴、三棱、木瓜、牛膝、白芷、芡实、延胡索、泽泻、杜仲、薄荷、紫苏、穿心莲、荆芥、栀子、金银花、菊花、白扁豆、五倍子、薏苡仁、乌梅等。

根据提交到全国中药资源普查数据库中的数据，湖南共种植中药材 114 种，种植面积 86.59 万亩；根据湖南省普查办采用电话访问、问卷调查及实地考察等方式调查到的资料，湖南共种植中药材 174 种，种植面积 354.73 万亩。湖南第四次中药资源普查发现种植面积较大的中药材有厚朴、黄精、山银花、陈皮、杜仲、玉竹、湘莲、黄柏、百合、显齿蛇葡萄、青蒿、枳壳、木瓜、栀子、吴茱萸、瓜蒌、艾叶、石菖蒲、葛根、白芍、博落回、牡丹皮、虎杖、天麻、绞股蓝、白及、五倍子等。种植种类较第三次中药资源普查有较大变化，第三次普查中的薄荷、三棱、泽泻、穿心莲、荆芥、白扁豆、乌梅等已基本没有规模种植，部分仅残留。第四次中药资源普查发现显齿蛇葡萄、绞股蓝、青钱柳、多穗石柯等代茶中药材种植面积迅速扩大，此多种中药材已经成为湖南中药材种植的重要组成部分。以永州为中心形成了一定规模的提取物种植，青蒿、颠茄草种植面积皆超过 5 万亩，博落回种植面积近万亩。

总的来看，湖南近 40 年中药材种植品种变化较大，经济效益是影响种植品种的最主要因素，放弃种植的品种普遍经济效益较低，新发展种植的中药材的应用也不仅限于临床。

湖南 122 个县（市、区）第四次中药资源普查调查到栽培中药材 174 种，其中 112 个县（市、区）均有栽培品种，栽培品种不低于 10 种的有 15 个县（市、区），不低于 20 种的有 5 个县（市、区），栽培品种最多的为慈利，达 30 种（见表 1-3-5）。

表 1-3-5　湖南 112 个县（市、区）栽培中药材情况

县（市、区）	栽培中药材品种数	病虫害种类数	县（市、区）	栽培中药材品种数	病虫害种类数
慈利	30	1	华容	13	7
涟源	25	0	炎陵	12	0
通道	22	0	长沙	12	3
邵东	20	76	衡山	11	8
安仁	20	0	桑植	10	8
浏阳	17	25	临武	10	0
安化	17	0	茶陵	10	1
溆浦	13	1	平江	9	8

续表

县（市、区）	栽培中药材品种数	病虫害种类数	县（市、区）	栽培中药材品种数	病虫害种类数
双牌	9	21	邵阳	3	6
桂阳	9	4	蒸湘	3	3
冷水江	9	7	珠晖	3	9
蓝山	9	6	零陵	3	3
永定	8	1	汉寿	3	3
衡南	8	7	鹤城	3	7
靖州	8	17	安乡	3	4
临湘	8	2	泸溪	3	0
新晃	7	22	韶山	3	7
桃江	7	4	石鼓	2	2
常宁	7	0	绥宁	2	0
洪江	7	5	双峰	2	2
沅陵	7	0	嘉禾	2	1
攸县	6	6	麻阳	2	2
龙山	6	0	汨罗	2	0
武陵源	6	0	桃源	2	0
石门	6	0	祁东	2	3
桂东	5	8	耒阳	2	2
新化	5	0	雁峰	2	6
醴陵	5	5	新宁	2	1
洞口	5	5	澧县	2	1
宁乡	5	6	大祥	2	2
望城	5	6	南县	2	1
武冈	4	10	江华	1	1
衡阳	4	6	保靖	1	1
宜章	4	5	吉首	1	1
辰溪	4	1	花垣	1	1
湘乡	4	1	城步	1	1
宁远	4	0	汝城	1	0
渌口	4	0	东安	1	0
南岳	4	4	湘潭	1	1
中方	4	4	岳阳	1	1

续表

县（市、区）	栽培中药材品种数	病虫害种类数	县（市、区）	栽培中药材品种数	病虫害种类数
芷江	1	0	君山	1	0
会同	1	1	赫山	1	2
道县	1	1	芙蓉	1	0
苏仙	1	1	天心	1	0
冷水滩	1	2	开福	1	0
娄星	1	0	雨花	1	0
岳麓	1	1	湘阴	1	0
永顺	1	2	沅江	1	0
古丈	1	3	隆回	1	1
凤凰	1	1	衡东	1	0
雨湖	1	0	岳塘	1	1
双清	1	1	江永	0	0
临澧	1	1	北湖	0	0
荷塘	1	0	永兴	0	0
石峰	1	1	津市	0	0
天元	1	1	芦淞	0	0
武陵	1	1	资兴	0	0
祁阳	1	0	新田	0	0
北塔	1	1	鼎城	0	0
岳阳楼	1	1	新邵	0	0
云溪	1	0	资阳	0	0

第五节　中药材市场调查情况

全国中药资源普查数据库汇总数据显示，湖南第四次中药资源普查调查到市场主流药材品种有 479 种。

一、专业性市场

湖南现有综合中药材市场 2 个，分别为邵东廉桥中药材专业市场和长沙高桥药材大市场。

1. 邵东廉桥中药材专业市场

该市场是全国 17 家中药材专业市场之一，经营品种 1 200 余种，以大宗常用中药、地方习用药为主，日成交量超过 100 t，年交易额达 10 亿元，为中南地区重要的中药材交易中心。

2. 长沙高桥药材大市场

该市场由原全国 17 家中药材专业市场之一的岳阳花板桥中药材市场部分商户搬迁而来，主营人参、三七、鹿茸等大宗贵细药材，目前初具规模。另外，原岳阳花板桥中药材市场部分商户搬迁至岳阳八字门经营，于此处形成了一定规模的综合中药材专业市场。

二、产地集散市场

湖南有药材产地集散市场 2 个，分别为靖州茯苓专业市场和隆回山银花专业市场。

1. 靖州茯苓专业市场

该市场主营茯苓，我国西南地区 70% 以上的茯苓在此处加工，形成了以茯苓加工集散为特色的专业性市场。另有部分西南地区的天麻等药材也在此集散。

2. 隆回山银花专业市场

该市场为山银花的产地集散市场，目前随着山银花的种植面积与市场逐渐稳定，该市场的运行也趋于平稳。

三、季节性市场

湖南存在大量的农村药材集市，主要为药农采集鲜药材的集散地。

1. 安仁春分鲜药市场

该市场为罗霄山脉中段地区的鲜药交易市场，每年春分节气前后持续一周左右。交易品种为罗霄山脉的野生中药材，药农采挖后在此处销售。

2. 端午鲜药市场

湖南普遍存在端午鲜药市场，该类市场主要进行端午节前后适于采收、利用的中药材的临时性交易。

3. 药材收购站

湖南邵阳、株洲、郴州、怀化、湘西州等山区市（州）的农村集市存在药材收购站，药材收购站主要收购药农采集的各类中药材，一般集中在地产药材产新季节收购。

第六节　传统知识调查情况

一、概述

湖南本次普查收集中药资源相关传统知识 1 175 条，涉及中药资源 399 种，涉及汉族、土家族、苗族、侗族、瑶族、回族、白族、畲族 8 个民族，其中汉族相关传统知识 929 条，约占 79%。《中华人民共和国中医药法》定义中医药是包括汉族和少数民族医药在内的我国各民族医药的统称，湖南民族医药特色显著，本次普查收集了丰富的苗族、侗族等少数民族医药传统知识，并先后编撰了《苗药资源》《苗医单验方及外治法》等著作（待出版），《中国侗药学》等著作正在编撰中。

二、具有潜在价值和独特功效的中药

对中药资源相关传统知识涉及的单味药进行总结，得到 291 种具有潜在价值和独特功效的中药。其中，内科用药 123 种，占比 42.3%，主要用于风湿痹痛、乙型肝炎、胃病、感染等治疗；外科用药 65 种，占比 22.3%，主要用于带状疱疹、肿痛、疮疡等治疗；伤科用药 48 种，占比 16.5%，主要用于跌打损伤、蛇虫咬伤等治疗。

三、湖南代表性少数民族中药资源

湖南少数民族人口为 668.52 万人，占全省总人口的 10.12%。土家族、苗族、侗族、瑶族等建立了民族自治地方，人口规模较大，是世居的少数民族。湖南的民族医药文化传承历史悠久，具有发展民族医药得天独厚的优势，土家族、苗族、侗族、瑶族医药文化具有良好的基础。

（一）主要民族药特点

1. 土家族药

湖南境内土家族主要聚居在湘西州的永顺、龙山、保靖、古丈、吉首、泸溪、凤凰和张家界的永定、桑植、慈利及常德的石门等地，广泛使用的特色民族代表药材有隔山香、落新妇、扣子七、血筒、缬草等。土家族药是指土家族人民生活境内生长、土家族药匠（医生）自采或自种，并在土家族医药学理论指导下，用于防治各种疾病的药物。土家族医药学以"三元"学说为理论基础，以气、血、精为体内的物质基础，药匠们认为人体的生命活动依赖上、中、下元脏器功能推动气、血、精的环流。

2. 苗药

湖南境内苗族主要聚居在凤凰、花垣、吉首、泸溪、保靖、古丈、城步、靖州、麻阳、绥宁等地，广泛使用的特色民族代表药材有血党、牛筋草、赶山鞭、一口血等。苗族医药学的基础理论及实践方法是经历代苗医和苗族同胞不断探索、实践和总结形成，包括"纲、经、症、疾"理论。按照苗医所总结的各种苗药的性味功效及"以冷制热、以热制冷"等用药规律治疗疾病。

3. 侗药

湖南境内侗族主要聚居在通道、新晃、靖州、芷江、会同、绥宁等地，广泛使用的特色民族代表药材有白毛乌蔹莓、三叶委陵菜、羊蹄、凉粉藤根等。"冷病热治、热病冷治、虚病补治、毒病排治、水病消治"是侗族医药学治疗疾病的五大原则。

4. 瑶药

湖南境内的瑶族主要分布于江华、江永、蓝山、宁远、道县、新田、双牌、桂阳、资兴、宜章、汝城等地，广泛使用的特色民族代表药材有海金子、凌霄根、萍蓬草、活血丹等。瑶药包含"五虎""九牛""十八钻""七十二风"等独具一格的品种，充分反映了瑶族历史、文化等方面的特点，是祖国传统医药文化宝库的一部分。

（二）代表性民族药

1. 一枝蒿

[来源] 本品为菊科蓍属植物蓍 *Achillea millefolium* 的全株。

[生长环境] 栽培种。

[性味功能] 辣、麻，微寒。止痛，活血，消肿，退热。

2. 一点血

[来源] 本品为马兜铃科马兜铃属植物管花马兜铃 *Aristolochia tubiflora* 的全株。

[生长环境] 生于山坡、石灰石缝隙中。

[性味功能] 苦，寒。祛风解热，止痛。

3. 一窝蛆

[来源] 本品为百合科粉条儿菜属植物粉条儿菜 *Aletris spicata* 的全草。

[生长环境] 生于丘陵荒草地、向阳山坡。

[性味功能] 甘，微寒。清热除湿，杀虫，消食，止咳补肺。

4. 人苋菜

[来源] 本品为大戟科铁苋菜属植物铁苋菜 *Acalypha australis* 的全草。

[生长环境] 生于村落田野、路旁草地。

[性味功能] 微苦，微寒。清热解毒，止血。

5. 八里麻

[来源] 本品为忍冬科接骨木属植物接骨木 *Sambucus williamsii* 的全株。

[生长环境] 生于旷野沟边、林缘。

[性味功能] 苦，微寒。散瘀，接骨，止痛，消肿。

6. 八宝莲

[来源] 本品为马鞭草科大青属植物臭牡丹 *Clerodendrum bungei* 的根皮。

[生长环境] 生于山谷村庄附近。

[性味功能] 辣、苦，微寒。补虚，消肿，破结。

7. 九子莲

[来源] 本品为兰科虾脊兰属植物虾脊兰 *Calanthe discolor* 的全草。

[生长环境] 生于山坡林下土壤肥沃处。

[性味功能] 辣、微苦，微寒。活血，散瘀，祛风，止痛。

8. 九头狮子草

[来源] 本品为爵床科观音草属植物九头狮子草 *Peristrophe japonica* 的全草。

[生长环境] 生于路边、草地或林下。

[性味功能] 辛、微苦，凉。发汗解表，清热解毒。

9. 九里明

[来源] 本品为菊科千里光属植物千里光 *Senecio scandens* 的根及果实。

[生长环境] 生于向阳山坡、村缘。

[性味功能] 微辣、苦，微寒。清热解毒，败火消肿。

10. 三叉苦

[来源] 本品为芸香科吴茱萸属植物三桠苦 *Evodia lepta* 的茎及带叶嫩枝。

[生长环境] 生于坡地常绿阔叶林中。

[性味功能] 苦，寒。清热解毒，祛风除湿，消肿止痛。

11. 三月泡

[来源] 本品为蔷薇科悬钩子属植物茅莓 *Rubus parvifolius* 的全株。

[生长环境] 生于山地荒野、草丛、灌丛缘。

[性味功能] 苦，微寒。健脾，消食，除湿，敛肠。

12. 三叶青

[来源] 本品为葡萄科崖爬藤属植物三叶崖爬藤 *Tetrastigma hemsleyanum* 的块根。

[生长环境] 生于山坡灌丛、山谷、溪边林下岩石缝隙中。

[性味功能] 微苦、辛，凉。清热解毒，活血祛风。

13. 三百棒

[来源] 本品为芸香科飞龙掌血属植物飞龙掌血 *Toddalia asiatica* 的全草。

[生长环境] 生于山坡灌丛中、草丛中。

[性味功能] 辣、麻、苦，微温。理气，破血，止痛，祛风除湿，祛寒。

14. 三杆风

[来源] 本品为五加科五加属植物白簕 *Acanthopanax trifoliatus* 的全株，以根皮为优。

[生长环境] 生于丘陵山坡、沟边、溪旁。

[性味功能] 苦、微涩，温。祛风除湿，止痛利节。

15. 三两金

[来源] 本品为紫金牛科紫金牛属植物百两金 *Ardisia crispa* 的全株。

[生长环境] 生于阔叶林下。

[性味功能] 苦、麻，微寒。止痛，退热，消肿。

16. 三角风

[来源] 本品为五加科常春藤属植物常春藤 *Hedera nepalensis* var. *sinensis* 的全株。

[生长环境] 生于山坡、林下、石上。

[性味功能] 苦，微寒。祛风除湿，通络活血。

17. 土大黄

[来源] 本品为蓼科酸模属植物羊蹄 *Rumex japonicus* 的根茎。

[生长环境] 生于溪边、村旁，也有栽培。

[性味功能] 酸、苦，微寒。清热导泻。

18. 土牛膝

[来源] 本品为苋科牛膝属植物土牛膝 *Achyranthes aspera* 的根及根茎。

[生长环境] 生于山坡疏林或村庄附近空旷地。

[性味功能] 苦、酸，平。活血散瘀，祛湿利尿，清热解毒。

19. 土当归

[来源] 本品为伞形科当归属植物紫花前胡 *Angelica decursiva* 的根。

[生长环境] 土家族药匠多有栽培。

[性味功能] 甘、苦，寒。发汗解表，退热，破血祛瘀。

20. 土红参

[来源] 本品为紫茉莉科紫茉莉属植物紫茉莉 *Mirabilis jalapa* 的根。

[生长环境] 庭园有栽培。

[性味功能] 淡，平。补气，补脾。

21. 土茵陈

[来源] 本品为玄参科阴行草属植物阴行草 *Siphonostegia chinensis* 的全草。

[生长环境] 生于丘陵山坡草丛及路边。

[性味功能] 苦，寒。清热解毒，祛湿。

22. 下田菊

[来源] 本品为菊科下田菊属植物下田菊 *Adenostemma lavenia* 的地上部分。

[生长环境] 生于水边、路旁、柳林沼泽地、林下及山坡灌丛中。

[性味功能] 辛、苦，凉。清热解毒，祛风除湿。

23. 大皮子药

[来源] 本品为海桐花科海桐花属植物光叶海桐 *Pittosporum glabratum* 的茎皮或枝皮。

[生长环境] 生于山坡、路旁、荒山。

[性味功能] 甘、苦、辛，微温。祛风除湿，活血通络，止咳，涩精。

24. 大救驾

[来源] 本品为瓶尔小草科瓶尔小草属植物瓶尔小草 *Ophioglossum vulgatum* 的全草。

[生长环境] 生于高山林下、沟边。

[性味功能] 苦，微寒。祛湿除热，活血消瘀。

25. 大救驾

[来源] 本品为菊科橐吾属植物鹿蹄橐吾 *Ligularia hodgsonii* 的全草。

[生长环境] 栽培种。

[性味功能] 甘、微苦，微寒。理气，破血，消肿。

26. 上天梯

[来源] 本品为藤黄科金丝桃属植物元宝草 *Hypericum sampsonii* 的全草。

[生长环境] 生于荒坡、路边、屋旁。

[性味功能] 苦、微辣，寒。通经活血，止痛解毒。

27. 小人参

[来源] 本品为桔梗科金钱豹属植物金钱豹 *Campanumoea javanica* 的全株，以根为优。

[生长环境] 生于山坡丛林、沟谷灌丛边。

[性味功能] 甘，平。补气，补肺，补脾。

28. 山姜

[来源] 本品为姜科山姜属植物山姜 *Alpinia japonica* 的根茎。

[生长环境] 生于林下阴湿处。

[性味功能] 辛，温。温中散寒，祛风活血。

29. 山莓

[来源] 本品为蔷薇科悬钩子属植物山莓 *Rubus corchorifolius* 的果实。

[生长环境] 生于向阳山坡、溪边、山谷、荒地和疏密灌丛潮湿处。

[性味功能] 酸、微甘，平。醒酒止渴，化痰解毒，收涩。

30. 山棠梨

[来源] 本品为蔷薇科山楂属植物湖北山楂 *Crataegus hupehensis* 的果实。

[生长环境] 生于山坡、山顶林缘、路旁。

[性味功能] 酸、微甘，微寒。消食，健脾，除湿。

31. 千锤打

[来源] 本品为大戟科算盘子属植物算盘子 *Glochidion puberum* 的全株。

[生长环境] 生于向阳山坡、灌丛中、路旁。

[性味功能] 苦，寒。破血，散气，止痛，清热。

32. 女儿黄

[来源] 本品为报春花科珍珠菜属植物临时救 *Lysimachia congestiflora* 的全草。

[生长环境] 生于路边、沟边或石壁上。

[性味功能] 甘、微苦，温。补血活血，利湿。

33. 马兰草

[来源] 本品为菊科马兰属植物马兰 *Kalimeris indica* 的全草。

[生长环境] 生于路旁、湿地、草地。

[性味功能] 辛、苦，凉。清热解毒，凉血止血，消积通淋。

34. 五爪龙

[来源] 本品为蔷薇科委陵菜属植物蛇含委陵菜 *Potentilla kleiniana* 的全草。

[生长环境] 生于丘陵、山坡路边、田边、荒地。

[性味功能] 苦、微涩，微寒。解表，凉血，化咳止痰，祛风止痒。

35. 五月苗

[来源] 本品为菊科石胡荽属植物石胡荽 *Centipeda minima* 的全草。

[生长环境] 生于田边、屋角阴湿之处。

[性味功能] 辣，寒。解表。

36. 五毒

[来源] 本品为毛茛科乌头属植物乌头 *Aconitum carmichaelii* 的块根。

[生长环境] 生于向阳山坡。

[性味功能] 辣、麻，热。祛风除湿，赶寒，镇痛。

37. 水田七

[来源] 本品为蒟蒻薯科裂果薯属植物裂果薯 *Tacca plantaginea* 的块茎。

[生长环境] 生于湿草地。

[性味功能] 苦、微甘，凉。清热解毒，止咳祛痰，理气止痛，散瘀止血。

38. 水灯心

[来源] 本品为灯心草科灯心草属植物野灯心草 *Juncus setchuensis* 的地上部分。

[生长环境] 生于湿草地。

[性味功能] 苦，凉。利水通淋，清心降火，凉血止血。

39. 水杨梅

[来源] 本品为茜草科水团花属植物细叶水团花 *Adina rubella* 的近成熟果序。

[生长环境] 生于溪边、河边、沙滩等湿润处。

[性味功能] 苦、涩，凉。清热解毒。

40. 水黄连

[来源] 本品为龙胆科獐牙菜属植物美丽獐牙菜 *Swertia angustifolia* var. *pulchella* 的全草。

[生长环境] 生于小河两岸。

[性味功能] 苦，寒。清热，除湿。

41. 见风消

[来源] 本品为萝藦科鹅绒藤属植物隔山消 *Cynanchum wilfordii* 的根。

[生长环境] 生于林缘、灌木林下。

[性味功能] 甘、苦，平。理气，消食，除满健脾。

42. 见肿消

[来源] 本品为葡萄科葡萄属植物刺葡萄 *Vitis davidii* 的藤茎。

[生长环境] 生于山坡、林缘、荒地。

[性味功能] 甘、酸，平。通经补液，祛风消肿，清热。

43. 牛白藤

[来源] 本品为茜草科耳草属植物牛白藤 *Hedyotis hedyotidea* 的藤茎。

[生长环境] 生于低海拔至中海拔的沟谷灌丛或丘陵坡地。

[性味功能] 微甘，凉。清热解表，祛风活络，消肿止痛。

44. 牛皮冻

[来源] 本品为萝藦科鹅绒藤属植物牛皮消 *Cynanchum auriculatum* 的块根。

[生长环境] 生于高的山坡林缘及路旁灌丛中或河流、水沟边潮湿地。

[性味功能] 甘、微苦，平。补肝肾，强筋骨，健脾消食，解毒疗疮。

45. 牛角七

[来源] 本品为百合科开口箭属植物弯蕊开口箭 *Tupistra wattii* 的全株。

[生长环境] 生于山谷林荫处。

[性味功能] 甘，微寒。补脾，健胃，散瘀，散气。

46. 牛筋草

[来源] 本品为禾本科䅟属植物牛筋草 *Eleusine indica* 的全草。

[生长环境] 生于荒地及路旁。

[性味功能] 甘、淡，平。清热，解毒，利湿。

47. 长沙梗

[来源] 本品为马鞭草科大青属植物海州常山 *Clerodendrum trichotomum* 的全株。

[生长环境] 生于山坡疏林、丘陵荒坡山地。

[性味功能] 苦，寒。解表，除热，解打摆子。

48. 乌金七

[来源] 本品为马兜铃科细辛属植物大叶马蹄香 *Asarum maximum* 的全草。

[生长环境] 生于山坡林荫下、沟旁、溪边。

[性味功能] 苦、辣，寒。止咳止痛，祛风，退热。

49. 巴山虎

[来源] 本品为槲蕨科槲蕨属植物槲蕨 *Drynaria roosii* 的根茎。

[生长环境] 生于溪边大树上、石壁上。

[性味功能] 苦，微寒。祛风湿，止痛消肿。

50. 巴岩仙

[来源] 本品为胡椒科胡椒属植物毛蒟 *Piper hongkongense* 的全株。

[生长环境] 生于林下、林缘或石壁上。

[性味功能] 辣、微苦、涩。祛风除湿。

51. 打不烂

[来源] 本品为景天科红景天属植物云南红景天 *Rhodiola yunnanensis* 的全草。

[生长环境] 生于山坡石壁上。

[性味功能] 酸、苦，微寒。破血，消肿，止痛，止血。

52. 石见穿草

[来源] 本品为唇形科鼠尾草属植物华鼠尾草 *Salvia chinensis* 的全草。

[生长环境] 生于山坡或平地的林荫处或草丛中。

[性味功能] 辛、苦，微寒。活血化瘀，清热利湿，散结消肿。

53. 龙杯七

[来源] 本品为百合科黄精属植物多花黄精 *Polygonatum cyrtonema* 的根茎。

[生长环境] 生于林下、溪边、林缘。

[性味功能] 甘，平。补气，补脾，补肺。

54. 龙骨七

[来源] 本品为百合科万寿竹属植物万寿竹 *Disporum cantoniense* 的全草。

[生长环境] 生于高山、山谷、林荫下。

[性味功能] 甘，平。补气，补骨。

55. 龙葵

[来源] 本品为茄科茄属植物龙葵 *Solanum nigrum* 的地上部分。

[生长环境] 生于草地、路边、荒地。

[性味功能] 苦、微甘，寒。清热解毒，消肿散结，利尿通淋。

56. 田皂角

[来源] 本品为豆科合萌属植物合萌 *Aeschynomene indica* 的全株。

[生长环境] 生于田边、水沟旁。

[性味功能] 苦，寒。利水祛湿，消肿。

57. 四块瓦

[来源] 本品为金粟兰科金粟兰属植物宽叶金粟兰 *Chloranthus henryi* 或多穗金粟兰 *Chloranthus multistachys* 的根及根茎。

[生长环境] 生于溪边、河边、沙滩等湿润处。

[性味功能] 辛、苦，温。祛风除湿，活血散瘀，止咳。

58. 仙桃草

[来源] 本品为玄参科婆婆纳属植物蚊母草 *Veronica peregrina* 的带虫瘿的全草。

[生长环境] 生于潮湿的荒地、路边。

[性味功能] 甘、微辛，平。化瘀止血，清热消肿，理气止痛。

59. 白三七

[来源] 本品为五加科人参属植物竹节参 *Panax japonicus* 的全草。

[生长环境] 生于高山、山谷阴湿处。

[性味功能] 甘、微苦，温。活血，止痛，祛瘀，强体。

60. 白英

[来源] 本品为茄科茄属植物白英 *Solanum lyratum* 的全株。

[生长环境] 生于山谷草地或路旁、田边。

[性味功能] 甘、苦，寒。清热解毒，消肿。

61. 白背叶根

[来源] 本品为大戟科野桐属植物白背叶 *Mallotus apelta* 的根或根茎。

[生长环境] 生于山坡、路旁。

[性味功能] 微苦、涩，平。清热，祛湿，收敛，消瘀。

62. 白鹤莲

[来源] 本品为三白草科三白草属植物三白草 *Saururus chinensis* 的全草或根。

[生长环境] 生于水边、池塘边、田边。

[性味功能] 甘，微寒。利湿，收敛。

63. 瓜子七

[来源] 本品为远志科远志属植物瓜子金 *Polygala japonica* 的全草。

[生长环境] 生于山坡、疏林下、路边。

[性味功能] 甘、苦，寒。解毒，散风消肿。

64. 包谷七

[来源] 本品为百合科万年青属植物万年青 *Rohdea japonica* 的全草。

[生长环境] 生于山涧、山坡。庭园有栽培。

[性味功能] 甘、微苦，寒。补脾，健胃，清热解毒。

65. 半边钱

[来源] 本品为伞形科积雪草属植物积雪草 *Centella asiatica* 的全草。

[生长环境] 生于草地、屋边、路旁。

[性味功能] 甘。清热解毒，祛湿。

66. 扣子七

[来源] 本品为五加科人参属植物假人参 *Panax pseudoginseng* 的全草。

[生长环境] 生于林下、山涧。

[性味功能] 甘、微苦，温。活血止血，散瘀祛痛。

67. 地儿莲

[来源] 本品为百合科天门冬属植物羊齿天门冬 *Asparagus filicinus* 的根。

[生长环境] 生于林下、山谷阴湿处。

[性味功能] 甘、微苦，寒。止咳，补肺。

68. 地皮消

[来源] 本品为蔷薇科悬钩子属植物太平莓 *Rubus pacificus* 的全草。

[生长环境] 生于丘陵、荒坡、林缘。

[性味功能] 苦、微涩，寒。解表，退热，消食积。

69. 地耳草

[来源] 本品为藤黄科金丝桃属植物地耳草 *Hypericum japonicum* 的全草。

[生长环境] 生于田边、沟边、草地及撂荒地上。

[性味功能] 苦、辛，平。清热利湿，散瘀消肿。

70. 地芙蓉

[来源] 本品为锦葵科木槿属植物木芙蓉 *Hibiscus mutabilis* 的全株或花。

[生长环境] 生于河边、溪边。庭院有栽培。

[性味功能] 微辛。清热解毒，消肿。

71. 地牯牛

[来源] 本品为唇形科夏枯草属植物夏枯草 *Prunella vulgaris* 的全草。

[生长环境] 生于田边、路旁、林边。

[性味功能] 苦，寒。清热解毒，败火。

72. 地桃花

[来源] 本品为锦葵科梵天花属植物地桃花 *Urena lobata* 的地上部分。

[生长环境] 生于山坡、荒地、路旁。

[性味功能] 甘、辛，凉。祛风利湿，活血消肿，清热解毒。

73. 过江龙

[来源] 本品为石松科扁枝石松属植物扁枝石松 *Diphasiastrum complanatum* 的全草。

[生长环境] 生于林缘。

[性味功能] 甘、辛，温。祛风除湿，舒筋活络。

74. 过岗龙

[来源] 本品为禾本科白茅属植物白茅 *Imperata cylindrica* 的根茎。

[生长环境] 生于山坡、荒地草丛中。

[性味功能] 甘，微寒。凉血止血，利湿。

75. 百两银

[来源] 本品为紫金牛科紫金牛属植物朱砂根 *Ardisia crenata* 的全株。

[生长环境] 生于阔叶林下。

[性味功能] 苦、辣，微寒。止痛，活血，散瘀。

76. 百味莲

[来源] 本品为葫芦科雪胆属植物雪胆 *Hemsleya chinensis* 的块根。

[生长环境] 生于高山、山谷林荫下。

[性味功能] 苦，寒。健脾，止痛。

77. 竹叶莲

[来源] 本品为鸭跖草科杜若属植物杜若 *Pollia japonica* 的全草。

[生长环境] 生于沟边、溪边的湿润处。

[性味功能] 甘，平。补气，补液。

78. 竹根七

[来源] 本品为百合科竹根七属植物深裂竹根七 *Disporopsis pernyi* 的根茎。

[生长环境] 生于林荫下、山涧。

[性味功能] 甘，平。补气，补脾，补肺。

79. 竹苑七

[来源] 本品为菊科华蟹甲属植物华蟹甲 *Sinacalia tangutica* 的根茎。

[生长环境] 生于高山山地、坡地、路旁。

[性味功能] 甘，平。补脾，健胃，除湿。

80. 血当归

[来源] 本品为菊科菊三七属植物菊三七 *Gynura japonica* 的根茎。

[生长环境] 栽培种。

[性味功能] 苦，寒。活血，破血，消肿。

81. 血蜈蚣

[来源] 本品为秋海棠科秋海棠属植物掌裂叶秋海棠 *Begonia pedatifida* 的根茎。

[生长环境] 生于山谷、溪边、沟旁阴湿处。

[性味功能] 酸，微寒。补血活血，凉血退热，收涩止血。

82. 羊角七

[来源] 本品为兰科白及属植物白及 *Bletilla striata* 的块根。

[生长环境] 生于山岗草丛中、山坡草丛中。

[性味功能] 甘、微苦，寒。理气止血，消肿。

83. 米米叶

[来源] 本品为唇形科地笋属植物地笋 *Lycopus lucidus* 的根茎。

[生长环境] 生于丘陵、山地、溪边阴湿处。

[性味功能] 苦、甘，温。活血，补虚。

84. 观音莲

[来源] 本品为观音座莲科观音座莲属植物福建观音座莲 *Angiopteris fokiensis* 的鲜茎。

[生长环境] 生于高山林下池边、沟谷处。

[性味功能] 淡，微寒。止咳，散瘀。

85. 红毛七

[来源] 本品为小檗科红毛七属植物红毛七 *Caulophyllum robustum* 的根。

[生长环境] 生于高山、林下或山谷阴湿处。

[性味功能] 苦、辣，温。活血，通经，祛风，止痛。

86. 红药子

[来源] 本品为薯蓣科薯蓣属植物薯莨 *Dioscorea cirrhosa* 的块茎。

[生长环境] 生于灌丛中。

[性味功能] 微苦、涩，凉。活血止血。

87. 麦穗七

[来源] 本品为酢浆草科酢浆草属植物酢浆草 *Oxalis corniculata* 的全草。

[生长环境] 生于高山林荫下、林缘石上。

[性味功能] 酸，微寒。除湿，利水，收涩。

88. 芫荽

[来源] 本品为伞形科芫荽属植物芫荽 *Coriandrum sativum* 的全草。

[生长环境] 田间有栽培。

[性味功能] 辛，温。发表透疹，和胃。

89. 鸡矢藤

[来源] 本品为茜草科鸡矢藤属植物臭鸡矢藤 *Paederia foetida* 的地上部分。

[生长环境] 生于低海拔的疏林内。

[性味功能] 甘、微苦，平。祛风除湿，消食化积，解毒消肿，活血止痛。

90. 鸡脚参

[来源] 本品为百合科黄精属植物玉竹 *Polygonatum odoratum* 的全草，以根为优。

[生长环境] 生于阔叶林下、山谷丛林下，也有栽培。

[性味功能] 甘，平。补气，补肺。

91. 鸡筋参

[来源] 本品为茜草科虎刺属植物短刺虎刺 *Damnacanthus giganteus* 的根。

[生长环境] 生于林荫下、山谷。

[性味功能] 甘、微苦，平。补气，补肾。

92. 拐子药

[来源] 本品为毛茛科铁线莲属植物吊单叶铁线莲 *Clematis henryi* 的块根。

[生长环境] 生于山谷、山坡林下或林中石隙中。

[性味功能] 辣，微寒。行气，破血，散瘀，止痛。

93. 拦路虎

[来源] 本品为桑科榕属植物地果 *Ficus tikoua* 的全株。

[生长环境] 生于水沟边、路旁。

[性味功能] 苦，寒。利水祛湿，消肿。

94. 苦瓜七

[来源] 本品为葫芦科栝楼属植物王瓜 *Trichosanthes cucumeroides* 的根。

[生长环境] 生于高山山坡、林缘。

[性味功能] 苦，寒。解毒，利尿，消肿。

95. 苦尽忠

[来源] 本品为唇形科筋骨草属植物筋骨草 *Ajuga ciliata* 的全草。

[生长环境] 生于山脚、溪旁、路边。

[性味功能] 苦，寒。清热消肿，止咳平喘。

96. 苦紫草

[来源] 本品为龙胆科獐牙菜属植物獐牙菜 *Swertia bimaculata* 的全草。

[生长环境] 生于山坡草地、路旁。

[性味功能] 苦，寒。清热，除湿。

97. 松叶

[来源] 本品为松科松属植物马尾松 *Pinus massoniana* 的叶。

[生长环境] 生于干旱、瘠薄的红壤、砾石土、砂质土中或岩石缝隙中。

[性味功能] 苦，温。祛风燥湿，杀虫止痒。

98. 岩丸子

[来源] 本品为秋海棠科秋海棠属植物中华秋海棠 *Begonia grandis* subsp. *sinensis* 的块根。

[生长环境] 生于山坡、山沟阴湿石壁处。

[性味功能] 甘、微苦，微寒。活血破血，收敛止血。

99. 岩泽兰

[来源] 本品为苦苣苔科吊石苣苔属植物吊石苣苔 *Lysionotus pauciflorus* 的全株。

[生长环境] 生于山地、沟边、大树上或石壁上。

[性味功能] 苦、涩，温。散气，破血，止痛。

100. 岩隙子

[来源] 本品为天南星科半夏属植物滴水珠 *Pinellia cordata* 的块根。

[生长环境] 生于山坡林边、岩石缝隙中。

[性味功能] 麻辣、涩，微温。止痛，消肿，止咳。

101. 牧山虎

[来源] 本品为鸢尾科鸢尾属植物蝴蝶花 *Iris japonica* 的全草或根茎。

[生长环境] 生于沟旁、溪边。

[性味功能] 甘、微苦，平。清热祛湿，健脾消积。

102. 金樱根

[来源] 本品为蔷薇科蔷薇属植物金樱子 *Rosa laevigata*、小果蔷薇 *Rosa cymosa* 或粉团蔷薇 *Rosa multiflora* var. *cathayensis* 的根及茎。

[生长环境] 生于山坡、灌丛或河边等。

[性味功能] 苦、酸、涩，平。清热利湿，解毒消肿，活血止血，收敛固涩。

103. 肺形草

[来源] 本品为龙胆科双蝴蝶属植物双蝴蝶 *Tripterospermum chinense* 的全草。

[生长环境] 生于高山林荫下。

[性味功能] 甘、微辣，寒。清热利湿，止咳。

104. 单面针

[来源] 本品为芸香科花椒属植物砚壳花椒 *Zanthoxylum dissitum* 或刺壳花椒 *Zanthoxylum echinocarpum* 的根或茎。

[生长环境] 生于林缘。

[性味功能] 辛、苦，温；有小毒。祛风散寒，理气活血。

105. 空心泡儿

[来源] 本品为蔷薇科悬钩子属植物空心泡 *Rubus rosifolius* 的全株。

[生长环境] 生于山坡、田边、路旁。

[性味功能] 酸、甘、微苦、涩，平。祛湿，健脾，活血。

106. 春木香

[来源] 本品为防己科木防己属植物木防己 *Cocculus orbiculatus* 的根。

[生长环境] 生于低山灌木林、草丛中。

[性味功能] 苦，微寒。清热下气，通滞理气。

107. 荞麦三七

[来源] 本品为蓼科荞麦属植物金荞麦 *Fagopyrum dibotrys* 的块根。

[生长环境] 生于溪沟旁、土壤阴湿肥沃的屋边。

[性味功能] 甘、微苦、涩。祛风除湿，散瘀消肿。

108. 茶叶

[来源] 本品为山茶科山茶属植物茶 *Camellia sinensis* 的嫩叶或嫩芽。

[生长环境] 生于山地疏林。

[性味功能] 苦、甘，凉。清头目，消食，利尿，解毒。

109. 荠菜

[来源] 本品为十字花科荠属植物荠 *Capsella bursa-pastoris* 的全草。

[生长环境] 生于山坡、田边及路旁。

[性味功能] 甘、淡，凉。清热利湿，平肝明目，凉血止血，和胃消滞。

110. 胡颓子根

[来源] 本品为胡颓子科胡颓子属植物胡颓子 *Elaeagnus pungens* 的根。

[生长环境] 生于向阳山坡或路旁。

[性味功能] 酸，平。祛风利湿，活血止血，止咳平喘。

111. 鬼针草

[来源] 本品为菊科鬼针草属植物鬼针草 *Bidens pilosa*、婆婆针 *Bidens bipinnata* 或金盏银盘 *Bidens biternata* 的地上部分。

[生长环境] 生于路边、村旁及荒地中。

[性味功能] 甘、微苦，凉。疏风，清热，解毒。

112. 鬼箭羽

[来源] 本品为卫矛科卫矛属植物卫矛 *Euonymus alatus* 的带有翅状物的枝条或翅状物。

[生长环境] 生于山坡、沟边。

[性味功能] 苦、辛，寒。破血通经，解毒消肿，杀虫。

113. 绞股蓝

[来源] 本品为葫芦科绞股蓝属植物绞股蓝 *Gynostemma pentaphyllum* 的地上部分。

[生长环境] 生于丛林中。

[性味功能] 苦、微甘，凉。理气健脾，化痰止咳，清热解毒。

114. 赶山鞭

[来源] 本品为百合科蜘蛛抱蛋属植物九龙盘 *Aspidistra lurida* 的根茎。

[生长环境] 生于沟边、溪旁、山谷中。庭园有栽培。

[性味功能] 甘、微涩，微寒。行气破血，止痛，补脊椎骨。

115. 盐肤木

[来源] 本品为漆树科盐肤木属植物盐肤木 *Rhus chinensis* 的带叶茎枝。

[生长环境] 生于向阳山坡、沟谷、溪边的疏林或灌丛中。

[性味功能] 酸、微苦，微寒。清热解毒，止咳，止血，止痢，止汗。

116. 捆仙索

[来源] 本品为黄杨科板凳果属植物顶花板凳果 *Pachysandra terminalis* 的全株。

[生长环境] 生于高山、山谷、林缘。

[性味功能] 苦、微涩，微寒。祛风除湿，调经活血。

117. 桐叶

[来源] 本品为玄参科泡桐属植物白花泡桐 *Paulownia fortunei* 的叶。

[生长环境] 生于低海拔的山坡、林中、山谷及荒地。

[性味功能] 苦，寒。清热解毒，止血消肿。

118. 铁包金

[来源] 本品为鼠李科勾儿茶属植物铁包金 *Berchemia lineata* 的根或嫩藤茎或勾儿茶 *Berchemia sinica* 的根。

[生长环境] 生于山坡、沟谷灌丛或杂木林中。

[性味功能] 苦、微涩，平。消肿解毒，止血镇痛，祛风除湿。

119. 高脚蛇含草

[来源] 本品为蔷薇科委陵菜属植物三叶委陵菜 *Potentilla freyniana* 的块根。

[生长环境] 生于向阳山坡、山顶灌木疏林。

[性味功能] 苦、微涩，微寒。清热解毒，止痛止血。

120. 高粱七

[来源] 本品为禾本科高粱属植物拟高粱 *Sorghum propinquum* 的根。

[生长环境] 庭院有栽培。

[性味功能] 甘，平。补肺，补气，补液。

121. 席字卵

[来源] 本品为豆科丁癸草属植物丁癸草 *Zornia gibbosa* 的全草。

[生长环境] 生于溪边、路边。

[性味功能] 苦、甘，寒。走表发汗。

122. 席字卵梭

[来源] 本品为豆科鸡眼草属植物鸡眼草 *Kummerowia striata* 的全草。

[生长环境] 生于山坡、溪边、路边、庭园。

[性味功能] 微辣，寒。发汗解表，止咳消食。

123. 海金沙藤

[来源] 本品为海金沙科海金沙属植物海金沙 *Lygodium japonicum* 的地上部分。

[生长环境] 生于灌丛中。

[性味功能] 甘，寒。清热解毒，利水通淋，活血通络。

124. 润血莲

[来源] 本品为鹿蹄草科鹿蹄草属植物鹿蹄草 *Pyrola calliantha* 的全株。

[生长环境] 生于高山山顶林荫下。

[性味功能] 苦、甘，温。活血止血，破血祛瘀。

125. 扇儿七

[来源] 本品为兰科杓兰属植物扇脉杓兰 *Cypripedium japonicum* 的须根。

[生长环境] 生于高山山坡、树下。

[性味功能] 辣，平。活血，止痛，祛瘀。

126. 黄花丁

[来源] 本品为菊科蒲公英属植物蒲公英 *Taraxacum mongolicum* 的全草。

[生长环境] 生于丘陵山坡、路边、荒地。

[性味功能] 苦、微甘，寒。清热解毒，消肿通奶。

127. 黄浆茶

[来源] 本品为马鞭草科牡荆属植物黄荆 *Vitex negundo* 的茎叶或果实。

[生长环境] 生于溪边、路边。

[性味功能] 苦、微涩、微辣，寒。发汗，解暑，行气止痛。

128. 野芝麻

[来源] 本品为唇形科野芝麻属植物野芝麻 *Lamium barbatum* 的全草。

[生长环境] 生于山坡疏林边。

[性味功能] 辣，寒。解表发汗，止咳化痰。

129. 盘龙参

[来源] 本品为兰科绶草属植物绶草 *Spiranthes sinensis* 的全草。

[生长环境] 生于水沟、坡地等的湿润处。

[性味功能] 甘，平。补气。

130. 散血草

[来源] 本品为报春花科珍珠菜属植物星宿菜 *Lysimachia fortunei* 的全草。

[生长环境] 生于沟边、溪旁，也有栽培。

[性味功能] 苦、涩，微寒。破血止血，凉血除湿。

131. 葛藤菌

[来源] 本品为列当科野菰属植物野菰 *Aeginetia indica* 的全草。

[生长环境] 生于丘陵山地、芭茅根上。

[性味功能] 苦，微寒。清热消肿。

132. 蛤蟆七

[来源] 本品为鸢尾科鸢尾属植物鸢尾 *Iris tectorum* 的根。

[生长环境] 生于山坡谷地、林缘，也有栽培。

[性味功能] 辣，微寒。消食，消肿，活血。

133. 湘西皮子药

[来源] 本品为海桐花科海桐花属植物海金子 *Pittosporum illicioides* 的茎及根皮。

[生长环境] 生于灌木林中、林缘。

[性味功能] 辣、麻，温。祛风除湿，通经。

134. 强盗药

[来源] 本品为瑞香科瑞香属植物毛瑞香 *Daphne kiusiana* var. *atrocaulis* 的根及茎皮。

[生长环境] 生于高山、中山、林下。

[性味功能] 辣，微寒。祛风除湿，止痛散瘀。

135. 隔山香

[来源] 本品为伞形科山芹属植物隔山香 *Ostericum citriodorum* 的根。

[生长环境] 生于山坡灌木林下或林缘、草丛中。

[性味功能] 辛、微苦，平。疏风清热，祛痰止咳，消肿止痛。

136. 楤木

[来源] 本品为五加科楤木属植物楤木 *Aralia elata* 的根及茎。

[生长环境] 生于森林中。

[性味功能] 辛、苦，平。祛风利湿，活血通经，解毒散结。

137. 雷公条

[来源] 本品为樟科山胡椒属植物山胡椒 *Lindera glauca* 的根及果实。

[生长环境] 生于山坡、荒地。

[性味功能] 辣，温。理气祛风，消滞。

138. 雷公藤

[来源] 本品为卫矛科雷公藤属植物雷公藤 *Tripterygium wilfordii* 的根或根茎。

[生长环境] 生于山地林内阴湿处。

[性味功能] 苦、辛，凉。祛风除湿，活血通络，消肿止痛，杀虫解毒。

139. 雷胆子

[来源] 本品为葡萄科崖爬藤属植物三叶崖爬藤 *Tetrastigma hemsleyanum* 的全株或块根。

[生长环境] 生于山谷疏林、路旁石隙中。

[性味功能] 辣、微苦，寒。清热解毒，消肿。

140. 路边荆

[来源] 本品为茜草科白马骨属植物六月雪 *Serissa japonica* 的全株或花。

[生长环境] 生于荒野、灌木林缘、路边。

[性味功能] 微甘，微寒。健脾消食，理气消肿，止惊。

141. 路边黄

[来源] 本品为蔷薇科龙芽草属植物龙芽草 *Agrimonia pilosa* 的全草。

[生长环境] 生于村边、路旁、庭院中。

[性味功能] 苦，微寒。止血凉血，止咳止泻。

142. 锦鸡儿

[来源] 本品为豆科锦鸡儿属植物锦鸡儿 *Caragana sinica* 的根或根皮。

[生长环境] 生于山坡岩石缝隙中。

[性味功能] 苦、辛，平。补肺健脾，活血祛风。

143. 新姑娘

[来源] 本品为八角枫科八角枫属植物八角枫 *Alangium chinense* 的根皮及茎叶。

[生长环境] 生于向阳山坡、路边。

[性味功能] 辣、苦，温。祛风除湿，止痒止痛。

144. 满天星

[来源] 本品为伞形科天胡荽属植物天胡荽 *Hydrocotyle sibthorpioides* 的全草。

[生长环境] 生于湿润的草地、河沟边、林下。

[性味功能] 辛、微苦，凉。清热利湿，解毒消肿。

145. 缬草

[来源] 本品为败酱科缬草属植物缬草 *Valeriana officinalis* 的根及根茎。

[生长环境] 生于山坡草地、林下、沟边。

[性味功能] 辛、苦，温。安心神，祛风湿，行气血，止痛。

146. 螺丝七

[来源] 本品为蓼科蓼属植物支柱蓼 *Polygonum suffultum* 的根茎。

[生长环境] 生于山地林下、沟边。

[性味功能] 苦、涩，微寒。活血，通经。

147. 翻天印

[来源] 本品为小檗科鬼臼属植物小八角莲 *Dysosma difformis* 的根茎。

[生长环境] 生于阔叶林下、石壁上。

[性味功能] 辣、苦，寒。清热解毒，消肿散瘀。

148. 糯米藤

[来源] 本品为荨麻科糯米团属植物糯米团 *Gonostegia hirta* 的全草。

[生长环境] 生于山坡、丘陵、路边、沟旁。

[性味功能] 甘，平。健脾化湿，消食行气。

第四章

湖南省中药资源分布

　　湖南山地丘岗面积大，分布着大量中药资源，东、西、南三面环山，植被繁茂，中部丘陵起伏，形成众多的小气候和小环境，这样的自然条件使湖南药用植物的分布具有一定的规律。

第一节　中药资源的水平分布

一、南北中药资源分布的差异性

　　太阳辐射随纬度高低的变化，导致湖南南部和北部的热量存在一定的差异，南部年平均气温高于北部约 2 ℃，北部 1 月平均气温 3.8 ~ 4.7 ℃，绝对最低温度为 −12 ℃甚至更低，绝对最高温度可达 40 ℃，有霜日数约 90 天，为省内最长；南部 1 月平均气温 5.8 ~ 7.4 ℃。尽管湖南南部和北部的气温总体相差不大，但植物对冬季低温敏感，南部和北部的药用植物在区系、群落和栽培品种上有明显的差异。

　　南岭山地及其山前丘陵，尤其是南缘海拔 700 m 以下的沟谷分布着一些较典型的华南植物区系的药用植物，如莲座蕨科、买麻藤科、番荔枝科、古柯科、使君子科、茶茱萸科、桃金娘科、梧桐科、薯蓣科、西番莲科等药用植物；同时，热带性较强的茜草科、野牡丹科、紫金牛科、天南星科、姜科、兰科等药用植物也多于湖南北部。在属的分布上，南部有华南—南岭区系植物超过 108 属 550 种，这些属的植物在湖南北部较少见，西部由于特殊地形形成"暖窝子"而有华南植物分布。有研究表明，大果马蹄荷 *Exbucklandia tonkinensis*、南方荚蒾 *Viburnum fordiae*、毛冬青 *Ilex pubescens*、南岭黄檀 *Dalbergia balansae*、使君子 *Quisqualis indica*、广东西番莲 *Passiflora kwangtungensis*、小叶买麻藤 *Gnetum parvifolium*、定心藤 *Mappianthus iodoides*、桉 *Eucalyptus robusta*、了哥王 *Wikstroemia indica*、穿心藤 *Amydrium hainanense*、裂果薯 *Tacca plantaginea*、福建观音座莲 *Angiopteris fokiensis*、瓜馥木 *Fissistigma oldhamii*、越南安息香 *Styrax tonkinensis*、广东新耳草 *Neanotis kwangtungensis* 等集中分布在南部地区。南部地区群落层次结构多，优势种不甚明显，较北部不同。在栽培品种上，使君子 *Quisqualis indica*、越南安息香 *Styrax tonkinensis*、罗汉果 *Siraitia grosvenorii*、桉 *Eucalyptus robusta* 等能在南部地区安全越冬，在北部地区则会受到冰冻的摧残。

　　以下为湖南南部代表性中药资源。（见图 1-4-1）

小叶买麻藤 *Gnetum parvifolium*

瓜馥木 *Fissistigma oldhamii*

使君子 *Quisqualis indica*

桫椤 *Alsophila spinulosa*

图 1-4-1　湖南南部代表性中药资源

二、东西中药资源分布的差异性

　　湖南山脉走向交错，地形起伏，尤其是雪峰山呈 "S" 形，纵分湖南为东、西两部分，使东、西两部分在地形、气候、土壤等方面出现明显的差异，药用植物分布也较为复杂。西部雪峰山和武陵山脉属云贵高原东缘，地势最高，除个别河谷外，一般海拔为 500 ~ 1 000 m，山脊的海拔为 1 500 ~ 2 000 m。由于西部地势高，带有高原气候性质，日照较少且强度较弱，平均气温及热量偏低，年平均气温较东部低 1.3 ℃。

　　在药用植物分布上，东部华东区系药用植物分布较多；西部以华中区系药用植物为主，东亚—北美区系、北温带区系药用植物较东部丰富，还有华北区系药用植物分布，西北部与四川东部、湖北西部、贵州东部、陕西南部关系密切，共有种较多，西南部则渗入滇黔桂区系成分。据统计，湖南西部有华中区系典型种 400 种以上，其中厚朴 *Magnolia officinalis*、杜仲 *Eucommia ulmoides*、川黄檗 *Phellodendron chinense*、天麻 *Gastrodia elata*、川桂 *Cinnamomum wilsonii* 都是常用的传统药用植物。巴山榧树 *Torreya fargesii*、篦子三尖杉 *Cephalotaxus oliveri*、伯乐树 *Bretschneidera sinensis*、鞘柄木 *Toricellia tiliifolia*、假奓包叶 *Discocleidion rufescens*、地果 *Ficus tikoua*、巴东荚蒾 *Viburnum henryi*、铁箍散 *Schisandra propinqua* subsp. *sinensis*、裂叶星果草 *Asteropyrum cavaleriei*、秋牡丹 *Anemone hupehensis* var. *japonica*、鹅掌楸 *Liriodendron chinense*、多花含笑 *Michelia floribunda*、马桑 *Coriaria nepalensis*、猴樟 *Cinnamomum bodinieri*、食用土当归 *Aralia cordata*、巴东醉鱼草 *Buddleja albiflora*、鄂西香茶菜 *Isodon henryi*、大百合 *Cardiocrinum giganteum* 等均具有药用价值。杜仲 *Eucommia ulmoides* 为我国特有种，在湖北西部、四川东部、陕西、贵州分布最多，而在湖南西北部也极为常见，被视为乡土树种，马桑 *Coriaria nepalensis* 亦为西北部特产。在栽培品种上，黄连 *Coptis chinensis*、木瓜 *Chaenomeles sinensis*、天麻 *Gastrodia elata*、茯苓 *Poria cocos*、川牛膝 *Cyathula officinalis* 等主要产于湖南西部。栀子 *Gardenia jasminoides*、薄荷 *Mentha haplocalyx*、延胡索 *Corydalis yanhusuo* 等在东部分布较多，在西部尤其是西北部分布较少。

总之，雪峰山和武陵山脉东缘不仅是我国大地形的分界，也是湖南东、西两部分植物的分界与过渡地带。

以下为湖南东部、西部代表性中药资源。（见图 1-4-2 ～图 1-4-3）

白鹃梅 *Exochorda racemosa*

秤星树 *Ilex asprella*

掌叶覆盆子 *Rubus chingii*

图 1-4-2　湖南东部代表性中药资源

川东紫堇 *Corydalis acuminata*

革叶猕猴桃 *Actinidia rubricaulis* var. *coriacea*

马桑 *Coriaria nepalensis*

南川百合 *Lilium rosthornii*

图 1-4-3　湖南西部代表性中药资源

第二节　中药资源的垂直分布

　　湖南药用植物除了具有水平地带性分布特点外，还具有随高度变化的垂直地带性分布特点。湖南境内海拔差达 2 091.3 m，其中海拔最高处为神农峰，海拔达 2 115.3 m，海拔最低处为洞庭湖的谷花洲，海拔仅 24 m。从平地到高山山顶，气候条件差异较大。有资料表明，海拔每升高 100 m，气温降低 0.5 ～ 0.6 ℃，不低于 10 ℃的积温减少 299 ℃，不低于 15 ℃的积温减少 217 ℃；降水量则随海拔上升而增加，增值各地不一，为 28 ～ 68.4 mm，且雨日多而均匀。海拔 1 000 m 以上的山地积雪和冰冻比平原严重，积雪日数比平原多 3 倍。总之，海拔差异，形成了药用植物的垂直带谱。但由于湖南山地的高度、地理位置、朝向、坡度不同，气候垂直变化不完全一样，药用植物分布的上限很难界定，只能做粗略的划分，分布情况大致如下。

一、海拔 500 m 以下的丘陵、岗地

土壤为红壤。气候为亚热带季风湿润气候，具有热量丰富、雨水充足的特点。自然植被已被人为破坏，现仅有人工杉木林、马尾松林、竹林及不少的油茶林或灌丛。药用植物以灌木和藤本为主，包括紫珠 *Callicarpa bodinieri*、五加 *Acanthopanax gracilistylus*、杜鹃 *Rhododendron simsii*、栀子 *Gardenia jasminoides*、山木通 *Clematis finetiana*、威灵仙 *Clematis chinensis*、忍冬 *Lonicera japonica*、毛果算盘子 *Glochidion eriocarpum*、野山楂 *Crataegus cuneata*、胡颓子 *Elaeagnus pungens*、大叶胡枝子 *Lespedeza davidii*、卫矛 *Euonymus alatus*、白背叶 *Mallotus apelta*、荚蒾 *Viburnum dilatatum*、杏叶沙参 *Adenophora hunanensis*、扁担杆 *Grewia biloba*、百两金 *Ardisia crispa*、檵木 *Loropetalum chinense*、豆腐柴 *Premna microphylla*、钩藤 *Uncaria rhynchophylla*、络石 *Trachelospermum jasminoides*、土茯苓 *Smilax glabra* 等。亦有少数乔木，如枫香树 *Liquidambar formosana*、侧柏 *Platycladus orientalis*、皂荚 *Gleditsia sinensis*、槐 *Sophora japonica*、吴茱萸 *Evodia rutaecarpa*、合欢 *Albizia julibrissin*、檫木 *Sassafras tzumu*。草本植物有地菍 *Melastoma dodecandrum*、金毛耳草 *Hedyotis chrysotricha*、小二仙草 *Haloragis micranthus*、百蕊草 *Thesium chinense*、小花龙芽草 *Agrimonia nipponica* var. *occidentalis*、豨莶 *Siegesbeckia orientalis*、兰香草 *Caryopteris incana*、一枝黄花 *Solidago decurrens*、海金沙 *Lygodium japonicum*、半夏 *Pinellia ternata*、天门冬 *Asparagus cochinchinensis*、射干 *Belamcanda chinensis*、茜草 *Rubia cordifolia*、伏生紫堇 *Corydalis decumbens*、琉璃草 *Cynoglossum zeylanicum*、毛茛 *Ranunculus japonicus*、打破碗花花 *Anemone hupehensis*、鸭儿芹 *Cryptotaenia japonica* 等。白术、白芷、地黄、芍药、麦冬、前胡、玉竹、桔梗、山药等药材亦栽培在这一海拔区间。

二、海拔 500 ~ 1 000 m 的低山、孤山

土壤以黄壤为主。气候较丘陵、岗地温和湿润，年平均气温较低，平均年降水量较多，相对湿度较大，群落类型为常绿阔叶林。本区域土壤肥沃、土层深厚，是药材生长的最佳地段，也是许多药用动物的栖身之地。杜仲、厚朴、黄柏、辛夷、木瓜等林木药材及菊花、天麻等药材主要栽培在这一海拔区间。木本、藤本、草本药用植物丰富，品种最多，木本药用植物有苦树 *Picrasma quassioides*、西域旌节花 *Stachyurus himalaicus*、川桂 *Cinnamomum wilsonii*、通脱木 *Tetrapanax papyrifer*、玉兰 *Magnolia denudata*、树参 *Dendropanax dentiger*、鹅掌楸 *Liriodendron chinense*、野鸭椿 *Euscaphis japonica*、山鸡椒 *Litsea cubeba*、中华青荚叶 *Helwingia chinensis*、四

照花 *Dendrobenthamia japonica* var. *chinensis*、紫金牛 *Ardisia japonica*、朱砂根 *Ardisia crenata*、光叶海桐 *Pittosporum glabratum*、百两金 *Ardisia crispa*、玉叶金花 *Mussaenda pubescens*、常山 *Dichroa febrifuga* 等。藤本药用植物有羊角藤 *Morinda umbellate* subsp. *obovata*、南五味子 *Kadsura longipedunculata*、中华猕猴桃 *Actinidia chinensis*、大血藤 *Sargentodoxa cuneata*、三叶木通 *Akebia trifoliata*、大叶勾儿茶 *Berchemia huana*、鄂羊蹄甲 *Bauhinia glauca* subsp. *hupehana*、牛皮消 *Cynanchum auriculatum*、羊乳 *Codonopsis lanceolata*、绞股蓝 *Gynostemma pentaphyllum*、双蝴蝶 *Tripterospermum chinense* 等。草本药用植物有落新妇 *Astilbe chinensis*、血水草 *Eomecon chionantha*、虎耳草 *Saxifraga stolonifera*、江南山梗菜 *Lobelia davidii*、斑叶兰 *Goodyera schlechtendaliana*、紫花前胡 *Angelica decursiva*、小叶马蹄香 *Asarum ichangense*、锦香草 *Phyllagathis cavaleriei*、八角莲 *Dysosma versipellis*、三枝九叶草 *Epimedium sagittatum*、华重楼 *Paris polyphylla* var. *chinensis*、一把伞南星 *Arisaema erubescens*、天南星 *Arisaema heterophyllum*、多花黄精 *Polygonatum cyrtonema* 等。

三、海拔 1 000～1 500 m 的中山

土壤以黄棕壤为主。地势较高，地形复杂，具有峰高、岭峻、谷深的特点。气温低，云雾多，日照时间长，降水充沛，相对湿度大，群落类型为常绿落叶阔叶混交林。药用植物主要分布有大叶唐松草 *Thalictrum faberi*、雪胆 *Hemsleya chinensis*、蛇莲 *Hemsleya sphaerocarpa*、大叶金腰 *Chrysosplenium macrophyllum*、鹿蹄草 *Pyrola calliantha*、黄花油点草 *Tricyrtis maculata*、独蒜兰 *Pleione bulbocodioides*、黄连 *Coptis chinensis*、透茎冷水花 *Pilea pumila*、阴地蕨 *Botrychium ternatum*、川鄂獐耳细辛 *Hepatica henryi*、匙叶草 *Latouchea fokienensis*、鹅掌草 *Anemone flaccida*、草芍药 *Paeonia obovata*、茖葱 *Allium ochotense*、鹿药 *Smilacina japonica*、西南银莲花 *Anemone davidii* 等草本植物，亦有少数木本或藤本植物，如福建柏 *Fokienia hodginsii*、三尖杉 *Cephalotaxus fortunei*、资源冷杉 *Abies ziyuanensis*、大果马蹄荷 *Exbucklandia tonkinensis*、鹅耳枥 *Carpinus turczaninowii*、云锦杜鹃 *Rhododendron fortunei* 等。

四、海拔 1 500 m 以上的中山山顶

土壤多为山地灌丛草甸土。由于海拔高、风力大，群落类型为山顶矮木、山顶灌丛或草丛地带性的落叶阔叶林。该地段仅西北部的八大公山有分布，气候寒冷，冰冻雪压期长，云多雾大，日照强烈，分布着耐寒、旱生结构发达的药用植物，以杜鹃花科、山柳科植物居多，有吊钟花 *Enkianthus quinqueflorus*、南烛 *Vaccinium bracteatum*、马醉木 *Pieris japonica*、山柳 *Salix pseudotangii* 及青冈类、柯类等。草丛中常有成片的前胡 *Peucedanum praeruptorum* 或川续断

Dipsacus asper。徐长卿 *Cynanchum paniculatum*、毛叶藜芦 *Veratrum grandiflorum*、藁本 *Ligusticum sinense*、竹节参 *Panax japonicus*、支柱蓼 *Polygonum suffultum*、齿叶橐吾 *Ligularia dentata*、缬草 *Valeriana officinalis*、重齿当归 *Angelica biserrata*、鸡肫梅花草 *Parnassia wightiana* 等也多分布在这一海拔区间。湘西北壶瓶山顶还可见太白贝母 *Fritillaria taipaiensis*、湖北贝母 *Fritillaria hupehensis* 等。

第三节　中药资源分区

在湖南自然地理环境分区的基础上，湖南中药资源也被划分成了不同的区域，以便于深入了解湖南中药资源的种类与分布。湖南全省中药资源共划分为 5 个一级区域。

一、湘西北武陵山中药资源区

1. 位置及范围

本区位于湖南西北部，北与湖北西南部连接，西与重庆和贵州毗邻，东为洞庭湖平原和丘陵，南为雪峰山，行政区包括湘西州的全部、张家界、常德的西部山地、怀化沅陵的一部分，自然地理单元主要为武陵山脉和沅水谷地。

2. 地貌及气候特点

本区地处云贵高原东北边缘，山地占 70% 以上，境内山岭连绵，群峦叠嶂，最高峰壶瓶山海拔 2 099 m，八大公山海拔 1 890 m。受地壳抬升、地表径流丰富及河流切割的影响，本区地貌具有山岭绵延、顶平谷深、岩陡壁峭、地形崎岖等特点，沟谷切割之深可达 1 000 m。本区海拔 1 000 m 以上有冬季冰冻，海拔较高的区域有的年份冰冻期可超过 3 个月，植被以落叶阔叶林、常绿落叶阔叶林为主。河谷盆地年平均气温 15.8 ～ 17 ℃，1 月平均气温 4.5 ～ 5.5 ℃，7 月平均气温 26.5 ～ 28.5 ℃，不低于 10 ℃的积温为 5 000 ～ 5 200 ℃，不低于 15 ℃的积温为 4 000 ～ 4 200 ℃，无霜期 270 ～ 290 天，平均年降水量 1 300 ～ 1 500 mm。

3. 中药资源特点

石门等地曾是湖南黄连的主产区之一，20 世纪 80 年代以前，湖南原生植被保存较好的中山地区大量种植黄连、党参、白术等药材。目前，黄连、党参、白术在本区仅有少量遗留种植。本区种植的主要大宗药材为杜仲，慈利江垭国有林场是湖南杜仲主产区，也是全国著名的杜仲产区，石门、武陵源、桑植、龙山等也是杜仲的主产区；药材厚朴、黄柏的种植也很普遍；木瓜在桑植集中种植，品种优良，闻名全国；百合在龙山有大量种植，已经被认证为地理标志产品，龙山也成为百合的主产地，在全国有重要影响。此外，龙山种植面积较大的常用中药还有玄参、云木香、白及、千层塔。

本区野生药用植物资源富含华中植物区系成分，本区亦是湖南温带性药用植物区系成分最多的地区，特色药用植物有多花黄精 *Polygonatum cyrtonema*、武当玉兰 *Magnolia sprengeri*、望春玉兰 *Magnolia biondii*、蜘蛛香 *Valeriana jatamansi*、川鄂乌头 *Aconitum henryi*、小八角莲 *Dysosma difformis*、蜡梅 *Chimonanthus praecox*、湖北百合 *Lilium henryi*、竹节参 *Panax japonicus*、草芍药 *Paeonia obovata*、中华青牛胆 *Tinospora sinensis*、掌裂叶秋海棠 *Begonia pedatifida*、百脉根 *Lotus corniculatus*、云南旌节花 *Stachyurus yunnanensis*、中华青荚叶 *Helwingia chinensis*、竹灵消 *Cynanchum inamoenum*、岩败酱 *Patrinia rupestris*、白及 *Bletilla striata*、蛇足石杉 *Huperzia serrata*、小山飘风 *Sedum filipes*、中华抱茎蓼 *Polygonum amplexicaulis* subsp. *sinense*、尾囊草 *Urophysa henryi*、石生黄堇 *Corydalis saxicola*、珙桐 *Davidia involucrata* 等。

以下为湘西北武陵山道地药材资源和特色药材资源。（见图 1-4-4 ～图 1-4-5）

柑橘 *Citrus reticulata*

石菖蒲 *Acorus tatarinowii*

杜仲 *Eucommia ulmoides*

川黄檗 *Phellodendron chinense*

五倍子蚜 *Melaphis chinensis*

卷丹 *Lilium lancifolium*

凹叶厚朴 *Magnolia officinalis* var. *biloba*

石膏 Gypsum

雄黄 Realgar

图 1-4-4　湘西北武陵山道地药材资源

巴山榧树 *Torreya fargesii*

草芍药 *Paeonia obovata*

鹅掌草 *Anemone flaccida*

珙桐 *Davidia involucrata*

石生黄堇 Corydalis saxicola

湖北贝母 Fritillaria hupehensis

太白贝母 Fritillaria taipaiensis

尾囊草 Urophysa henryi

西南银莲花 Anemone davidii

显齿蛇葡萄 *Ampelopsis grossedentata*

小溪沙参 *Adenophora xiaoxiensis*

支柱蓼 *Polygonum suffultum*

小山飘风 *Sedum filipes*

图 1-4-5 湘西北武陵山特色药材资源

二、湘西南雪峰山中药资源区

1. 位置及范围

本区位于湖南西部及西南部，西南与贵州接壤，行政区大致包括怀化（不含通道南部）及邵阳、益阳、娄底的部分地区，自然地理单元主要为东北—西南走向的雪峰山。

2. 地貌及气候特点

本区地貌以中低山为主，大部分海拔为 500 ~ 1 000 m，山脊海拔为 1 200 ~ 1 500 m，山间盆地有溆浦盆地、黔阳盆地、洪江盆地等，为发达的农耕区。盆地年平均气温 16 ~ 17 ℃，1 月平均气温 4.5 ~ 5 ℃，7 月平均气温 26.5 ~ 28.5 ℃，不低于 10 ℃的积温为 5 000 ~ 5 200 ℃，不低于 15 ℃的积温为 4 100 ℃，平均年降水量 1 300 ~ 1 700 mm；山地气候以温冷湿润为主。本区植物区系较复杂，北部华中武陵山植物区系成分大量存在，南部华南—南岭植物区系成分大量渗透，且滇黔桂区系成分亦有较多分布。

3. 中药资源特点

本区以中低山为主，坡度较缓，自然植被保存不及湘南和湘西北。本区最大的种植药材为隆回、溆浦等地种植的山银花。隆回龙牙百合的种植历史悠久，种植规模逐步扩大，已经形成较大规模的市场。靖州为茯苓、天麻的主产区，已经形成专门的茯苓药材交易市场，也有一定规模的桔梗、杜仲、黄柏等药材种植。此外，随着保健茶的兴起，青钱柳 *Cyclocarya paliurus*、显齿蛇葡萄 *Ampelopsis grossedentata* 也有一定面积的种植。

本区特色野生药用植物有细锥香茶菜 *Rabdosia coetsa*、椴叶独活 *Heracleum tiliifolium*、小叶马蹄香 *Asarum ichangense*、蛇莲 *Hemsleya sphaerocarpa*、砚壳花椒 *Zanthoxylum dissitum*、续随子 *Euphorbia lathyris*、补骨脂 *Psoralea corylifolia*、枫香槲寄生 *Viscum liquidambaricolum*、重齿当归 *Angelica biserrata*、粗毛耳草 *Hedyotis mellii*、黄精叶钩吻 *Croomia japonica*、毛胶薯蓣 *Dioscorea subcalva*、裂果薯 *Tacca plantaginea*、美花石斛 *Dendrobium loddigesii*、钩藤 *Uncaria rhynchophylla*、三枝九叶草 *Epimedium sagittatum*、水香薷 *Elsholtzia kachinensis* 等。

以下为湘西南雪峰山道地药材资源和特色药材资源。（见图 1-4-6 ~图 1-4-7）

吴茱萸 *Evodia rutaecarpa*

辰砂 Cinnabaris

野葛 *Pueraria lobata*

钩藤 *Uncaria rhynchophylla*

海金沙 *Lygodium japonicum*

茯苓 *Poria cocos*

天麻 *Gastrodia elata*

图 1-4-6　湘西南雪峰山道地药材资源

川续断 *Dipsacus asperoides*

青钱柳 *Cyclocarya paliurus*

黑老虎 *Kadsura coccinea*

蕺菜 *Houttuynia cordata*

木姜叶柯 *Lithocarpus litseifolius*

三枝九叶草 *Epimedium sagittatum*

图 1-4-7　湘西南雪峰山特色药材资源

三、湘南南岭北部中药资源区

1. 位置及范围

本区位于湖南南部和西南部、雪峰山和阳明山南麓，北界东起炎陵的石州，沿万洋山、八面山、骑田岭北麓向西，穿苏仙、桂阳盆地北缘一线和塔山、泗洲山、阳明山山麓，经过零陵富家桥至东安横塘，绕越城岭、八十里大南山北麓至通道新厂止，辖株洲东南部，郴州、永州两市的中南部及邵阳、怀化两市的南部。

2. 地貌及气候特点

本区东南面是斜贯湘赣边境的万洋山、八面山、诸广山，不少单峰海拔均在 1 500 m 以上；南面与西南面为南岭山地，包括骑田岭、萌渚岭、都庞岭和越城岭和八十里大南山，海拔大都在 1 000 m 以上，大南山二宝鼎海拔 2 021 m，炎陵的神农峰海拔 2 115.3 m；中部有部分丘陵、岗地相间，海拔 200 m 左右；北面为阳明山和雪峰山。本区年平均气温 16.9 ~ 18.6 ℃，1 月平均气温 5.8 ~ 7.4 ℃，7 月平均气温 25 ~ 29 ℃，无霜期 290 ~ 310 天，年降水量多在 1 400 mm 以上，水热充沛，冬季温和，是湖南热量最为丰富的地区，特别是江永、江华南部和通道南部属珠江水系，是湖南的"暖窝子"，分布大量的湖南植物区系成分的常绿阔叶林，中山上部有常绿落叶阔叶混交林和针阔叶混交林、阔叶苔藓矮林和草丛。本区的山地面积占了 60%，是全国著名的杉木中心产区之一，也是湖南常绿阔叶林的集中分布地带，最适宜林木药材和野生药材的生长繁衍。

本区的山体中下部有的开垦种植杉木林，有的种植药材，如道县东南部山区为全国著名的厚朴产地，栽培历史悠久，早在宋代的《图经本草》中就有记载；1978 年，道县、江华、双牌、蓝山等地建立了 16 个万亩厚朴基地；1983 年，道县、江华、双牌三县升级为中国药材公司的厚朴生产基地。本区亦是罗汉果的重要产区，道江盆地、通道、宜章等地大量种植罗汉果。此外，汝城的升麻，双牌、江华的灵香草在省内外中药材市场上均享有较高的声誉。

3. 中药资源特点

本区特色野生药用植物资源有小叶买麻藤 *Gnetum parvifolium*、八角 *Illicium verum*、黄花倒水莲 *Polygala fallax*、华南远志 *Polygala chinensis*、桃金娘 *Rhodomyrtus tomentosa*、使君子 *Quisqualis indica*、毛果巴豆 *Croton lachnocarpus*、华南云实 *Caesalpinia crista*、大叶千斤拔 *Flemingia macrophylla*、华南吴萸 *Evodia austrosinensis*、飞龙掌血 *Toddalia asiatica*、杜仲藤 *Parabarium micranthum*、仙茅 *Curculigo orchioides*、大叶仙茅 *Curculigo capitulata*、石柑子 *Pothos chinensis*、广东石豆兰 *Bulbophyllum kwangtungense*、苞舌兰 *Spathoglottis pubescens*、红花八角 *Illicium dunnianum*、广西马兜铃 *Aristolochia kwangsiensis*、柏拉木 *Blastus cochinchinensis*、白花油麻藤 *Mucuna birdwoodiana*、坡油甘 *Smithia sensitiva*、狸尾豆 *Uraria lagopodioides*、千里香 *Murraya paniculata*、岭南花椒 *Zanthoxylum austrosinense*、当归藤 *Embelia parviflora*、钩吻 *Gelsemium elegans*、独脚金 *Striga asiatica*、细叶石斛 *Dendrobium hancockii*、石仙桃 *Pholidota chinensis*、草珊瑚 *Sarcandra glabra*、金毛

狗 *Cibotium barometz*、桫椤 *Alsophila spinulosa*、福建观音座莲 *Angiopteris fokiensis*、鸡头薯 *Eriosema chinense*、瓜馥木 *Fissistigma oldhamii* 等。

以下为湘南南岭北部道地药材资源和特色药材资源。（见图 1-4-8 ～图 1-4-9）

华麻花头 *Serratula chinensis*

尖吻蝮 *Deinagkistrodon acutus*

凹叶厚朴 *Magnolia officinalis* var. *biloba*

图 1-4-8　湘南南岭北部道地药材资源

草珊瑚 *Sarcandra glabra*

福建观音座莲 *Angiopteris fokiensis*

金毛狗 *Cibotium barometz*

灵香草 *Lysimachia foenum-graecum*

槲蕨 *Drynaria roosii*

黄花倒水莲 *Polygala fallax*

三叶崖爬藤 *Tetrastigma hemsleyanum*

钩吻 *Gelsemium elegans*

图 1-4-9　湘南南岭北部特色药材资源

四、湘中湘东丘陵中药资源区

1. 位置及范围

本区位于湖南中部和东部，东起茶陵南部的和吕林场，沿泗洲山、塔山及阳明山南缘至湘桂边境，西以雪峰山东缘为界，北至洞庭湖环湖丘岗，行政区域包括长沙、湘潭的全部，衡阳、株洲、邵阳、娄底的大部分，以及岳阳、益阳、永州、郴州的部分地区。

2. 地貌及气候特点

本区东、南、西三面环山，中部及北部地势较低，东部和东北部为湘赣边境山地，主要有幕阜山、连云山、大围山，海拔一般为 800 ~ 1 000 m，最高可达 1 700 m；南部主要有阳明山、塔山和泗洲山；西部有锡矿山、大熊山、龙山等，海拔一般较低；中部除衡山外大部分是丘陵河谷盆地，海拔均在 500 m 以下。区内气候温暖，水热充足，夏季高温酷热，冬春寒潮频繁，降雨多，但分布不均匀，常发生夏涝秋旱。本区年平均气温 16.8 ~ 18 ℃，1 月平均气温 4.2 ~ 6 ℃，7 月平均气温 28.6 ~ 30 ℃，无霜期 276 ~ 304 天，不低于 10 ℃的积温为 5 300 ~ 5 700 ℃，平均年降水量 1 200 ~ 1 400 mm，湘东山地可高达 1 800 mm。本区原生植被保存较差，除东部山地、大熊山、衡山保存有块状常绿阔叶林，山体中部、上部有较好的黄山松或常绿落叶阔叶混交林外，大多为次生林或人工植被。

3. 中药资源特点

本区中药材栽培的历史悠久，早在 400 多年前，平江就有种植白术的记载，因产量多、质量好而远销国内外，被誉为"平术"；茶陵的白芷产量高，质量较好；祁东的牡丹皮种植历史达 260 多年；邵东、新邵、宁乡的玉竹有 200 余年的种植历史，已经成为湖南中药材种植最重要的种类；栀子在整个湘东地区都有种植，是湖南的主产药材之一；衡阳的湘莲等有 200 多年的种植历史；湘潭的"潭市木瓜"、湘乡的"谷水薄荷"，在省内享有盛名。本区家种药材品种还有山药、吴茱萸、穿心莲、枳壳、桔梗、荆芥、百合、扁豆、射干、泽泻等。东部山地有野生的天南星、天麻、黄连、绞股蓝，并种植有白术、杜仲、黄柏、厚朴、藁本、天麻等，中部种植有较多的为莲、枣等。

本区的野生药用植物资源大多为江南广布种，主要有乌药 *Lindera aggregata*、半夏 *Pinellia ternata*、雷公藤 *Tripterygium wilfordii*、金樱子 *Rosa laevigata*、蕺菜 *Houttuynia cordata*、金荞麦 *Fagopyrum dibotrys*、射干 *Belamcanda chinensis*、益母草 *Leonurus japonicus*、夏枯草 *Prunella vulgaris*、香附子 *Cyperus rotundus*、白茅 *Imperata cylindrica*、菝葜 *Smilax china*、山鸡椒 *Litsea cubeba*、细柱五加 *Acanthopanax gracilistylus* 等。

以下为湘中湘东丘陵道地药材资源和特色药材资源。（见图 1-4-10 ~ 图 1-4-11）

乌药 *Lindera aggregata*

五加 *Acanthopanax gracilistylus*

玉竹 *Polygonatum odoratum*

百合 *Lilium brownii* var. *viridulum*

白术 *Atractylodes macrocephala*

艾 *Artemisia argyi*

杭白芷 *Angelica dahurica* 'Hangbaizhi'

多花黄精 *Polygonatum cyrtonema*

莲 *Nelumbo nucifera*

灰毡毛忍冬 *Lonicera macranthoides*

金樱子 *Rosa laevigata*

栀子 *Gardenia jasminoides*

图 1-4-10　湘中湘东丘陵道地药材资源

牡丹 *Paeonia suffruticosa*

山鸡椒 *Litsea cubeba*

芍药 *Paeonia lactiflora*

土茯苓 *Smilax glabra*

图 1-4-11 湘中湘东丘陵特色药材资源

五、洞庭湖及环湖丘岗中药资源区

1. 位置及范围

本区位于湖南北部，东起岳阳，西止石门，南接湘中丘陵，北与江汉平原相连，行政区包括岳阳的临湘、君山、华容、湘阴、岳阳、汨罗，益阳的南县、沅江、资阳、赫山及常德的安乡、澧县、临澧、汉寿、桃源等 15 个县（市、区）的全部或部分。

2. 地貌及气候特点

本区为以洞庭湖为中心，由湖泊冲积平原、滨湖阶地、环湖低山丘岗组合而成的同心环状蝶形盆地，内河、内湖密布，堤垸交错，地势低平，低山丘陵海拔一般在 350 m 左右，岗地海拔多在 150 m 以下，地势由四周向湖盆中心倾斜，依次形成外围低山、环湖丘岗、滨湖平原和水网湖区的地貌格局。本区各地气温相差不大，年平均气温一般在 16.5 ~ 17 ℃，1 月平均气温 3.8 ~ 4.7 ℃，

7 月平均气温 29 ℃左右，湖南的极端温度也常出现在该区域，绝对最低温度一般为 −12 ～ −10 ℃甚至更低，绝对最高温度可达 40 ℃，有霜日数约 90 天，在省内最长，不低于 10 ℃的积温为 5 300 ～ 5 400 ℃，不低于 15 ℃的积温为 4 200 ～ 4 400 ℃，系湖南日照时数与太阳辐射量最充足的地区，平均年降水量 1 250 ～ 1 450 mm。本区垦殖历史长，植被次生性强，局部保存较好的丘岗仅有柯 *Lithocarpus glaber*、青冈 *Cyclobalanopsis glauca*、苦槠 *Castanopsis sclerophylla*、珊瑚冬青 *Ilex corallina* 占优势的阔叶林，区内水生及湿生植物面积广、数量多。

3. 中药资源特点

本区沅江种植枳壳酸橙已有 300 多年的历史，同时沅江也是枳壳的全国生产基地县。蜈蚣是澧水沿岸丘岗特产药材，年产 3 000 万条。《药物出产辨》记载："产湖北荆州为最，其次湖南常德。"湘北各地田边、果园等分布较多。唐代《食疗本草》记载鳖甲"岳州昌江（今平江）者为上"；宋代《本草图经》云："以岳州沅江（今益阳沅江），其甲有九肋者为胜。"此后历代本草皆认为鳖甲以"岳州九肋者为胜"。20 世纪 80 年代以来，汉寿等地发展甲鱼养殖，选用种质即为洞庭湖地区优质甲鱼，传承了道地药材种质资源。目前汉寿等地以获取甲片为目的的甲鱼养殖仍有较大面积。

本区野生药用植物资源主要有莼菜 *Brasenia schreberi*、石荠苧 *Mosla scabra*、绵枣儿 *Scilla scilloides*、老鸦瓣 *Tulipa edulis*、莲 *Nelumbo nucifera*、芡实 *Euryale ferox*、芦苇 *Phragmites australis*、黑三棱 *Sparganium stoloniferum*、白花蛇舌草 *Hedyotis diffusa*、半边莲 *Lobelia chinensis*、半枝莲 *Scutellaria barbata*、荔枝草 *Salvia plebeia*、单叶蔓荆 *Vitex rotundifolia* 等。

以下为洞庭湖及环湖丘岗道地药材资源和特色药材资源。（见图 1-4-12 ～图 1-4-13）

酸橙 *Citrus aurantium*

少棘巨蜈蚣 *Scolopendra subspinipes mutilans*

半夏 *Pinellia ternata*

中华鳖 *Pelodiscus sinensis*

图 1-4-12　洞庭湖及环湖丘岗道地药材资源

莼菜 *Brasenia schreberi*

芡实 *Euryale ferox*

石荠苎 *Mosla scabra*

绵枣儿 *Scilla scilloides*

图 1-4-13　洞庭湖及环湖丘岗特色药材资源

中 篇

湖南省道地、大宗中药资源

多孔菌科 Polyporaceae 卧孔菌属 *Poria*

茯苓
Poria cocos (Schw.) Wolf

| 物种别名 | 茯菟、松苓、不死面。

| 药 材 名 | 茯苓（药用部位：菌核）、赤茯苓（药用部位：菌核近外皮部的淡红色部分）、茯苓皮（药用部位：菌核的外皮）、茯神（药用部位：菌核中间含有松根的白色部分）、茯神木（药用部位：菌核中间的松根）。

| 形态特征 | 菌核球形、卵形、椭圆形至不规则形，长 10 ~ 30 cm 或更长，重 500 ~ 5 000 g；外面有厚而多折皱的皮壳，皮壳深褐色，新鲜时软，干后变硬；内部白色或粉红色，粉粒状。子实体生于菌核表面，平伏，厚 3 ~ 8 cm，白色，肉质，老后或干后变为浅褐色。菌管密，长 2 ~ 3 mm，管壁薄。管口圆形、多角形或不规则形，直径 0.5 ~

1.5 mm，口缘常裂为齿状。孢子长方形至近圆柱形，平滑，（7.5 ~ 9）μm ×（3 ~ 3.5）μm，有 1 歪尖。

| **野生资源** | （1）生境分布。生于海拔 600 ~ 1 000 m 的山区干燥、向阳山坡上的马尾松、黄山松、赤松、云南松、黑松等树的根际。湖南有广泛分布。

（2）蕴藏量。野生资源稀少。

| **栽培资源** | （1）栽培条件。茯苓为兼性寄生菌，菌材含水量需保持在 50% ~ 60%，土壤含水量 20%、pH 3 ~ 7 的山地砂性土较适宜栽培。栽培地坡度以 10° ~ 35° 为宜。

（2）栽培区域。以靖州、绥宁为核心，慈利、安化、浏阳、平江等地也有栽培。

（3）栽培要点。茯苓的栽培方法包括段木、树蔸、松针、袋料栽培，其中以段木栽培为主。段木截断后按"井"字形堆垛干燥。段木粗细搭配放置窖中，采用菌丝引、肉引或木引进行接种。接种后查窖补种，定期清沟排水、培土浇水，谨防白蚁虫害。

（4）栽培面积与产量。茯苓的主要产区包括大别山产区、湘黔产区、云南产区及广西西北部、陕西西南部地区等。湖南靖州有着"中国茯苓之乡"的美誉，拥有我国最大的茯苓市场，现已成为我国西南、中南地区最大的茯苓初加工基地、集散中心和出口基地。

| **采收加工** | **茯苓**：通常栽后 8 ~ 10 个月苓场再次出现龟裂纹、菌核表皮呈黄褐色且未出现

白色裂痕时选晴天挖出，除去泥沙，堆在室内盖稻草发汗，苓皮起皱后削去外皮，干燥。

赤茯苓：采收时间和方法同茯苓，当茯苓削去外皮后，再切成厚薄均匀的片，取其中粉红色者，晒干。

茯苓皮：采收时间和方法同茯苓，将茯苓的黑紫色外皮削下，阴干或晒干。

茯神：采收时间和方法同茯苓，选中间有松根者，除去杂质，晒干。

茯神木：采收时间和方法同茯苓，选择中间有松根者，敲去苓块，拣取细松根。

| **药材性状** | **茯苓**：本品完整者呈类圆形、椭圆形、扁圆形或不规则团块状，大小不一。质坚实；破碎面颗粒状，近边缘淡红色，有细小蜂窝样孔洞，内部白色，少数淡红色。气微，味淡，嚼之黏牙。

赤茯苓：本品为大小不一的方块，长、宽均为 4 ～ 5 cm，厚 0.4 ～ 0.6 cm，间有长、宽均超过 1.5 cm 的碎块，淡红色或淡棕色。质松，略具弹性。气微，味淡。

茯苓皮：本品多呈不规则片状，外表面棕褐色或黑褐色，内表面白色或淡棕色。质脆，略具弹性。气微，味淡。

茯神：本品多为方形薄片；质坚实，粉质。切断者呈棕黄色，横断面可见年轮状纹理。气微，味淡。

茯神木：本品多弯曲，似朽木状。外部残留有茯神，白色或灰白色，内部呈木质状。质松，体轻。气微，味淡。

| **功能主治** | **茯苓**：甘、淡，平。归心、脾、肺、肾经。利水渗湿，健脾和胃，宁心安神。用于小便不利，水肿胀满，痰饮咳逆、呕吐，脾虚食少、泄泻，心悸不安，失眠健忘，遗精，白浊。

赤茯苓：甘、淡，平。归心、脾、膀胱经。行水，利湿热。用于小便不利，水肿，淋浊，泄泻。

茯苓皮：甘、淡，平。利水消肿。用于水湿肿满，小便不利。

茯神：甘、淡，平。归心、脾经。宁心，安神，利水。用于惊悸，怔忡，健忘失眠，惊痫，小便不利。

茯神木：甘，平。归肝、心经。平肝安神。用于惊悸健忘，中风语謇，脚气转筋。

| **用法用量** | **茯苓**：内服煎汤，10 ～ 15 g；或入丸、散剂。宁心安神用朱砂拌。

赤茯苓：内服煎汤，6 ～ 12 g；或入丸、散剂。

茯苓皮：内服煎汤，15 ～ 30 g。

茯神：内服煎汤，9 ~ 15 g；或入丸、散剂。

茯神木：内服煎汤，6 ~ 9 g；或入丸、散剂。

|**附　注**| （1）康熙《武冈州志》、同治《茶陵州志》等 21 个湖南地方志的"药之属"均记载湖南出产茯苓。靖州及周边地区是茯苓传统产区。靖州靠近我国西南地区，该地长期生产茯苓，积累了丰富的加工经验，培养了大量具备专业技能的加工人员，形成了西南地区种植茯苓的集中初加工与集散地。因此，靖州茯苓是因产地加工技术与药材集散形成的道地药材。2022 年，"靖州茯苓"入选《湖南省道地药材目录（第一批）》。

（2）茯苓商品规格等级划分见表 2-1-1。茯苓价格相对稳定，2020 年茯苓价格开始出现上升趋势，当年价格为 50 元 /kg，2021 年售出的最高价为 74 元 /kg，2022 年茯苓价格开始缓慢下跌，2023 年茯苓全品种价格为 42.92 元 /kg。

表 2-1-1　茯苓商品规格等级划分

规格	等级	性状描述
个苓	一等	不规则圆球形或块状，表面黑褐色或棕褐色。体坚实，皮细。断面白色。大小不分，无霉变
	二等	体轻泡，皮粗，质松。断面白色至黄棕色。间有皮沙、水锈、破块、破伤
白苓块	一等	薄片状，白色或灰白色，质细，毛边（不修边）。厚度每厘米 7 片，片面宽、长不小于 3 cm，无霉变
	二等	薄片状，白色或灰白色，质细，毛边（不修边）。厚度每厘米 5 片，片面宽、长不小于 3 cm，无霉变

（3）目前，临床上应用茯苓以复方制剂为主，如桂枝茯苓丸、五苓散、参苓白术散、逍遥丸、归脾汤、四君子汤、茯苓丸等。茯苓有利尿、增强免疫功能、调节胃肠功能、抗肿瘤、保肝、镇静、抗菌等多种药理作用。茯苓多糖药理作用广泛且来源丰富，几乎无毒副作用，在多种疾病防治方面的应用前景极为广阔。茯苓不仅可以入药，还是我国传统的保健食品，唐宋时期茯苓糕饼、茯苓粥等食物已很普及，清代茯苓饼更是当时的京师名点。近年来，茯苓夹饼、茯苓豆沙包、茯苓酥糖、茯苓酒等食品的相继问世，为我国传统食物保健疗法增添了新的光彩。1987 年 10 月，原卫生部公布了第一批《既是食品又是药品的品种名单》，其中就有茯苓。茯苓具有多种药理作用，但部分药理作用的机制尚不

明确，需进一步研究。控制茯苓质量，优化提取工艺，最大程度地提取茯苓的有效成分，充分发挥其药理作用，可为茯苓的药效研究提供物质基础。目前，菌种资源退化、精深加工产品开发不足等限制了我国茯苓产业的发展，应加强对茯苓有性育种、构效关系和健康产品功效等方面的研究，促进茯苓产业的可持续发展。

杜仲科 Eucommiaceae 杜仲属 Eucommia

杜仲

Eucommia ulmoides Oliv.

药材名

杜仲（药用部位：树皮）、杜仲叶（药用部位：叶）、檰芽（药用部位：嫩叶）。

形态特征

落叶乔木，高达 20 m。小枝光滑，黄褐色或颜色较淡，具片状髓。皮、枝及叶均含胶质。单叶互生，椭圆形或卵形，长 7 ～ 15 cm，宽 3.5 ～ 6.5 cm，先端渐尖，基部广楔形，边缘有锯齿，幼叶上面疏被柔毛，下面毛较密，老叶上面光滑，下面叶脉处疏被毛；叶柄长 1 ～ 2 cm。花单性，雌雄异株，与叶同时开放或先于叶开放，生于当年生枝基部苞片的腋内，有花梗，无花被；雄花有雄蕊 6 ～ 10；雌花有一裸露而延长的子房，子房 1 室，先端有二叉状花柱。翅果呈卵状长椭圆形而扁，先端 2 裂，基部楔形，内有种子 1，种子扁平，线形。早春开花，秋后果实成熟。

野生资源

（1）生境分布。生于海拔 300 ～ 1 500 m 的低山、谷地或低坡的疏林中。湖南各地均有分布。

（2）蕴藏量。野生资源稀少。

| **栽培资源** | （1）栽培条件。以光照充足处土层深厚肥沃、富含腐殖质的砂壤土、黏壤土栽培为宜。

（2）栽培区域。以慈利、桑植为核心，还包括石门、保靖、永顺、花垣、安化、绥宁、沅陵、溆浦、新化、平江等。

（3）栽培要点。繁殖方法为种子繁殖。选择 20 年左右的壮龄母株采种，种子阴干后宜保存在 12 ℃以下的干燥处。种子用 0.11% ~ 0.12% 高锰酸钾溶液或 0.15% 石灰水浸泡 1 ~ 2 小时进行消毒处理。播种前可以破开果皮，用温汤处理或放在湿沙内催芽，待胚根萌动后，再行播种。一年生苗可出圃。造林地土壤要求肥沃。也可采用扦插繁殖方法，即用一至二年生苗截干后的萌发枝扦插。

（4）栽培面积与产量。湖南省慈利、安化、保靖、桑植、石门和平江为杜仲的主产区，全省杜仲栽培面积约 25 万亩。

| **采收加工** | 杜仲：4 ~ 6 月剥取，刮去粗皮，堆置"发汗"至内皮呈紫褐色，晒干。

杜仲叶：秋末采收，除去杂质，洗净，晒干。

檽芽：春季嫩叶初生时采摘，鲜用或晒干。

| **药材性状** | 杜仲：本品呈板片状或两边稍向内卷，大小不一，厚 3 ~ 7 mm。外表面淡棕色或灰褐色，有明显的皱纹或纵裂槽纹，较薄者未去粗皮，可见明显的皮孔；内表面暗紫色，光滑。质脆，易折断，断面有细密、富弹性的银白色橡胶丝相连。气微，味稍苦。

杜仲叶：本品多皱缩，破碎，完整叶片展平后呈椭圆形或卵圆形，长 7 ~ 15 cm，宽 3.5 ~ 7 cm，暗黄绿色，先端渐尖，基部圆形或广楔形，边缘具锯齿，下表面脉上有柔毛；叶柄长 1 ~ 1.5 cm。质脆，折断后可见富弹性、银白色的橡胶丝。气微，味微苦。

| **功能主治** | 杜仲：甘，温。归肝、肾经。补肝肾，强筋骨，安胎。用于肝肾不足，腰膝酸痛，筋骨无力，头晕目眩，妊娠漏血，胎动不安。

杜仲叶：微辛，温。归肝、肾经。补肝肾，强筋骨，降血压。用于肝肾不足，腰膝酸痛，头晕目眩，筋骨痿软。

檽芽：甘，平。补虚生津，解毒，止血。用于身体虚弱，口渴，脚气，痔疮肿痛，便血。

| 用法用量 | 杜仲：内服煎汤，6 ～ 10 g；或浸酒；或入丸、散剂。

杜仲叶：内服煎汤，10 ～ 15 g。

橺芽：内服煎汤，3 ～ 10 g；或研末，1 ～ 3 g。

| 附　注 | （1）乾隆《溆浦县志》、同治《安化县志》、光绪《乾州厅志》等 6 个湖南地方志均收载有杜仲。慈利杜仲是国家地理标志保护产品，慈利有"中国杜仲之乡"的美誉。慈利及其周边地区是我国杜仲主产区之一，目前有杜仲成林 20 万亩，近年来主要发展杜仲叶、杜仲雄花的综合利用。2019 年，杜仲叶入选《按照传统既是食品又是中药材的物质目录》，湖南已开展杜仲叶的管理试点工作。2022 年，"慈利杜仲"入选《湖南省道地药材目录（第一批）》。

（2）杜仲商品等级划分见表 2-1-2。近年来，杜仲市场价格较为平稳，2018—2019 年价格为 11 ～ 12.5 元 /kg，2020—2021 年价格为 12.5 ～ 13 元 /kg，2022—2023 年价格为 13 ～ 16 元 /kg。

表 2-1-2　杜仲商品等级划分

等级		性状描述	
		共同点	不同点
选货	一等	去粗皮，外表面灰褐色，有明显的皱纹或纵裂槽纹，内表面暗紫色，光滑。质脆，易折断，断面有细密、银白色、富弹性的橡胶丝相连。气微，味稍苦	厚度 ≥ 0.4 cm，宽度 ≥ 30 cm，碎块 ≤ 5%
	二等		厚度 0.3 ～ 0.4 cm，宽度不限，碎块 ≤ 5%
统货		去粗皮，外表面灰褐色，有明显的皱纹或纵裂槽纹，内表面暗紫色，光滑。质脆，易折断，断面有细密、银白色、富弹性的橡胶丝相连。气微，味稍苦。厚度 ≥ 0.3 cm，宽度不限，碎块 ≤ 10%	

（3）杜仲具有明显的降血压作用，是杜仲降压片的主要原料，杜仲的有效成分是松脂醇二葡萄糖苷。此外，杜仲还具有抗氧化、抗衰老、抗肌肉骨骼老化的功效。杜仲茎皮、根皮、绿叶和落叶中含有绿原酸及桃叶珊瑚苷，具有抗菌、抗病毒作用。

海金沙科　Lygodiaceae　海金沙属　*Lygodium*

海金沙

Lygodium japonicum (Thunb.) Sw.

| **物种别名** | 金沙藤、左转藤、蛤蟆藤。

| **药材名** | 海金沙（药用部位：成熟孢子）、海金沙藤（药用部位：地上部分）。

| **形态特征** | 多年生攀缘草本，长 1 ~ 4 m。根茎细而匍匐，被细柔毛。茎细弱，呈干草色，有白色微毛。叶为一至二回羽状复叶，纸质，两面均被细柔毛；能育羽片卵状三角形，长 12 ~ 20 cm，宽 10 ~ 16 cm，小叶卵状披针形，边缘有锯齿或不规则分裂，上部小叶无柄，羽状或戟形，下部小叶有柄；不育羽片尖三角形，通常与能育羽片相似，但有时为一回羽状复叶，小叶阔线形，或基部分裂成不规则的小片。孢子囊生于能育羽片的背面，在二回小叶的齿及裂片先端呈穗状排

列，穗长 2 ～ 4 mm；孢子囊盖鳞片状，卵形，盖下生一横卵形的孢子囊，孢子
囊环带侧生，聚集一处。孢子囊多在夏、秋季产生。

| 野生资源 | （1）生境分布。生于阴湿山坡的灌丛中或路边林缘。湖南有广泛分布。
（2）蕴藏量。野生资源丰富。

| 采收加工 | 海金沙：秋季孢子未脱落时采割藤叶，晒干，揉搓或打下孢子，除去藤叶。
海金沙藤：夏、秋季采收，除去杂质，鲜用或晒干。

| 药材性状 | 海金沙：本品呈粉末状，棕黄色或浅棕黄色。体轻，手捻有光滑感，置手中易
由指缝滑落。气微，味淡。
海金沙藤：本品草质。茎细长，栗褐色。叶二型，一至二回羽状；羽片多数，
对生于叶轴的短枝上，枝端有一被黄色柔毛的休眠芽，羽柄长约 1.5 cm。不育
羽片三角形，长、宽均为 10 ～ 12 cm；小羽片 2 ～ 4 对，互生，卵圆形，长 4 ～

8 cm，宽 3 ~ 6 cm；二回小羽片 2 ~ 3 对，互生，卵状三角形，掌状分裂；末回小羽片有短柄或无柄，不以关节着生，通常掌状 3 裂，中央裂片短而宽，长约 3 cm，宽 6 ~ 8 mm，先端钝，基部近心形，边缘有不规则的浅锯齿；叶纸质，中脉及侧脉略被短毛。能育羽片卵状三角形；末回小羽片或裂片边缘疏生流苏状的孢子囊穗。气微，味淡。

1 cm

| 功能主治 | **海金沙**：甘、咸，寒。归膀胱、小肠经。清利湿热，通淋止痛。用于热淋，石淋，血淋，膏淋，尿道涩痛。

海金沙藤：甘，寒。归膀胱、小肠、肝经。清热解毒，利水通淋，活血通络。用于尿路感染，尿路结石，肾炎性水肿，肠炎，痢疾，感冒发热、咳嗽，白浊带下，小便不利，咽喉肿痛，湿热黄疸，烫伤，丹毒，跌打损伤，风湿痹痛。

| 用法用量 | **海金沙**：内服煎汤，6 ~ 15 g，包煎。

海金沙藤：内服煎汤，9 ~ 30 g。外用煎汤洗，鲜品 30 ~ 90 g；或捣敷。

| 附　注 | （1）《药物出产辨》载："以湖南、四川等所产为上。"湖南有 8 个地方志的"药之属"有海金沙的记载。湖南海金沙的野生资源丰富，资源蕴藏量大。2022 年，"海金沙"入选《湖南省道地药材目录（第一批）》。

（2）海金沙商品分为 2 个等级，商品等级划分见表 2-1-3。2017 年 7 月—2019 年 12 月，海金沙市场价格较为平稳，为 110 ~ 140 元 /kg，2020 年 1 月价格逐渐上涨，涨至 320 元 /kg，之后价格有所回落，维持在 220 ~ 250 元 /kg。

表2-1-3 海金沙商品等级划分

等级	性状描述		过筛目数	杂质	其他
	共同点	不同点			
选货	孢子细小，多则聚成粉末状。体轻。气微，味淡	孢子颗粒均匀。表面棕黄色，手捻有光滑感，置手中易由指缝滑落	160目筛	无杂质	质干，无细砂土，无霉变
统货		孢子颗粒较均匀。表面浅棕黄色，较光滑	100目筛	≤ 3%	

（3）海金沙具有较大的开发应用前景。在海金沙成药的产品开发中，全草的药用价值较高，尿感宁颗粒（无糖型）、冠通片、肾舒颗粒和三金片等中成药均应用了海金沙全草，含有海金沙的制剂还有复方石淋通胶囊（片）等。海金沙的临床应用主要与其利尿通淋的传统功效有关，海金沙临床用于治疗结石、前列腺炎等。但药理研究表明，海金沙还具有抗氧化、抗菌、降血糖、促进创面愈合、促进毛发生长、抗雄性激素样作用、抗血管生成等多种功效，海金沙的潜在价值有待进一步深入开发。

木兰科 Magnoliaceae 木兰属 *Magnolia*

凹叶厚朴

Magnolia officinalis Rehd. et Wils. var. *biloba* Rehd. et Wils.

| 物种别名 | 川朴、紫油厚朴、温朴。

| 药 材 名 | 厚朴（药用部位：干皮、根皮、枝皮）、厚朴花（药用部位：花蕾）、厚朴果（药用部位：果实）。

| 形态特征 | 落叶乔木，高达 20 m。小枝粗壮，幼时有绢毛；顶芽大，狭卵状圆锥形，无毛。叶大，近革质，7～9 叶聚生于枝端；叶片长圆状倒卵形，长 22～45 cm，宽 10～24 cm，叶先端凹缺，成钝圆的 2 浅裂片，但幼苗之叶先端钝圆，并不凹缺；叶柄粗壮，长 2.5～4 cm，托叶痕长为叶柄的 2/3。花白色；花梗短粗，被长柔毛，花被片下 1 cm 处具苞片脱落痕，花被片 9～12（～17），厚肉质，外轮 3 花被片淡绿色，长圆状倒卵形，长 8～10 cm，宽 4～5 cm，

盛开时常向外反卷，内 2 轮花被片白色，倒卵状匙形，长 8 ~ 8.5 cm，宽 3 ~ 4.5 cm，基部具爪，最内轮花被片长 7 ~ 8.5 cm，花盛开时中、内轮花被片直立；雄蕊约 72，长 2 ~ 3 cm，花药长 1.2 ~ 1.5 cm，内向开裂，花丝长 4 ~ 12 mm；雌蕊群椭圆状卵圆形，长 2.5 ~ 3 cm。聚合果基部较窄；种子三角状倒卵形，长约 1 cm。花期 4 ~ 5 月，果期 10 月。

| **野生资源** | （1）生境分布。生于海拔 500 ~ 1 600 m 的林中。湖南各地均有分布。
（2）蕴藏量。野生资源稀少。

| **栽培资源** | （1）栽培条件。喜温和、湿润、多雾、雨量充沛的气候，怕炎热，较耐寒。喜生于土壤肥沃、土层深厚的向阳山坡上。

（2）栽培区域。以桂东、道县、双牌、龙山为核心，还包括炎陵、安化、宁远、蓝山、江华等。

（3）栽培要点。繁殖方法以种子繁殖为主，也可采用扦插、压条等方法。移栽定植宜在幼苗落叶后至翌年萌芽前进行，此时造林成活率高。一般生产上采用间伐除萌，伐劣留优，伐除衰弱木、病虫木、枯立木，保留健壮木，降低林地密度，对间伐后短期内萌发的大量根蘖枝条也要及时进行除萌抹芽，保留 1 ~ 2 个生长良好的萌芽即可。

（4）栽培面积。道县、江华、双牌、安化均有大面积栽培。湖南凹叶厚朴栽培面积约 45 万亩。

| **采收加工** | **厚朴**：4 ~ 6 月剥取，根皮和枝皮直接阴干，干皮置沸水中微煮后，堆置阴湿处，"发汗"至内表面变紫褐色或棕褐色时，蒸软，取出，卷成筒状，干燥。

厚朴花：春季花未开放时采摘，稍蒸，晒干或低温干燥。

厚朴果：9 ~ 10 月采摘，除去果柄，晒干。

| **药材性状** | **厚朴**：本品干皮呈卷筒状或双卷筒状，长 30 ~ 35 cm，厚 0.2 ~ 0.7 cm，习称"筒朴"，近根部的干皮一端展开如喇叭口，长 13 ~ 25 cm，厚 0.3 ~ 0.8 cm，习称"靴筒朴"；外表面灰棕色或灰褐色，粗糙，有时呈鳞片状，较易剥落，

1 cm

有明显椭圆形皮孔和纵皱纹，刮去粗皮者呈黄棕色，内表面紫棕色或深紫褐色，较平滑，具细密纵纹，划之显油痕；质坚硬，不易折断，断面颗粒性，外层灰棕色，内层紫褐色或棕色，有油性，有的可见多数小亮星；气香，味辛辣、微苦。根皮呈单筒状或不规则块片状，有的弯曲似鸡肠，习称"鸡肠朴"；质硬，较易折断，断面纤维性。枝皮呈单筒状，长 10 ~ 20 cm，厚 0.1 ~ 0.2 cm；质脆，易折断，断面纤维性。

厚朴花：本品呈长圆锥形，长 4 ~ 7 cm，基部直径 1.5 ~ 2.5 cm，红棕色至棕褐色。花被片多为 12，肉质，外层花被片呈长方状倒卵形，内层花被片呈匙形。雄蕊多数，花药条形，淡黄棕色，花丝宽而短；心皮多数，分离，螺旋状排列于圆锥状的花托上。花梗长 0.5 ~ 2 cm，密被灰黄色绒毛，偶无毛。质脆，易破碎。气香，味淡。

厚朴果：聚合果长椭圆形，长 9 ~ 12 cm，直径 4.5 ~ 6 cm，先端钝圆，基部近圆形，棕色至棕褐色；蓇葖果多数，纵向、紧密排列，木质，先端有外弯尖头，内含种子 1 ~ 2；种子扁卵形或三角状倒卵形，直径 6 ~ 9 mm，腹部具沟槽，外皮棕红色，内皮棕褐色，背部具纵皱纹。气弱，味微涩。

| 功能主治 | 厚朴：苦、辛，温。归脾、胃、肺、大肠经。燥湿消痰，下气除满。用于湿滞伤中，脘痞吐泻，食积气滞，腹胀便秘，痰饮喘咳。

厚朴花：苦，微温。归脾、胃经。芳香化湿，理气宽中。用于脾胃湿阻气滞，胸脘痞闷胀满，纳谷不香。

厚朴果：甘，温。消食，理气，散结。用于消化不良，胸脘胀闷，鼠瘘。

| 用法用量 | 厚朴：内服煎汤，3 ~ 10 g。

厚朴花：内服煎汤，3 ~ 9 g。

厚朴果：内服煎汤，2 ~ 5 g。

| 附　　注 | （1）乾隆《长沙府志》、同治《江华县志》等 9 个地方志均记载湖南产厚朴。《药物出产辨》载湖南所产厚朴品质位列全国第三。《中药志》记载厚朴产地有湖南衡阳、郴县（现郴州苏仙）等地。湖南道县、桂东、安化、常宁、双牌等地山区有大面积"三木"药材（黄柏、厚朴、杜仲）种植，其中，道县厚朴、桂东厚朴、双牌厚朴质量较优。2022 年，"湘厚朴"入选《湖南省道地药材目录（第一批）》。

（2）本种与厚朴 *Magnolia officinalis* Rehd. et Wils. 的区别在于本种的叶先端凹

缺成 2 钝圆的浅裂片，但幼苗之叶先端钝圆，并不凹缺；聚合果基部较窄。目前，分类学上已将厚朴与凹叶厚朴合并，接受名为 *Houpoea officinalis* (Rehder & E. H. Wilson) N. H. Xia & C. Y. Wu。

（3）2017 年 7 月—2022 年 12 月，厚朴的价格为 11 ~ 12 元 /kg，2023 年初，价格逐渐上涨，从 13 元 /kg 涨至 16.8 元 /kg。

（4）目前，厚朴的临床应用以复方制剂为主，以厚朴为主要原料生产的成药有午时茶颗粒、麻仁丸、麻仁滋脾丸、柴胡舒肝丸、藿香正气水、六合定中丸、香砂养胃丸等。在厚朴资源的利用过程中出现了一些问题，如种植规模小、栽培管理技术落后、关键技术有待研究、资源利用水平低、效益较低及产业链尚未形成等。针对上述问题，要因地制宜，扩大厚朴基地规模，提高产量；加强科研，为厚朴生产提供技术保障；改变经营模式，探索新的种植模式，综合开发利用厚朴资源。

樟科 Lauraceae 山胡椒属 *Lindera*

乌药
Lindera aggregata (Sims) Kosterm.

| **物种别名** | 香叶子、铜钱树。

| **药 材 名** | 乌药（药用部位：块根）、乌药叶（药用部位：叶）。

| **形态特征** | 常绿灌木或小乔木，高可达 5 m。根有纺锤状或结节状膨胀，长 6 ~ 15 cm，直径 1 ~ 3 cm，表面有细皱纹。幼枝青绿色，具纵向细条纹，密被金黄色绢毛，老时无毛。叶互生，卵形、椭圆形至近圆形，通常长 2.7 ~ 5 cm，宽 1.5 ~ 4（~ 7） cm，先端长渐尖或尾尖，基部圆形，革质，上面绿色，下面苍白色，幼时密被棕褐色柔毛，后渐脱落，两面有小凹窝，具三出脉；叶柄有褐色柔毛，后毛渐脱落。伞形花序腋生，无总梗；每花序内有花 7，花被裂片椭圆形，外面被白色柔毛；雄蕊 9，花丝被疏柔毛，退化雌蕊坛状；雌花中退化

雄蕊条片状，雌蕊被毛，子房椭圆形，柱头头状；花梗长 3 ～ 4 mm，密被毛。果实卵形或近圆形，长 0.6 ～ 1 cm，直径 4 ～ 7 mm。花期 3 ～ 4 月，果期 5 ～ 11 月。

| 野生资源 | （1）生境分布。生于海拔 200 ～ 1 000 m 的向阳坡地、山谷或疏林、灌丛中。湖南各地均有分布。

（2）蕴藏量。野生资源丰富。药材来源于野生。

| 栽培资源 | （1）栽培条件。喜亚热带气候，适应性强。适宜种植在土层深厚、土壤肥沃疏松、排水良好的地块。

（2）栽培区域。衡阳、株洲等地偶见栽培。

（3）栽培要点。繁殖方法以种子繁殖为主。选择生长良好、无病虫害的植株作为采种母株。每年 3 月下旬至 4 月上旬为最佳播种期，种子浸泡后均匀撒播在苗床上，覆盖细土，浇水。幼苗移栽密度为每亩 2 000 ～ 4 000 株，具体视植株生长状况、土壤肥力情况而定。移栽后填土要踩实，浇足定根水，以利成活。

（4）栽培面积与产量。湖南乌药人工种植规模不超过 5 000 亩，年产量约 750 t。

| 采收加工 | 乌药：全年均可采挖，除去细根，洗净，趁鲜切片后晒干或直接晒干。

乌药叶：全年均可采收，洗净，鲜用或晒干。

| 药材性状 | 乌药：本品多呈纺锤状，略弯曲，有的中部收缩成连珠状，长 6 ~ 15 cm，直径 1 ~ 3 cm。表面黄棕色或黄褐色，有纵皱纹及稀疏的细根痕。质坚硬。切片厚 0.2 ~ 2 mm，切面黄白色或淡黄棕色，射线呈放射状，可见年轮环纹，中心颜色较深。气香，味微苦、辛，有清凉感。

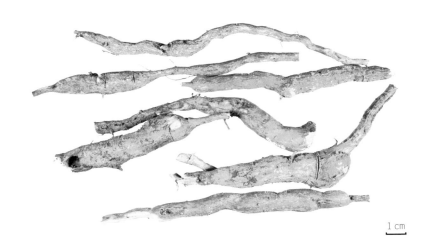

1 cm

| 功能主治 | 乌药：辛，温。归肺、脾、肾、膀胱经。行气止痛，温肾散寒。用于寒凝气滞，胸腹胀痛，气逆喘急，膀胱虚冷，遗尿，尿频，疝气疼痛，经寒腹痛。
乌药叶：辛，温。归脾、肾经。温中理气，消肿止痛。用于腹冷痛，小便频数，风湿痹痛，跌打伤痛，烫伤。

| 用法用量 | 乌药：内服煎汤，6 ~ 10 g；或入丸、散剂。
乌药叶：内服煎汤，6 ~ 10 g。外用适量，鲜品捣敷。

| 附　注 | （1）宋代《本草图经》载有"衡州乌药"。乌药是湘中地区丘岗植被优势物种，湖南有丰富的野生乌药资源，为传统道地产区。2022 年，"衡州乌药"入选《湖南省道地药材目录（第一批）》。
（2）2018 年至 2022 年上半年，乌药价格为 7 元 /kg，2022 年下半年价格上涨至 7.5 元 /kg，2023 年价格为 9 ~ 12.5 元 /kg。
（3）乌药有镇痛、抗炎、抗微生物、抗肿瘤、抗氧化、抗疲劳等作用，临床应用于百合乌药汤、四磨汤、天台乌药散、妇科宁坤丸、解表追风丸、木香理气片等中药制剂中。

莲科 Nelumbonaceae 莲属 Nelumbo

莲
Nelumbo nucifera Gaertn.

| 物种别名 | 荷花、莲花、芙蓉。

| 药 材 名 | 莲子（药用部位：种子）、莲子心（药用部位：种子中的幼叶及胚根）、莲房（药用部位：花托）、莲须（药用部位：雄蕊）、荷叶（药用部位：叶）、藕节（药用部位：根茎节部）、莲花（药用部位：花蕾）、荷梗（药用部位：叶柄）、荷蒂（药用部位：叶基部）、鲜藕（药用部位：根茎）。

| 形态特征 | 多年生水生草本。根茎横生，肥厚，节间膨大，内有多数纵行通气孔洞，外生须状不定根。节上生叶，露出水面；叶柄着生于叶背中央，粗壮，圆柱形，多刺；叶片圆形，直径 25 ~ 90 cm，全缘或稍呈波状，上面粉绿色，下面叶脉从中央射出，有 1 ~ 2 回叉状分枝。

花单生于花梗先端，花梗与叶柄等长或较叶柄稍长；花直径 10 ～ 20 cm，芳香，红色、粉红色或白色；花瓣椭圆形或倒卵形，长 5 ～ 10 cm，宽 3 ～ 5 cm；雄蕊多数，花药条形，花丝细长，着生于花托之下；心皮多数，埋藏于膨大的花托内，子房椭圆形，花柱极短。花托倒锥形，有小孔 20 ～ 30，每孔内含果实 1；坚果椭圆形或卵形，果皮革质，坚硬，成熟时黑褐色；种子卵形或椭圆形，长 1.2 ～ 1.8 cm，种皮红色或白色。花期 6 ～ 8 月，果期 8 ～ 10 月。

| 野生资源 |　（1）生境分布。生于池塘、湖泊或水田。湖南各地均有分布。

（2）蕴藏量。野生资源丰富。

| 栽培资源 |　（1）栽培条件。喜光，喜温，最适生长温度为 20 ～ 30 ℃，最适水温为 21 ～ 25 ℃，喜日温较高而夜温较低的气候。

（2）栽培区域。以湘潭、岳阳为核心，还包括衡阳、株洲、邵阳、益阳、常德等。

（3）栽培要点。选择藕头饱满、顶芽完整、藕身肥大、藕节细小、后把粗壮、色泽光亮、整齐一致、无畸形、无病虫害的整藕作种藕。春季气温上升至 15 ℃ 时即可种植，一般在 3 月中旬至 4 月上旬。采用斜植的方式（与地平面成 20° ～ 25° 角），将藕头插入泥中，栽植深度 10 ～ 15 cm。

（4）栽培产量。湖南莲子年产量约 7.5 万 t，年产值达 1.8 亿元，湘莲集散地年交易额超 10 亿元。

| 采收加工 |　**莲子：**秋季果实成熟时采割莲房，取出果实，除去果皮，干燥，或除去莲子心后干燥。

莲子心：采收果实时取出种子中的幼叶及胚根，晒干。

莲房：秋季果实成熟时采收，除去果实，晒干。

莲须：夏季花开时选晴天采收，盖纸晒干或阴干。

荷叶：夏、秋季采收，晒至七八成干时除去叶柄，折成半圆形或折扇形，干燥。

藕节：秋、冬季采挖根茎（藕），切取节部，洗净，晒干，除去须根。

莲花：夏季采收，干燥或鲜用。

荷梗：6 ～ 9 月采收荷叶时剪下叶柄，晒干。

荷蒂：采收荷叶时剪下叶基部，干燥。

鲜藕：秋、冬季采挖，洗净，鲜用。

| 药材性状 |　**莲子：**本品略呈椭圆形或类球形，长 1.2 ～ 1.7 cm，直径 0.8 ～ 1.4 cm；表面红棕色，有细纵纹和较宽的脉纹，一端中心呈乳头状凸起，棕褐色，多有裂口，

其周边略下陷；质硬。种皮薄，不易剥离。子叶 2，黄白色，肥厚，有空隙，具绿色莲子心或底部具一小孔而不具莲子心。气微，味甘、微涩。

莲子心：本品略呈细圆柱形，长 1 ～ 1.4 cm，直径约 0.2 cm。幼叶绿色，一长一短，卷成箭形，先端向下反折，两幼叶间可见细小胚芽。胚根圆柱形，长约 3 mm，黄白色。质脆，易折断，断面有数个小孔。气微，味苦。

莲房：本品呈倒圆锥状或漏斗状，多撕裂，直径 5 ～ 8 cm，高 4.5 ～ 6 cm。表面灰棕色至紫棕色，具细纵纹和皱纹，顶面有多数圆形孔穴，基部有花梗残基。质疏松，破碎面海绵样，棕色。气微，味微涩。

莲须：本品呈线形。花药扭转，纵裂，长 1.2 ～ 1.5 cm，直径约 0.1 cm，淡黄色或棕黄色。花丝纤细，稍弯曲，长 1.5 ～ 1.8 cm，淡紫色。气微香，味涩。

荷叶：本品呈半圆形或折扇形，展开后呈圆形，全缘或稍呈波状，直径 20 ～ 50 cm。上表面深绿色或黄绿色，较粗糙，下表面淡灰棕色，较光滑，有自中心向四周射出的粗脉 21 ～ 22，中心有凸起的叶柄残基。质脆，易破碎。稍有清香气，味微苦。

藕节：本品呈短圆柱形，中部稍膨大，长 2 ～ 4 cm，直径约 2 cm。表面灰黄色至灰棕色，有残存的须根和须根痕，偶见暗红棕色的鳞叶残基，两端有残留的藕，表面皱缩且有纵纹。质硬，断面有多数类圆形的孔。气微，味微甘、涩。

莲花：本品呈圆锥形，长 2.5 ～ 4 cm，直径约 3 cm，表面灰棕色。花瓣多层，呈螺旋状排列，散落的花瓣呈卵圆形或椭圆形，皱缩或折叠，表面灰黄棕色，有多数纵脉纹，基部略厚，光滑且柔软，中心为幼小的莲蓬，莲蓬呈圆锥形，

1 cm

先端圆面平坦，有小孔 5 ~ 30，孔内有干缩的幼果 1，基部渐狭，周围着生多数雄蕊。花梗圆柱形，具皱缩的纵沟纹，表面紫黑色，具短刺，断面具大型孔腔数个。微有香气，味苦、涩。

荷梗：本品近圆柱形，长 20 ~ 50 cm，直径 8 ~ 15 mm。表面淡棕黄色，具深浅不等的纵沟及多数短小的刺状突起。质轻，易折断，折断时有粉尘飞出，断面淡粉白色，可见数个大小不等的孔道（气隙）。气微弱，味淡。

荷蒂：本品呈圆碟状，直径 6 ~ 7 cm。上表面黄绿色至褐绿色，微带蜡质粉霜，叶脉由中央向外辐射状散出；下表面灰绿色至淡黄绿色，叶脉突出，中央有长约 1 cm 的叶柄同基部相连。质轻而脆。气微，味微涩。

鲜藕：本品呈圆柱形，中间有节。表面黄白色或雪白色。断面丝状，中间有多数圆孔。体重而脆。味甘。

| **功能主治** | **莲子：**甘、涩，平。归脾、肾、心经。补脾止泻，止带，益肾涩精，养心安神。用于脾虚泄泻，带下，遗精，心悸失眠。

莲子心：苦，寒。归心、肾经。清心安神，交通心肾，涩精止血。用于热入心包，神昏谵语，心肾不交，失眠遗精，血热吐血。

莲花：苦、甘，平。归肝、胃经。止血，祛湿，消风。用于跌伤呕血。

莲房：苦、涩，温。归肝经。化瘀止血。用于崩漏，尿血，痔疮出血，产后瘀阻，恶露不尽。

莲须：甘、涩，平。归心、肾经。固肾涩精。用于遗精滑精，带下，尿频。

荷叶：苦，平。归肝、脾、胃经。清暑化湿，升发清阳，凉血止血。用于暑热烦渴，暑湿泄泻，脾虚泄泻，血热吐衄，便血崩漏。

藕节：甘、涩，平。归肝、肺、胃经。收敛止血，化瘀。用于吐血，咯血，衄血，尿血，崩漏。

莲花：苦、甘，平。归肝、胃经。止血，祛湿，消风。用于跌打损伤，呕血，血淋，崩漏下血，天疱湿疮，疥疮瘙痒。

荷梗：清热解暑，通气行水。用于暑湿胸闷，泄泻，痢疾，带下。

荷蒂：苦，平。归肾、大肠经。清暑祛湿，和血安胎。用于血痢，泄泻，妊娠胎动不安。

鲜藕：消瘀，止血，清热解表。用于吐血，衄血，咯血，血淋，尿血，便血，血痢，血崩，小儿瘟毒内热，痘疹不出。

| 用法用量 |　莲子：内服煎汤，6 ~ 15 g；或煮粥。

莲子心：内服煎汤，2 ~ 5 g；或代茶饮。

莲房：内服煎汤，5 ~ 10 g。

莲须：内服煎汤，3 ~ 5 g；或代茶饮。

荷叶：内服煎汤，3 ~ 10 g；或代茶饮。

藕节：内服煎汤，9 ~ 15 g。

莲花：内服煎汤，6 ~ 9 g；或研末，1 ~ 1.5 g。外用适量，鲜品贴敷。

荷梗：内服煎汤，9 ~ 15 g。

荷蒂：内服煎汤，5 ~ 10 g。

鲜藕：内服适量，鲜食或榨汁。

| 附　　注 |　（1）光绪《湘潭县志》记载："莲有红、白二种，官买者入贡。""土贡有莲实，产县西杨塘。"《药物出产辨》云："湘莲产湖南湘潭，肉质幼嫩。"《中国道地药材》记载："现时莲子以湖南'湘莲'的产量大，质量优。"湘潭花石等地莲的种植面积较大，传统品种"寸三莲"的莲子甜糯。2019 年，中华中医药学会发布了《道地药材 第 143 部分：湘莲子》（T/CACM 1020.143—2019）。2022 年，"湘莲子"入选《湖南省道地药材目录（第一批）》。

（2）2018—2019 年，莲子的价格为 28 ~ 45 元/kg，2020—2021 年上涨至 30 ~ 45 元/kg，2022 年为 45 ~ 53 元/kg，2023 年上半年出现下降趋势，价格为 43 ~ 46 元/kg。

（3）莲子具有调节免疫功能、抗氧化、延缓衰老、修复肾缺血再灌注损伤、抗肿瘤、改善消化系统的作用。莲子是大宗药食两用品种，大多用于食品、保健品，如饮料（莲芯雪清咽饮料、莲子露）、方便食品（莲子米粉）、休闲食品（即食莲子）、固体饮料（莲子蛋白粉）、甜点（莲子羹）等。莲子产品的科技含量也越来越高。随着经济的增长和居民消费水平的提高，市场对莲子的需求呈现增长趋势，目前，我国莲子产值规模达上百亿元，出口额超千万美元，莲子已成为福建、江西、湖南等地的特色产业和农民致富的支柱产业，成功打入美国、日本、新加坡等国外市场，实现了出口市场的多元化。

蔷薇科 Rosaceae 蔷薇属 Rosa

金樱子 *Rosa laevigata* Michx.

| 物种别名 | 刺梨子、山石榴、山鸡头子。

| 药材名 | 金樱子（药用部位：果实。别名：刺榆子、刺梨子、金罂子）、金樱子根（药用部位：根。别名：金樱蔃、脱骨丹）、金樱子叶（药用部位：叶。别名：塘莺蔃）、金樱子花（药用部位：花）。

| 形态特征 | 常绿攀缘灌木，高可达 5 m。小枝粗壮，散生扁弯皮刺，无毛，幼时被腺毛，老时腺毛逐渐脱落。小叶革质，通常 3，稀 5，连叶柄长 5 ~ 10 cm，小叶片椭圆状卵形、倒卵形或披针状卵形，长 2 ~ 6 cm，宽 1.2 ~ 3.5 cm，边缘有锐锯齿，上面亮绿色，无毛，下面黄绿色，幼时沿中肋有腺毛，老时逐渐脱落无毛。花单生于叶腋，直径 5 ~ 7 cm；花梗通常长 1.8 ~ 2.5 cm，偶有长 3 cm 者，花梗和

萼筒密被腺毛，随果实成长变为针刺；萼片卵状披针形，先端呈叶状，边缘羽状浅裂或全缘，常有刺毛和腺毛，内面密被柔毛，比花瓣稍短；花瓣白色，宽倒卵形，先端微凹；雄蕊多数；心皮多数，花柱离生，有毛，比雄蕊短很多。果实梨形、倒卵形，稀近球形，紫褐色，外面密被刺毛；果柄长约 3 cm；萼片宿存。花期 4 ～ 6 月，果期 7 ～ 11 月。

| **野生资源** | （1）生境分布。生于海拔 200 ～ 1 600 m 的向阳山野、田边、溪畔灌丛中。湖南各地均有分布。

（2）蕴藏量。野生资源丰富。药材来源于野生。

| **栽培资源** | （1）栽培条件。喜温暖干燥的气候，宜栽种于背风向阳、排水良好、疏松肥沃的砂壤土中。

（2）栽培区域。溆浦、平江等有栽培。

（3）栽培要点。繁殖方法以扦插繁殖为主。春季发芽前，选取健壮的母株，剪取一至二年生的枝条作插条，长 12 ～ 15 cm，斜插于沙床中，压紧，浇水，保持土壤湿润，用芦帘遮阴。2 个月左右即可生根发芽。翌年 2 ～ 3 月或 9 ～ 10 月移植，按株行距各 40 ～ 60 cm 开穴，每穴栽植 1 株，覆土压实，浇水。

（4）栽培面积与产量。溆浦金樱子栽培面积为 1 000 亩，亩产量 400 ～ 500 kg。

| **采收加工** | 金樱子：10 ～ 11 月果实成熟时采摘，晾晒后放入桶内搅拌，擦去毛刺，再晒至全干。

金樱子根：全年均可采挖，除去幼根，洗净，趁新鲜斜切成厚片或短段，晒干。

金樱子叶：全年均可采收，多鲜用。

金樱子花：4 ～ 6 月采收将开放的花蕾，干燥即得。

| **药材性状** | 金樱子：本品为花托发育而成的假果，呈倒卵形，长 2 ～ 3 cm，直径 1 ～ 2 cm。表面黄红色至棕红色，略具光泽，有多数由刺状刚毛脱落后的残基形成的棕色小突起，先端宿存花萼呈盘状，其中央稍隆起，有黄色花柱基，基部渐细，有残留果柄。质坚硬，纵切后可见花萼筒壁厚 1 ～ 2 mm，内壁密生淡黄色、有光泽的绒毛。瘦果数十粒，扁纺锤形，长约 7 mm，淡黄棕色，木质，外被淡黄色绒毛。气微，味甘、微涩。以个大、色红黄、有光泽、去净毛刺者为佳。

金樱子根：本品厚约 1 cm，为斜片或长 3 ～ 4 cm 的段，直径 1 ～ 3.5 cm。表面暗棕红色至红褐色，有细纵条纹，木栓层略浮离，呈片状剥落。切断面棕色，

1 cm

具明显的放射状纹理。质坚实，难折断。气无，味涩、微甘。以片块大小、厚薄均匀、棕红色、质坚、体重者为佳。

金樱子花：本品呈球形或卵形。花托倒卵形，与花萼基部相连，表面绿色，具直刺。萼片5，卵状披针形，黄绿色，伸展。花瓣5，白色，倒卵形。雄蕊多数，雌蕊多数。气微香，味微苦、涩。

| 功能主治 |

金樱子：酸、甘、涩，平。归肾、膀胱、大肠经。固精缩尿，固崩止带，涩肠止泻。用于遗精，滑精，遗尿，尿频，崩漏，带下，久泻，久痢。

金樱子根：酸、涩，平。活血，止泻。用于跌扑损伤，腰膝酸痛，久泻。

金樱子叶：苦，平。归肺、心经。清热解毒，活血止血，止带。用于痈肿疔疮，烫伤，痢疾，闭经，崩漏，带下，创伤出血。

金樱子花：酸、涩，平。归肺、肾、大肠经。涩肠，固精，缩尿，止带，杀虫。用于久泻，久痢，遗精，尿频，带下，须发早白，绦虫病，蛔虫病，蛲虫病。

| 用法用量 |

金樱子：内服煎汤，9～15 g；或入丸、散剂；或熬膏。

金樱子根：内服煎汤，15～60 g。外用适量，捣敷；或煎汤洗。

金樱子叶：内服煎汤，9 g。外用适量，捣敷；或研末撒。

金樱子花：内服煎汤，3～9 g。

| 附　注 |

（1）2018—2019年，金樱子的价格为11～17元/kg，2020—2021年上涨至17～23元/kg，2022年为17～25元/kg，2023年上半年出现下降趋势，价格为15～17元/kg。2022年，"金樱子"入选《湖南省道地药材目录（第一批）》。

（2）金樱子是药食两用物质，除含有蛋白质、维生素等多种成分外，还含有类黄酮、多糖和糖苷元、三萜类、有机酸、乌索酸、齐墩果酸、儿茶酸、谷甾醇等多种人体生命活性物质及人体必需的多种微量元素。由何首乌、黄精、金樱子等组成的益肾养元合剂，具有补益肝肾、健脾益气、涩精止遗等功效。同时金樱子也可以作保健食品的基料，目前金樱子饮料的类型主要有果酒、果汁饮料、复合饮料、固体饮料等。金樱子枸杞保健酒是以金樱子为主要原料，辅以枸杞、大枣，经食用酒精浸提而成的，酒精度数低，酒体清亮透明，酒味醇和，香气独特，具有营养滋补保健功效。以金樱子为主要原料的乳酸饮料，是一种营养健康的大众饮品。金樱子及竹叶合用可加工出营养丰富、风味独特、具有保健功效的复合饮料。

豆科 Fabaceae 葛属 Pueraria

野葛

Pueraria lobata (Willd.) Ohwi

| 物种别名 | 葛藤、野山葛。

| 药材名 | 野葛（药用部位：根、花。别名：葛藤、粉葛藤、甜葛藤）。

| 形态特征 | 粗壮藤本，长可达 8 m，全体被黄色长硬毛。茎基部木质，有粗厚的块状根。羽状复叶具 3 小叶；托叶卵状长圆形，具线条；小托叶线状披针形；小叶 3 裂，顶生小叶宽卵形或斜卵形，先端长渐尖，侧生小叶斜卵形，稍小，上面被淡黄色、平伏的稀疏柔毛，下面毛较密；小叶柄被黄褐色绒毛。总状花序，中部以上花密集；苞片线状披针形至线形，小苞片卵形；花 2 ~ 3 聚生于花序轴的节上；花萼钟形，被黄褐色柔毛；花冠紫色，对着旗瓣的 1 雄蕊仅上部离生；子房线形，被毛。荚果长椭圆形，扁平，被褐色长硬毛。花期 9 ~ 10

月，果期 11 ～ 12 月。

| **野生资源** | （1）生境分布。生于山地疏林或密林中。湖南各地均有分布。

（2）蕴藏量。野生资源丰富。药材来源于野生。

| **栽培资源** | （1）栽培条件。适应性强，适宜种植在土壤疏松肥沃、富含腐殖质、排水良好、pH 5.5 ～ 7 及土层厚度 60 cm 的地块。

（2）栽培区域。怀化、永州、郴州、益阳、常德、邵阳等有栽培。

（3）栽培要点。繁殖方法以扦插繁殖为主。选择 2 年以上健康、无病虫害的野葛作种，选取一至二年生的藤茎作插穗，节间上部保留 1.5 ～ 2.5 cm，节间下部保留 6 ～ 8 cm。4 ～ 5 月，按株距 20 ～ 50 cm 挖穴定植。及时除草，适时追肥，注意病虫害防治。

| **采收加工** | 秋、冬季采挖，趁鲜切厚片或小块，干燥。

| **药材性状** | 本品根为纵切的长方形厚片或小方块，长 5 ～ 35 cm，厚 0.5 ～ 1 cm；外皮淡棕色，有纵皱纹，粗糙；切面黄白色，纹理不明显；质韧，纤维性强；无臭，味微甜。花蓝紫色或紫色，久置后则呈灰黄色；蝶形花冠长 15 ～ 19 cm；花萼 5 齿裂，萼齿披针形；旗瓣近圆形或卵圆形，先端微凹，基部有 2 短耳，翼瓣

狭椭圆形，较旗瓣短，通常仅一边的基部有耳，龙骨瓣较翼瓣稍长；雄蕊 10，二体；子房线形，花柱弯曲；无臭，味淡。

1 cm

| 功能主治 | 根，甘、辛，凉。归脾、胃经。解肌退热，生津，透疹，升阳止泻。用于温病发热，头痛，项背牵强，口渴，泻痢，麻疹初起，早期突发性耳聋。花，甘，凉。归胃经。解酒，醒脾。用于伤酒烦渴，不思饮食，呕逆吐酸。

| 用法用量 | 根，内服煎汤，4.5 ~ 9 g；或捣汁。外用捣敷。花，内服煎汤，3 ~ 9 g；或入丸、散剂。

| 附　注 | （1）清代《植物名实图考》载："湖南旧时潭州、永州皆贡葛。"自古以来，湖南就是葛根的主产区，11 个地方志均有此记载。2022 年，"葛根"入选《湖南省道地药材目录（第一批）》。

（2）粉葛 *Pueraria lobata* (Willd.) Ohwi var. *thomsonii* (Benth.) van der Maesen 是湖南常见栽培品种，与本种的区别在于顶生小叶宽卵形，长 9 ~ 18 cm，宽 6 ~ 12 cm，先端渐尖，基部近圆形，通常全缘，侧生小叶略小而偏斜，两面均被长柔毛，下面毛较密；花冠长 12 ~ 15 mm，旗瓣圆形；花期 7 ~ 9 月，果期 10 ~ 12 月。

（3）葛根是药食两用物质，临床广泛应用于心绞痛、心肌梗死、心律失常、高脂血症、脑血管病、高血压和视网膜动脉阻塞等疾病的治疗中。葛根及其制品具有抗肿瘤、抗衰老、降血糖、降血压、增强免疫力等方面的药理活性，具有极高的营养价值，应用前景广阔。葛根素有"亚洲人参"之美誉。此外，葛藤扎根后可防水土流失，具有较高的生态价值。

酸橙 *Citrus aurantium* L.

| **物种别名** | 黄皮酸橙、臭柑子。

| **药 材 名** | 枳实（药用部位：幼果。别名：鹅眼枳实）、枳壳（药用部位：未成熟果实）。

| **形态特征** | 小乔木。枝叶茂密，刺多，徒长枝的刺长达 8 cm。叶色浓绿，质厚，翼叶倒卵形，基部狭尖，长 1 ~ 3 cm，宽 0.6 ~ 1.5 cm，个别品种几无翼叶。总状花序有花少数，有时兼有腋生单花，有单性花倾向，即雄蕊发育，雌蕊退化；花蕾椭圆形或近圆球形；花萼 4 或 5 浅裂，有时花后增厚，无毛或被毛；花大小不等，直径 2 ~ 3.5 cm；雄蕊 20 ~ 25，通常基部合生成多束。果实圆球形或扁圆形，果皮稍厚至甚厚，难剥离，橙黄色至朱红色，油胞大小不均匀，凹凸不平，果

心实或半充实，瓢囊 10 ～ 13 瓣，少数至 15 瓣，果肉味酸，有时味苦或兼有特异气味；种子多且大，常有肋状棱，子叶乳白色，单胚或多胚。花期 4 ～ 5 月，果期 9 ～ 12 月。

| **野生资源** | （1）生境分布。生于丘陵、低山、江河湖泊沿岸或平原，庭院、房前屋后可见栽培。分布于湖南郴州（宜章）、永州（江永、道县）等。

（2）蕴藏量。野生资源较少。

| **栽培资源** | （1）栽培条件。喜温暖湿润气候，耐阴性强，生长适宜温度为 20 ～ 25 ℃，在 −5 ℃以上能安全生长，平均年降水量 1 000 ～ 2 000 mm、相对湿度 75% 时生长良好。以土层深厚、疏松肥沃、富含腐殖质、排水良好的微酸性冲积土或酸性黄壤、红壤栽培为宜。

（2）栽培区域。以沅江、汉寿为核心，澧县、安仁、麻阳、洪江、溆浦、芷江、祁东、华容等地也有较大面积栽培。

（3）栽培要点。压条苗或嫁接苗在移栽后 4 ～ 5 年开始挂果，种子繁殖的实生苗在移栽后 8 ～ 10 年开始开花结果。生产上，一般采用先培育实生苗再嫁接的繁殖方式，可使挂果期提前。幼苗移栽定植可于秋季、冬季、翌年春季进行，移栽方法以挖穴定植为主。春节过后开始整形修剪，3 月以前发芽最好。

（4）栽培面积与产量。湖南酸橙栽培面积超过 7.5 万亩，年产枳壳约 8 000 t、枳实约 3 000 t，枳壳（实）产量约占全国枳壳（实）产量的 40% 以上。湖南为我国枳壳（实）药材的主要产区，枳壳（实）常年保有量占全国总需求量的 1/4 ～ 1/3，并将枳壳（实）出口至东南亚等地区。

| 采收加工 | 枳实：5 ~ 6 月采摘或拾取自然脱落者，大者横切两半，晒干。

枳壳：7 月下旬至 8 月上旬果实近成熟时采摘，大者横切两半，晒干或微火烘干。

| 药材性状 | 枳实：本品呈半球形，少数为球形，直径 0.5 ~ 2.5 cm。外果皮黑绿色或棕褐色，具颗粒状突起和皱纹，有明显的花柱残迹或果柄痕。切面中果皮略隆起，厚 0.3 ~ 1.2 cm，黄白色或黄褐色，边缘有 1 ~ 2 列油室，瓤囊棕褐色。质坚硬。气清香，味苦、微酸。

枳壳：本品呈半球形，直径 3 ~ 5 cm。外果皮棕褐色至褐色，有颗粒状突起，突起的先端有凹点状油室；有明显的花柱残迹或果柄痕。切面中果皮黄白色，光滑而稍隆起，厚 0.3 ~ 1.2 cm，边缘散有 1 ~ 2 列油室，瓤囊 7 ~ 12 瓣，少数至 15 瓣，汁囊干缩成棕色至棕褐色，内藏种子。质坚硬，不易折断。气清香，味苦、微酸。

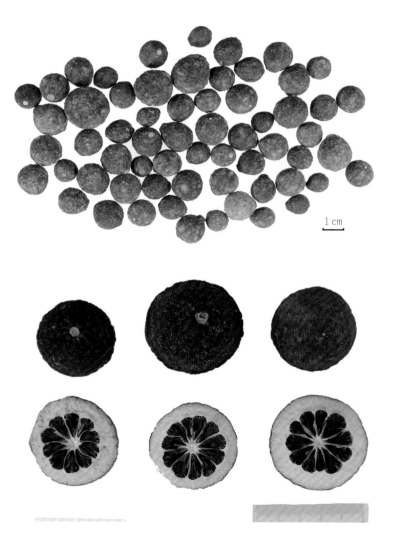

1 cm

| 功能主治 | 枳实：苦、辛，微寒。归脾、胃、大肠经。破气消积，化痰除痞。用于积滞内停，痞满胀痛，大便秘结，泻痢后重，结胸，胸痹，胃下垂，子宫脱垂，脱肛。
枳壳：苦、酸，微寒。归肺、脾、胃、大肠经。理气宽胸，行滞消积。用于胸膈痞满，胁肋胀痛，食积不化，脘腹胀满，下痢后重，脱肛，子宫脱垂。

| 用法用量 | 枳实：内服煎汤，3 ~ 10 g；或入丸、散剂。外用适量，研末调涂；或炒热熨。
枳壳：内服煎汤，3 ~ 9 g；或入丸、散剂。外用适量，煎汤洗；或炒热熨。

| 附　　注 | （1）康熙《衡州府志》、同治《茶陵州志》等 9 个湖南地方志"药之属"收载了枳壳。嘉庆《巴陵县志》、光绪《湘阴县图志》等 7 个湖南地方志"药之属"载有"枳实"。1932 年《益阳县志稿》记载："宁湖嘴、城郊白马山附近徐家洲一带，种枳壳亦弥望皆是。"《中国道地药材》记载："湖南沅江的'湘枳壳'……亦享有盛誉。" 1989 年，《湖南省中药资源普查报告集》记载："明朝末期我省沅江县已有南桔和酸橙栽培。"目前，沅江、汉寿、澧县、安仁等地已推广种植酸橙，湖南黄皮酸橙种植面积广，产量大。2022 年，"湘枳壳"入选《湖南省道地药材目录（第一批）》。

（2）酸橙可分为黄皮酸橙和红皮酸橙。黄皮酸橙主产于湖南沅江一带及西部各地，果皮较厚，表面粗糙，色淡黄或橙黄，含油较多，香气较浓，剥离较困难，果肉味甚酸，常兼有苦味或特异气味。

（3）枳实价格波动较大，2018 年最高为 82 元 /kg，2019—2020 年逐渐下跌，最低为 35 元 /kg，2021 年上涨，最高为 55 元 /kg，2022—2023 年又下跌，最低为 35 元 /kg。枳壳价格也波动较大，2018 年最高为 40 元 /kg，2019 年下跌至 19 元 /kg，2020 年又开始升高，2021 年最高为 31 元 /kg，2022 年又下跌，2023 年为 20 元 /kg。

（4）目前，临床上应用枳壳以复方制剂为主，如枳术丸、枳术颗粒、枳实导滞丸、香砂枳术丸、胃苏颗粒、舒肝丸、柴胡舒肝丸等。现代研究表明，枳壳对胃肠平滑肌、心血管等具有一定的调节作用。目前，虽对枳壳中的有效活性成分进行了大量研究，但有关枳壳中的成分、有效部位富集与筛选及传统功效与现代药效物质基础的联系等的研究还有待深入。近年来，随着健康绿色生活方式的逐渐兴起，枳实除了被用于改善胃肠道功能、抗肿瘤、抗氧化、抗菌、抗炎等，还被广泛应用于制作多种控制体重的膳食补充剂和食欲抑制剂。结合当前的研究成果对枳实药材进行系统开发和利用，提升枳实药材及其制剂的质量标准，这对传统中药枳实的应用具有重要意义。

芸香科 Rutaceae 柑橘属 Citrus

柑橘 *Citrus reticulata* Blanco

物种别名

橘、黄橘、橘子。

药材名

陈皮（药用部位：成熟果实的果皮。别名：橘皮）、青皮（药用部位：幼果或未成熟果实的果皮）、橘（药用部位：成熟果实。别名：黄橘、橘子）、橘饼（药材来源：成熟果实加蜜糖而制成的饼）、橘红（药用部位：果皮的红色外层部分。别名：化州橘红）、橘白（药用部位：果皮的白色内层部分）、橘络（药用部位：果皮内层的筋络。别名：橘丝、橘筋）、橘核（药用部位：种子。别名：橘子仁、橘子核）、橘叶（药用部位：叶。别名：橘子叶）、橘根（药用部位：根）。

形态特征

常绿小乔木或灌木，高 3 ~ 4 m。枝细，多有刺。叶互生；叶柄长 0.5 ~ 1.5 cm，有窄翼，先端有关节；叶片披针形或椭圆形，长 4 ~ 11 cm，宽 1.5 ~ 4 cm，先端渐尖，微凹，基部楔形，全缘或呈微波状，具不明显钝锯齿，有半透明油点。花单生或数花丛生于枝端或叶腋；花萼杯状，5 裂；花瓣 5，白色或带淡红色，开时向上反卷；雄蕊 15 ~ 30，

长短不一，常 3 ~ 5 花丝连合成组；雌蕊 1，子房圆形，柱头头状。柑果近圆形或扁圆形，横径 4 ~ 7 cm，果皮薄而宽，容易剥离，囊瓣 7 ~ 12，汁胞柔软多汁；种子数粒至数十粒，或无，卵圆形，白色，一端尖。花期 3 ~ 4 月，果期 10 ~ 12 月。

| 野生资源 | （1）生境分布。生于低山地带。分布于湖南宜章。

（2）蕴藏量。野生资源稀少。

| 栽培资源 | （1）栽培条件。适宜栽培于蓄水、排水良好的肥沃砂壤土，以土层厚达 170 cm 者为好。除陡坡地外，其他坡地都可栽种，但必须通风透光。太黏重、沙粒多、石头多的地块不宜种植。

（2）栽培区域。全省广泛栽培，慈利、石门、溆浦、麻阳、澧县、华容等栽培面积大。

（3）栽培要点。选择健壮、无病虫害、果脐显著的母柑橘作种，去掉果皮，取出果核，用清水洗净，晒干，一层沙一层种子埋藏，以待播种。2 ~ 3 月选好土地，除净杂草，深翻细耙，施足底肥，做 1.35 cm 宽的畦，长短视地形而定，高约 17 cm，沟宽约 34 cm。条播、撒播均可。条播则在畦上横开小沟，深约 7 cm，行距 34 cm 左右，将种子以 3 cm 左右的株距播下，盖上细泥。撒播则不开沟，其余与条播同。播后注意浇水，保持土壤湿润，10 多天后即可发芽。待苗长 13 ~ 17 cm 时，除去杂草，施淡薄粪肥 1 次。以后每隔 1 ~ 2 个月用豆饼、草木灰、骨粉混合施追肥，以促进幼苗旺盛生长。

（4）栽培面积与产量。湖南新会柑栽培面积约 10 万亩，全产业链产值达 100 亿元。湖南陈皮产量高、质量好，产量约 1 000 t，年产值超 2 亿元。

| 采收加工 | **陈皮**：10 ~ 12 月果实成熟时采摘，剥取果皮，阴干或晒干。

青皮：5 ~ 6 月收集自落的幼果，晒干，习称"个青皮"或"青皮子"；7 ~ 8 月采收未成熟的果实，在果皮上纵剖成 4 瓣至基部，除尽瓤瓣，晒干，习称"四花青皮"。

橘：10 ~ 12 月果实成熟时采摘，鲜用。

橘饼：10 ~ 12 月果实成熟时采摘，加蜜糖渍制成饼。

橘红：10 ~ 12 月果实成熟时采摘果实，用刀削下外果皮，晒干或阴干。

橘白：选取新鲜的橘皮，用刀扦去外层红皮（即橘红）后，取内层的白皮，除去橘络，晒干或晾干。

橘络：将橘皮剥下，自皮内或橘瓤外表撕下白色筋络，晒干或微火烘干。比较完整而理顺成束者，称为"凤尾橘络"（又名"顺筋"）；断裂、散乱不整者，称为"金丝橘络"（又名"乱络""散丝橘络"）；用刀自橘皮内铲下者，称为"铲络"。

橘核：果实成熟后收集种子，洗净，晒干。

橘叶：全年均可采收，尤以 12 月至翌年 2 月采收为佳，阴干或晒干，亦可鲜用。

橘根：9 ～ 10 月采挖，洗净，切片，晒干。

| 药材性状 |

陈皮：本品常剥成数瓣，基部相连，有的呈不规则片状，厚 1 ～ 4 mm。外表面橙红色或红棕色，有细皱纹及凹下的点状油室；内表面浅黄白色，粗糙，附黄白色或黄棕色筋络状维管束。质稍硬而脆。气香，味辛、苦。

青皮：本品类球形，直径 0.5 ～ 2 cm；表面灰绿色或黑绿色，微粗糙，有细密、凹下的油室，先端有稍凸起的柱基，基部有圆形果柄痕；质硬，断面果皮黄白色或淡黄棕色，厚 0.1 ～ 0.2 cm，外缘有油室 1 ～ 2 列；瓤囊 8 ～ 10 瓣，淡棕色；气清香，味酸、苦、辛。四花青皮剖成 4 裂片，裂片长椭圆形，长 4 ～ 6 cm，厚 0.1 ～ 0.2 cm；外表面灰绿色或黑绿色，密生多数油室，内表面类白色或黄白色，粗糙，附黄白色或黄棕色小筋络；质稍硬，易折断，断面外缘有油室 1 ～ 2 列；气香，味苦、辛。

橘：本品近圆形或扁圆形，横径 4 ～ 7 cm，果皮薄而宽，容易剥离，囊瓣 7 ～ 12，汁胞柔软多汁。

橘饼：本品黄红色，皮质细紧，果肉结实，甜酸适口，具有天然橘香味。

1 cm

橘红：本品呈长条形或不规则薄片状，边缘皱缩，向内卷曲。外表面黄棕色或橙红色，存放后呈棕褐色，密布凸起或凹下的黄白色油室；内表面黄白色，密布凹下、透光的小圆点。质脆易碎。气芳香，味微苦。

橘白：本品为黄白色、海绵状的薄层块片，内表面常有橘络的痕迹。质疏软，有弹性。气芳香，味微苦而甘。

橘络：凤尾橘络呈长条形，为松散的网络状，上端与蒂相连，下端筋络交叉而顺直；蒂呈圆形，帽状，初呈淡黄白色，久则变成棕黄色；每束长 6 ~ 10 cm，宽 0.5 ~ 1 cm；10 余束或更多束压紧为块状长方形；质轻而软，干后质脆易断；气香，味微苦。金丝橘络呈不整齐的松散状，如乱丝，长短不一，与蒂相混连，其余与凤尾橘络相同。铲络筋络多疏散碎断，并连带少量橘白，为白色片状小块，有时夹带橘蒂及少量肉瓣碎片。

橘核：本品略呈卵形，长 0.8 ~ 1.2 cm，直径 0.4 ~ 0.6 cm。表面淡黄白色或淡灰白色，光滑，一侧有种脊棱线，一端钝圆，另一端渐尖成小柄状。外种皮薄而韧，内种皮菲薄，淡棕色。子叶 2，黄绿色，有油性。气微，味苦。

橘叶：本品多卷缩或破碎，展平后呈菱状长椭圆形或椭圆形，长 5 ~ 8 cm，宽 2 ~ 4 cm，先端渐尖，基部楔形，全缘或呈微波状。表面灰绿色或黄绿色，光滑，对光可见众多透明小油点。叶柄常缺，偶有者，狭翅也不明显。质脆，易碎裂。气香，味苦。

| 功能主治 |　陈皮：苦、辛，温。归肺、脾经。理气健脾，燥湿化痰。用于胸脘胀满，食少吐泻，咳嗽痰多。

青皮：苦、辛，温。归肝、胆、胃经。疏肝破气，消积化滞。用于胸胁胀痛，疝气，乳核，乳痈，食积腹痛。

橘：甘、酸，平。归肺、胃经。润肺生津，理气和胃。用于消渴，呕逆，胸膈结气。

橘饼：甘、辛，温。归肺、脾、胃经。宽中下气，消积化痰。用于饮食积滞，泻痢，胸膈满闷，咳喘。

橘红：辛、苦，温。归膀胱、小肠、肺、脾、大肠、胃经。散寒燥湿，理气化痰，宽中健胃。用于风寒咳嗽，痰多气逆，恶心呕吐，胸脘痞胀。

橘白：苦、辛、微甘，温。归胃经。和胃化湿。用于湿浊内阻，胸脘痞满，食欲不振。

橘络：甘、苦，平。归肝、脾经。通络，理气，化痰。用于气滞，久咳胸痛，痰中带血，伤酒口渴。

橘核：苦，平。归肝、肾、膀胱经。理气，散结，止痛。用于疝气，睾丸肿痛，乳痈，腰痛。

橘叶：苦、辛，平。归肝经。疏肝行气，化痰散结。用于乳痈，乳房结块，胸胁胀痛，疝气。

橘根：苦、辛，平。归脾、胃、肾经。行气止痛。用于脾胃气滞，脘腹胀痛，疝气。

| 用法用量 | 陈皮：内服煎汤，3 ~ 10 g；或入丸、散剂。

青皮：内服煎汤，3 ~ 10 g；或入丸、散剂。

橘：内服适量，做食品；或蜜煎；或酱菹；或配制成药膳。外用适量，搽涂。

橘饼：内服煎汤，1 ~ 2 个。

橘红：内服煎汤，3 ~ 9 g；或入丸、散剂。

橘白：内服煎汤，1.5 ~ 3 g。

橘络：内服煎汤，2.5 ~ 4.5 g。

橘核：内服煎汤，3 ~ 9 g；或入丸、散剂。

橘叶：内服煎汤，6 ~ 15 g，鲜品可用 60 ~ 120 g；或捣汁服。外用适量，捣敷。

橘根：内服煎汤，9 ~ 15 g。

| 附　注 | （1）陈皮为常用大宗药材，湖南为其传统产区。湖南柑橘种植规模大，陈皮为加工副产品，年产量大。2022 年，"陈皮"入选《湖南省道地药材目录（第一批）》。

（2）陈皮商品规格等级划分见表 2-1-4。2017 年 7 月—2021 年 11 月，陈皮价格为 5.5 ~ 9.5 元 /kg，2021 年 12 月上涨为 9 ~ 14 元 /kg。

表 2-1-4　陈皮商品规格等级划分

规格	等级		性状描述	
			共同点	不同点
广陈皮	选货	一等	常剥成 3 瓣，成捆，每瓣反卷，果瓤面向外。每瓣近宽椭圆形，基部相连。放置日久者，外表面有无数凹入的油点，内表面粗糙，有麻点，较疏松，有分布不均匀的筋络。质柔软，富有弹性，不易折断。气清香，味甘、微辛，嚼之稍有麻舌感	外表面棕褐色，内表面淡黄白色，气味浓
		二等		外表面暗棕色，内表面黄白色，气味淡
	统货		剥成 3 瓣相连。外表面棕褐色或暗棕色，内表面淡黄白色或黄白色，厚度均匀。点状油室较大，对光照视透明清晰。质较柔软。气香，味辛、苦	

续表

规格	等级	性状描述	
		共同点	不同点
陈皮	统货	常剥成数瓣，基部相连，有的呈不规则的片状。外表面橙红色或红棕色，有细皱纹和凹下的点状油室，内表面浅黄白色，粗糙，附黄白色或黄棕色筋络状维管束。质稍硬而脆。气香，味辛、苦	

（3）现代研究表明，陈皮含有挥发油、橙皮苷、甲基橙皮苷等成分，具有祛痰平喘、增强心肌收缩力、增加心排血量、降低血清胆固醇、防治动脉粥样硬化、抑制胃肠道平滑肌收缩、抗胃溃疡、保肝、利胆溶石、抗菌、抗病毒、抗炎、抗过敏、抗氧化、杀虫等功效。在食用方面，用陈皮烹制菜肴时，其苦味与其他味道相互调和，可形成独特风味。熬制汤羹时放几片陈皮，不仅能改善味道，还能缓解胃部不适、止咳化痰；陈皮制品降脂茶、麦芽茶、陈皮荷叶茶（治疗痰湿型肥胖）等具有养生保健功效。

芸香科 Rutaceae 吴茱萸属 *Evodia*

吴茱萸
Evodia rutaecarpa (Juss.) Benth.

| **物种别名** | 茶辣、辣子、臭辣子。

| **药 材 名** | 吴茱萸（药用部位：近成熟果实。别名：茶辣、辣子、臭辣子）。

| **形态特征** | 小乔木或灌木。高 3 ~ 5 m，嫩枝暗紫红色，与嫩芽同被灰黄色或红锈色绒毛，或疏短毛。叶有小叶 5 ~ 11，小叶薄至厚纸质，卵形、椭圆形或披针形，长 6 ~ 18 cm，宽 3 ~ 7 cm，叶轴下部的较小，两侧对称或一侧基部稍偏斜，全缘或浅波浪状，两面及叶轴被长柔毛，毛密如毡状，或仅中脉两侧被短毛，油点大且多。花序顶生；雄花序的花彼此疏离，雌花序的花密集或疏离；萼片及花瓣均 5，偶有 4，镊合状排列；雄花花瓣长 3 ~ 4 mm，腹面被疏长毛，退化雌蕊 4 ~ 5 深裂，下部及花丝均被白色长柔毛，雄蕊伸出花瓣之上；雌花花瓣

长 4 ~ 5 mm，腹面被毛，退化雄蕊鳞片状、短线状或兼有细小的不育花药，子房及花柱下部被疏长毛。果序宽 3 ~ 12 cm，果实密集或疏离，暗紫红色，有大油点，每分果瓣有 1 种子；种子近圆球形，一端钝尖，腹面略平坦，长 4 ~ 5 mm，褐黑色，有光泽。花期 4 ~ 6 月，果期 8 ~ 11 月。

| **野生资源** | （1）生境分布。生于海拔 100 ~ 1 500 m 的山地疏林或灌丛中，多见于向阳坡地。湖南山地有分布。

（2）蕴藏量。野生资源丰富。

| **栽培资源** | （1）栽培条件。喜温暖湿润气候，不耐寒冷、干燥。以阳光充足、土层深厚、疏松肥沃、排水良好的砂壤土和腐殖质壤土栽培为宜，低洼积水地不宜栽培。

（2）栽培区域。以新晃、祁东、泸溪等地为中心，怀化、张家界、常德、益阳、衡阳、邵阳等地皆有较大面积栽培。

（3）栽培要点。繁殖方法以扦插繁殖为主。在健壮母株上选取一至二年生的枝条，插穗长 15 ~ 25 cm，上端剪成平口，下端近节处削成马耳形斜面，扦插深度为插条的 1/2 ~ 2/3，枝条上端露出地面 10 cm 左右。苗木定植宜在落叶后至萌芽前进行，定植后进行整形修剪。

（4）栽培面积与产量。湖南吴茱萸栽培面积约 3 万亩，亩产量 50 ~ 100 kg。

| **采收加工** | 8 ~ 11 月果实尚未开裂时，剪下果枝，晒干或低温干燥，除去枝、叶、果柄等杂质。

| **药材性状** | 本品呈球形，或略呈五角状扁球形，直径 2 ~ 5 mm。表面暗黄绿色至褐色，粗糙，有多数点状凸起或凹下的油点，先端有五角星状的裂隙，基部残留被黄

1 cm

色茸毛的果柄。质硬而脆，横切面可见子房 5 室，每室有淡黄色种子 1。气芳香浓郁，味辛、辣而苦。

| **功能主治** | 辛、苦，热；有小毒。归肝、脾、胃、肾经。散寒止痛，降逆止呕，助阳止泻。用于厥阴头痛，寒疝腹痛，寒湿脚气，经行腹痛，脘腹胀痛，呕吐吞酸，五更泄泻。

| **用法用量** | 内服煎汤，1.5 ~ 5 g；或入丸、散剂。外用适量，研末调敷；或煎汤洗。

| **附　　注** | （1）《药物出产辨》载："产湖南常德府为最。"《中药学》载："商品过去有常吴萸（集散于湖南常德）……习惯认为常吴萸质量最佳。"可见，吴茱萸以湖南所产为最佳，被称为"常吴萸"。常吴萸具有粒小均匀、不开口、色青绿（习称"绿豆色"）的性状特点。2019 年，中华中医药学会发布了《道地药材　第 148 部分：常吴萸》（T/CACM 1020.148—2019）。2022 年，"常吴萸"入选《湖南省道地药材目录（第一批）》。

（2）吴茱萸商品规格等级划分见表 2-1-5。吴茱萸市场价格波动较大，2018 年最高为 500 元 /kg，2019—2020 年迅速下跌，最低为 35 元 /kg，2023 年较稳定，为 50 元 /kg。

表 2-1-5　吴茱萸商品规格等级划分

规格	等级		性状描述	
			共同点	不同点
中花	选货	一等	干货。未成熟果实，直径 2.5 ~ 4 mm，呈球形，或略呈五角状扁球形。表面暗黄绿色至褐色，粗糙，有多数点状凸起或凹下的油点，先端有五角星状的裂隙，基部残留被黄色茸毛的果柄。横切面可见子房 5 室，每室有淡黄色种子 1	枝梗等杂质率＜ 3%
		二等		枝梗等杂质率＜ 7%
小花	统货		干货。未成熟果实，呈球形，或略呈五角状扁球形，直径 2 ~ 2.5 mm。表面暗黄绿色至褐色，粗糙，有多数点状凸起或凹下的油点，先端五角星状裂隙不明显，基部残留被黄色茸毛的果柄。横切面可见子房 5 室，每室有淡黄色种子 1。枝梗等杂质率≤ 7%	

芸香科 Rutaceae 黄檗属 Phellodendron

川黄檗

Phellodendron chinense Schneid.

物种别名

黄皮树、小黄连树、灰皮树。

药材名

黄柏（药用部位：树皮。别名：檗木、檗皮、黄檗）。

形态特征

树高达 15 m。成年树有厚的纵裂的木栓层，内皮黄色，小枝粗壮，暗紫红色，无毛。叶轴及叶柄粗壮，通常密被褐锈色或棕色柔毛，有小叶 7 ~ 15；小叶纸质，长圆状披针形或卵状椭圆形，长 8 ~ 15 cm，宽 3.5 ~ 6 cm，顶部短尖至渐尖，基部阔楔形至圆形，两侧通常略不对称，全缘或浅波浪状，叶背密被长柔毛或至少在叶脉上被毛，叶面中脉有短毛或嫩叶被疏短毛；小叶柄长 1 ~ 3 mm，被毛。花序顶生，花通常密集，花序轴粗壮，密被短柔毛。果实多数密集成团，顶部呈略狭窄的椭圆形或近圆球形，直径约 1 cm 或达 1.5 cm，蓝黑色，有分核 5 ~ 8（~ 10）；种子 5 ~ 8，很少 10，长 6 ~ 7 mm，厚 4 ~ 5 mm，一端微尖，有细网纹。花期 5 ~ 6 月，果期 9 ~ 11 月。

| 野生资源 | （1）生境分布。生于海拔 900 m 以上的杂木林中。湖南各地均有分布。

（2）蕴藏量。野生资源较少。

| 栽培资源 | （1）栽培条件。喜凉爽气候，抗风力强，怕旱、怕涝。苗期稍耐阴，成年树喜光照，耐严寒。幼树易遭冻害，嫩梢易遭晚霜为害，而分叉、干形不良。以土层深厚、疏松肥沃、富含腐殖质的微酸性或中性壤土为宜。

（2）栽培区域。以龙山、桑植、沅陵、桃源为核心，还包括安化、双牌、溆浦、芷江、新宁、祁东、华容等。

（3）栽培要点。繁殖方法以种子繁殖为主。秋播随采随播。春播要在播前 1 ~ 2 个月用湿沙保藏种子或用温水浸泡种子 3 ~ 5 天，按行距 30 cm 开沟，浇水，将种子均匀播入，覆土，稍加镇压，用稻草覆盖。40 ~ 50 天出苗。出苗后要进行间苗，松土除草，追施人畜粪尿。培育 1 ~ 2 年，苗高约 60 cm 时移栽。

以落叶至新芽萌发前定植为宜。幼苗挖掘后，根部过长者要进行适当修剪，按株行距 3 m × 4 m 开穴，穴径 0.5 ~ 1 m，深 40 ~ 60 cm，每穴栽 1 株，填一半土后，将幼苗向上稍提一下，使根部舒展，再填土压实，浇水。

（4）栽培面积与产量。2017 年，龙山黄柏栽培面积约 2.25 万亩。2018 年，龙山黄柏栽培面积 2.25 万亩，年产量 0.18 万 t。

| **采收加工** | 定植 15 ~ 20 年采收。5 月上旬至 6 月上旬，采用半环剥或环剥、砍树剥皮等方法剥取，除去粗皮，晒干。

| **药材性状** | 本品呈板片状或浅槽状，长宽不一，厚 1 ~ 6 mm。外表面黄褐色或黄棕色，平坦或具纵沟纹，有的可见皮孔痕及残存的灰褐色粗皮；内表面暗黄色或淡棕色，具细密的纵棱纹。体轻，质硬，断面纤维性，呈裂片状分层，深黄色。气微，味极苦，嚼之有黏性。

1 cm

| **功能主治** | 苦，寒。归肾、膀胱经。清热燥湿，泻火除蒸，解毒疗疮。用于湿热泻痢，黄疸尿赤，带下阴痒，热淋涩痛，脚气痿躄，骨蒸劳热，盗汗，遗精，疮疡肿毒，湿疹。

| **用法用量** | 内服煎汤，2 ~ 12 g；或入丸、散剂。外用适量，研末调敷；或煎汤浸渍。

| 附 注 | （1）乾隆《长沙府志》、同治《江华县志》等 10 个湖南地方志的"药之属"均记载湖南出产黄柏。《中药志》记载川黄柏以四川、贵州产量大，质量最佳，此外，湖南、广西、甘肃等省区也产。2022 年，"湘黄柏"入选《湖南省道地药材目录（第一批）》。

（2）黄柏商品等级划分见表 2-1-6。2017 年 7 月，黄柏价格为 14.5 元 /kg，2021 年上涨至 21 元 /kg，2021 年 1 月—2023 年 6 月为 21 ～ 42 元 /kg。

表 2-1-6　黄柏商品等级划分

等级	性状描述	
	相同点	不同点
一级	表面黄褐色或黄棕色，内面暗黄色。体轻，质硬，断面鲜黄色。味极苦。没有霉变、虫蛀及杂质	大多呈平板状，为已去净粗皮的干货。没有枝皮、粗栓皮
二级		大多呈卷筒状或板片状，大小不一致。有枝皮

（3）目前，临床上应用黄柏主要以复方制剂为主，以黄柏为主要原料的成药有黄柏胶囊、复方黄柏液、复方黄柏地榆紫草霜、黄柏散、复方黄柏霜、四妙丸等。黄柏具有较高的营养价值和一定的医疗保健功效，已研制出以之为主要原料的保健品。黄柏具有抗菌、抗湿疹皮炎、抗氧化等药理活性，已被用于祛痘护肤品、中药祛斑膏等产品中。黄柏的提取物具有抑菌、杀菌、抗湿疹皮炎的功效，常被用于婴儿和儿童护肤品中。

五加科 Araliaceae 五加属 Acanthopanax

细柱五加

Acanthopanax gracilistylus W. W. Smith

物种别名

五加、五叶木、白刺尖。

药材名

五加皮（药用部位：根皮。别名：南五加皮、红五加皮、五谷皮）、五加叶（药用部位：叶）、五加果（药用部位：果实。别名：南五加果）。

形态特征

灌木，高 2 ~ 3 m。小枝细长，下垂，节上疏被扁钩刺。叶有 5 小叶，稀 3 ~ 4 小叶，在长枝上互生，在短枝上簇生；叶柄长 3 ~ 8 cm，无毛，常有细刺；小叶片膜质至纸质，倒卵形至倒披针形，长 3 ~ 8 cm，宽 1 ~ 3.5 cm，先端尖至短渐尖，基部楔形，两面无毛或沿脉疏生刚毛，边缘有细钝齿，侧脉 4 ~ 5 对，在两面均明显，下面脉腋间有淡棕色簇毛，网脉不明显；小叶柄近无。伞形花序单生，稀 2 腋生或顶生于短枝上，直径约 2 cm，有花多数；总花梗长 1 ~ 2 cm，结实后延长，无毛，花梗细长，长 6 ~ 10 mm，无毛；花黄绿色；花萼近全缘或有 5 小齿；花瓣 5，长圆状卵形，先端尖，长 2 mm；雄蕊 5，花丝长 2 mm；子房 2 室，

花柱 2，细长，离生或基部合生。果实扁球形，直径约 6 mm，成熟时紫黑色。花期 4 ~ 8 月，果期 6 ~ 10 月。

| **野生资源** | （1）生境分布。生于灌丛、林缘、山坡路旁和村落中。湖南有广泛分布。

（2）蕴藏量。野生资源丰富。药材主要来源于野生。

| **栽培资源** | （1）栽培条件。选择向阳、土层深厚肥沃、排水良好的带酸性的冲积土或砂壤土栽培。

（2）栽培区域。以安化为核心，湖南各地均有零星栽培。

（3）栽培要点。繁殖方法以种子繁殖为主。采集成熟、均匀、饱满的果实，浸泡，催芽处理后进行播种。可秋播，也可春播。采用横床开沟条播，按行距 15 ~ 20 cm 开沟，沟深 4 ~ 5 cm，压平沟底，将处理好的种子撒于沟内，覆土，稍镇压。幼苗移栽应在落叶后至早春萌芽前进行，栽植株行距以 2 m×2 m 为宜，穴深 40 ~ 50 cm，每穴施入腐熟农家肥 5 ~ 10 kg。全年生长期内应追肥 2 ~ 3 次。

（4）栽培面积与产量。安化细柱五加栽培面积 1 万亩，年产量可达 3 300 t。

| **采收加工** | **五加皮**：栽后 3 ~ 4 年夏、秋季采收，除去须根，抽去木心，晒干、烘干或鲜用。

五加叶：全年均可采收，晒干或鲜用。

五加果：秋季果实成熟时采收，晒干。

| 药材性状 | 五加皮：本品呈不规则卷筒状，长 5 ～ 15 cm，直径 0.4 ～ 1.4 cm，厚约 0.2 cm。外表面灰褐色，有稍扭曲的纵皱纹和横长皮孔样斑痕；内表面淡黄色或灰黄色，有细纵纹。体轻，质脆，易折断，断面不整齐，灰白色。气微香，味微辣而苦。

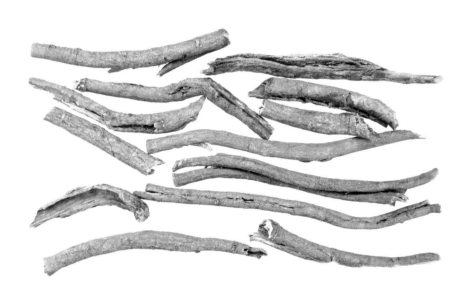

| 功能主治 | 五加皮：辛、苦、微甘，温。祛风湿，补肝肾，强筋骨，活血脉。用于风寒湿痹，腰膝疼痛，筋骨痿软，行迟，体虚羸弱，跌打损伤，骨折，水肿，足癣，阴下湿痒。

五加叶：辛，平。祛风除湿，活血止痛，清热解毒。用于皮肤风湿，跌打肿痛，疝痛，丹毒。

五加果：甘、微苦，温。补肝肾，强筋骨。用于肝肾亏虚，行迟，筋骨痿软。

| 用法用量 | 五加皮：内服煎汤，6 ～ 9 g，鲜品加倍；或浸酒；或入丸、散剂。外用适量，煎汤熏洗；或研末敷。阴虚火旺者慎服。

五加叶：内服煎汤，6 ～ 15 g；或研末；或浸酒。外用适量，研末调敷；或鲜品捣敷。

五加果：内服煎汤，6 ～ 12 g；或入丸、散剂。阴虚火旺者慎服。

| 附　　注 | （1）宋代《本草图经》载有"衡州五加皮"。湖南 18 个地方志的"药之属"均记载了五加皮。湖南五加皮野生资源丰富，安化有少量种植，主要供食用。2022 年，"衡州五加"入选《湖南省道地药材目录（第一批）》。

（2）2018—2019 年，五加皮的价格为 28 ～ 30 元 /kg，2020—2021 年为 30 ～ 50 元 /kg，2022 年至 2023 年上半年为 50 元 /kg。

杭白芷

Angelica dahurica 'Hangbaizhi'

| **物种别名** | 川白芷。

| **药 材 名** | 白芷（药用部位：根。别名：苻蓠、泽芳、香白芷）。

| **形态特征** | 多年生高大草本。高 1 ~ 1.5 m。根圆锥形，有分枝，直径 3 ~ 5 cm，灰棕色，有浓烈气味。茎及叶鞘多为黄绿色，茎基部直径 2 ~ 5 cm，有时可达 7 ~ 8 cm，中空，有纵长沟纹。基生叶 1 回羽状分裂，有长柄，叶柄下部有管状抱茎、边缘膜质的叶鞘；茎上部叶 2 ~ 3 回羽状分裂，叶片卵形至三角形，长 15 ~ 30 cm，宽 10 ~ 25 cm，叶柄长至 15 cm，下部为囊状膨大的膜质叶鞘，无毛或有毛，常带紫色；末回裂片长圆形、卵形或线状披针形，多无柄，长 2.5 ~ 7 cm，宽 1 ~ 2.5 cm，急尖，边缘有不规则的白色软骨质粗锯齿，具短尖头，

基部两侧常不等大，沿叶轴下延成翅状；花序下方的叶简化成无叶、显著膨大的囊状叶鞘，外面无毛。复伞形花序顶生或侧生，直径 10 ~ 30 cm，花序梗长 5 ~ 20 cm，花序梗、伞幅和花梗均有短糙毛；伞幅 18 ~ 40，中央主伞有时伞幅多至 70；总苞片通常缺或有 1 ~ 2，为长卵形膨大的鞘；小总苞片 5 ~ 10 或更多，线状披针形，膜质，花白色；无萼齿；花瓣倒卵形，先端内曲成凹头状；子房无毛或有短毛，花柱比短圆锥状的花柱基长 2 倍。果实长圆形至卵圆形，黄棕色，有时带紫色，长 4 ~ 7 mm，宽 4 ~ 6 mm，无毛，背棱扁，厚而钝圆，近海绵质，远较棱槽为宽，侧棱翅状，较果体狭；棱槽中有油管 1，合生面有油管 2。花期 7 ~ 8 月，果期 8 ~ 9 月。

| 栽培资源 | （1）栽培条件。喜温暖湿润气候，喜光照，耐寒。宜选择离水源较近、地势平坦、排水良好、土层深厚、富含腐殖质的砂壤土或壤土栽培。忌连作，前茬以禾本科作物为宜。

（2）栽培区域。茶陵、华容等有栽培。

（3）栽培要点。繁殖方法以种子繁殖为主。播前用温水浸种 12 小时，于 9 月下旬至 10 月初进行秋播，按行距 30 cm 开沟条播，将处理后的种子均匀撒播在沟内，每亩用种量 1.5 ～ 2 kg，播种后覆土不超过 1 cm。适时间苗和定苗，及时除草、追肥和拔除抽薹植株。

（4）栽培面积与产量。1930—1949 年，茶陵平均每年栽培白芷 472 亩，白芷平均年产量为 87.66 t。湖南现有白芷栽培面积约 2 000 亩。

| 采收加工 | 夏、秋季间叶黄时采挖，除去须根和泥沙，晒干或低温干燥。

| 药材性状 | 本品呈长圆锥形，长 10 ～ 25 cm，直径 1.5 ～ 2.5 cm。表面灰棕色或黄棕色，根头部钝四棱形或近圆形，具纵皱纹、支根痕及皮孔样的横向突起，有的排列成 4 纵行，先端有凹陷的茎痕。质坚实，断面白色或灰白色，粉性，形成层环棕色，近方形或近圆形，皮部散有多数棕色油点。气芳香，味辛、微苦。

1 cm

| 功能主治 | 辛，温。归胃、大肠、肺经。解表散寒，祛风止痛，宣通鼻窍，燥湿止带，消肿排脓。用于感冒头痛，眉棱骨痛，鼻塞流涕，鼻衄，鼻渊，牙痛，带下，疮疡肿痛。

| 用法用量 | 内服煎汤，3～10 g；或入丸、散剂。外用适量，研末撒或调敷。

| 附　　注 | （1）茶陵白芷，古称"楚芷"，为"茶陵三宝"之一。《中国土特产大全》将"茶芷""杭芷""川芷"列为我国三大名芷，"茶芷"位列第一。目前茶陵已极少种植白芷。近几年，华容的白芷种植面积较大，华容已成为白芷的新兴产区。2022年，"湘白芷"入选《湖南省道地药材目录（第一批）》。
（2）白芷商品等级划分见表2-1-7。2017年9月—2021年9月，白芷价格为5.8～10元/kg，2021年10月—2022年10月为10～13元/kg，2022年11月—2023年已上涨为13～26元/kg。

表 2-1-7　白芷商品等级划分

等级	重量	长短	粗细	性状
一级	每千克36支以内	14 cm以上	头围直径约10 cm	无空心、黑心、芦头、油条
二级	每千克60支以内	10 cm以上	头围直径约8 cm	无空心、黑心、芦头、油条
三级	每千克60支以上	10 cm以下	头围直径8 cm以下	间有白芷尾、黑心、异状、油条，但不能超过20%

（3）以白芷为主要原料的成药有都梁片、筋骨活络丸、通窍鼻炎片、鼻炎片、鼻窦炎口服液、千柏鼻炎片、复方白芷酊、白芷糊外用软膏、白芷烧伤酊、柒日康甲贴、藿香正气水、藿香正气口服液、藿香正气胶囊等。白芷具有较高的营养价值和一定的医疗保健功效，是自古以来中医美容中应用最多的一味药材。白芷水煎剂对体外多种致病菌在一定程度上有抑制作用，并可以改善微循环，促进皮肤的新陈代谢，从而延缓皮肤衰老。内服并外用桃花白芷酒能祛除脸部黑斑，并治疗面色晦暗等。白芷含挥发油成分，香气浓郁，可用作香料、工业原料、调味品，也可用于提取芳香油等。目前，市场上已经开发出白芷香精、抗菌消毒杀虫香包等一系列白芷产品。白芷作为一种常用香料，常与砂仁、豆蔻等芳香药物共同应用于食品加工业中。著名调味品"十三香"，由13味中药组成，其中就包括白芷。白芷还可应用于药膳中。白芷炖白鸽、白芷炖银耳、

冰糖白芷炖燕窝具有美白皮肤的效果，川芎白芷鱼头汤有祛风散寒、活血止痛之功，绿茶白芷汤有解表祛风、消炎止痛的功效。研究表明，白芷烟熏能杀灭白喉棒状杆菌、伤寒沙门菌、金黄色葡萄球菌等多种病菌，具有较强的消毒效果。还有研究表明，兴安白芷粗提取物毒性低，对多种林木害虫作用效果较好，药效发挥稳定。从目前白芷的开发现状来看，白芷的使用形式多为饮片，加工方式较原始，且主要应用于中医处方中，以白芷为原材料开发的成药虽多，但以复方为主，单味药制剂很少，可从此方面入手进行深入研究与开发。

茜草科 Rubiaceae 栀子属 Gardenia

栀子
Gardenia jasminoides Ellis

| 物种别名 | 黄栀子、山栀子。

| 药材名 | 栀子（药用部位：成熟果实。别名：山栀子、红枝子、黄栀子）。

| 形态特征 | 灌木。高 0.3 ～ 3 m；嫩枝常被短毛；枝圆柱形，灰色。叶对生，少 3 轮生，革质，稀纸质，叶形多样，通常为长圆状披针形、倒卵状长圆形、倒卵形或椭圆形，长 3 ～ 25 cm，宽 1.5 ～ 8 cm，先端渐尖、骤长渐尖或短尖而钝，基部楔形或短尖，两面常无毛，上面亮绿色，下面色较暗，侧脉 8 ～ 15 对，在下面凸起，在上面平；叶柄长 0.2 ～ 1 cm；托叶膜质。花芳香，通常单生于枝顶，花梗长 3 ～ 5 mm；萼管倒圆锥形或卵形，长 8 ～ 25 mm，有纵棱，萼檐管形，膨大，顶部 5 ～ 8 裂，通常 6 裂，裂片披针形或线状披针形，

长 10 ~ 30 mm，宽 1 ~ 4 mm，果时增长，宿存；花冠白色或乳黄色，高脚碟状，喉部有疏柔毛，花冠管狭圆筒形，长 3 ~ 5 cm，宽 4 ~ 6 mm，顶部 5 ~ 8 裂，通常 6 裂，裂片广展，倒卵形或倒卵状长圆形，长 1.5 ~ 4 cm，宽 0.6 ~ 2.8 cm；花丝极短，花药线形，长 1.5 ~ 2.2 cm，伸出；花柱粗厚，长约 4.5 cm，柱头纺锤形，伸出，长 1 ~ 1.5 cm，宽 3 ~ 7 mm，子房直径约 3 mm，黄色，平滑。果实卵形、近球形、椭圆形或长圆形，黄色或橙红色，长 1.5 ~ 7 cm，直径 1.2 ~ 2 cm，有翅状纵棱 5 ~ 9，顶部的宿存萼片长达 4 cm，宽达 6 mm；种子多数，扁，近圆形而稍有棱角，长约 3.5 mm，宽约 3 mm。花期 3 ~ 7 月，果期 5 月至翌年 2 月。

| **野生资源** | （1）生境分布。生于岗地、丘陵、山谷、山坡、溪边的灌丛或林中。湖南各地均有分布。

（2）蕴藏量。野生资源丰富。

| **栽培资源** | （1）栽培条件。适应性较强，对环境的要求不甚严格，喜光，也耐阴，喜温暖湿润的气候。以酸性至中性红黄壤土为佳。

（2）栽培区域。以岳阳、邵东、双峰、涟源为核心，还包括株洲、郴州及武冈、安化、浏阳、宁乡。

（3）栽培要点。繁殖方法以种子繁殖为主。播种前需要对种子进行消毒和催芽，可撒播或条播，出苗后，揭去覆盖的稻草。幼苗移栽的最佳季节是秋季、冬季和翌年春季，每穴栽 1 株，扶正、填土，土填至一半时，将幼苗轻轻往上提，使根系舒展，随后填土至满穴，用脚踏实，表面再覆盖松土，最后浇足定根水。

定植 1 年后开始修剪培养树形。

（4）栽培面积与产量。据统计，湖南栀子种植面积约 5 万亩。

| 采收加工 | 9 ～ 11 月当果皮由绿色转为黄绿色时采收，置蒸笼内微蒸或放入明矾水中微煮，取出晒干或烘干；亦可直接将果实晒干或烘干。

| 药材性状 | 本品呈长卵圆形或椭圆形，长 1.5 ～ 3.5 cm，直径 1 ～ 1.5 cm。表面红黄色或棕红色，具 6 翅状纵棱，棱间常有一明显的纵脉纹，并有分枝，先端残存萼片，基部稍尖，有残留果柄。果皮薄而脆，略有光泽；内表面色较浅，有光泽，具 2 ～ 3 隆起的假隔膜。种子多数，扁卵圆形，集结成团，深红色或红黄色，表面密具细小的疣状突起。气微，味微酸而苦。以干燥、饱满、色红艳、无杂质者为佳。

1 cm

| 功能主治 | 苦，寒。归心、肺、三焦经。泻火除烦，清热利湿，凉血解毒，消肿止痛。用于热病心烦，湿热黄疸，淋证涩痛，血热吐衄，目赤肿痛，火毒疮疡；外用于扭挫伤痛。

| 用法用量 | 内服煎汤，6 ～ 10 g。外用适量，研末调敷。

| 附　　注 | （1）《药材资料汇编》载湖南长沙、浏阳、湘潭等地产栀子，湖南栀子主产于醴陵、湘潭。栀子为湖南传统大宗药材，湘中丘陵地区栀子野生资源丰富，栀子为湖南丘岗建群种。20 世纪 70 年代，湖南开始大面积栽培栀子，资源量丰富。

2022年，"湘栀子"入选《湖南省道地药材目录（第一批）》。

（2）栀子的混用品主要为水栀子，水栀子一般作染料用，不可与栀子混用。栀子与水栀子在形态特征方面的区别为水栀子果实较大。

（3）栀子商品等级划分见表2-1-8。2017年8月—2022年8月，栀子的价格为12～22元/kg。受极端天气影响，药材减产，2022年9月—2023年栀子的价格逐渐上涨为17～28元/kg。

表2-1-8　栀子商品等级划分

等级		性状描述					
		形状	表面特征	质地	种子团	气味	其他
选货	一等	呈长圆形或椭圆形，具有纵棱，先端有宿存萼片	表面呈红色、棕红色、橙红色、橙色或红黄色	皮薄脆革质，略有光泽	种子团与果壳空隙较小，种子团呈深红色、紫红色、淡红色或棕黄色	气微，味微酸而苦	青黄个重量占比≤5%，果柄重量占比≤1%
	二等		表面呈深褐色、褐色、棕黄色、棕色、淡棕色或枯黄色		种子团与果壳空隙较大，种子团较瘦小，呈棕红色、红黄色、暗棕色或棕褐色		青黄个重量占比≤10%，果柄重量占比≤2%	干货，无焦黑个、杂质、虫蛀、霉变
统货		干货。呈长圆形或椭圆形，具有纵棱，先端有宿存萼片。表面呈红色、橙色、褐色、棕黄色、棕色、枯黄色或青色。皮薄脆革质，略有光泽。气微，味微酸而苦。青黄个重量占比≤10%，果柄重量占比≤2%。无焦黑个、杂质、虫蛀、霉变					

（4）栀子中含有栀子黄色素。栀子黄色素耐热性、耐盐性、耐微生物性、耐金属性、液性变化等良好，杂色性较好，且为天然色素，无毒；使用过程中性能稳定，安全可靠，具有较高的经济实用价值，可作为安全的食品添加剂使用。现湘南地区仍有以栀子为食用色素来源的情况。包括我国在内的许多国家都把栀子黄色素作为天然植物色素和食品添加剂使用，栀子黄色素为允许生产和使用的为数不多的几种天然色素之一。随着分析检测技术的提高，绝大多数化学合成色素均被检测出对人体有害的成分。因此，各国纷纷开始重视并研究开发天然色素，尤其是天然植物色素。栀子黄色素作为天然植物色素之一，越来越受到人们的重视。

茜草科 Rubiaceae 钩藤属 *Uncaria*

钩藤
Uncaria rhynchophylla (Miq.) Mig. ex Havil.

| 物种别名 | 金钩莲、钓藤、莺爪风。

| 药 材 名 | 钩藤（药用部位：带钩茎枝。别名：吊藤、钩藤钩子、钓钩藤）。

| 形态特征 | 藤本。嫩枝较纤细，方柱形或略有 4 棱角，无毛。叶纸质，椭圆形或椭圆状长圆形，长 5 ～ 12 cm，宽 3 ～ 7 cm，两面均无毛，干时褐色或红褐色，下面有时有白粉，先端短尖或骤尖，基部楔形至截形，有时稍下延，侧脉 4 ～ 8 对，脉腋窝陷有黏液毛；叶柄长 5 ～ 15 mm，无毛；托叶狭三角形，深 2 裂达全长的 2/3，外面无毛，里面无毛或基部具黏液毛，裂片线形至三角状披针形。头状花序不计花冠直径 5 ～ 8 mm，单生于叶腋，总花梗具 1 节，苞片微小，或

成单聚伞状排列，总花梗腋生，长 5 cm；小苞片线形或线状匙形；花近无梗；花萼管疏被毛，萼裂片近三角形，长 0.5 mm，疏被短柔毛，先端锐尖；花冠管外面无毛或具疏散的毛，花冠裂片卵圆形，外面无毛或略被粉状短柔毛，边缘有时有纤毛；花柱伸出冠喉外，柱头棒形。果序直径 10 ~ 12 mm；小蒴果长 5 ~ 6 mm，被短柔毛，宿存萼裂片近三角形，长 1 mm，星状辐射。花果期 5 ~ 12 月。

| 野生资源 |　（1）生境分布。生于山谷溪边的疏林或灌丛中。湖南各地均有分布。

（2）蕴藏量。湘南野生资源丰富。

| 栽培资源 |　（1）栽培条件。喜温暖湿润的环境，最适生长温度为 15 ~ 23 ℃，以透气性良好的偏酸性壤土为最佳，土壤水分以 60% 左右为宜。

（2）栽培区域。以通道为核心，还包括宁远、绥宁、沅陵等。

（3）栽培要点。繁殖方法以种子繁殖和扦插繁殖为主。种子繁殖在 3 月下旬至 4 月上旬播种，播种量为每亩 1 kg，播种出苗后适当浇水，及时除草。扦插宜选择健壮、半木质化、无病虫害的带芽枝条，切段作为插穗，按株行距 15 cm×20 cm、深度 3 ~ 5 cm 斜插，新枝长到 3 cm 左右时追施尿素肥。种苗定植于 3 ~ 5 月或 9 ~ 12 月进行，按株行距 1.5 m×2 m 或 2 m×2 m 挖植苗穴，穴长、宽、深均为 30 cm。第 1 年长至 1.5 m 时及时打顶，促进分枝。第 3 年产钩后，每年在采收时截短茎蔓，留约 60 cm 长即可。

（4）栽培面积与产量。湖南通道钩藤栽培面积约 6 万亩，年产量 3 000 t，年产值约 2 亿元。

| 采收加工 |　栽后 3 ~ 4 年采收。春季发芽前或秋后嫩枝已长老时剪下带钩的枝茎，去除叶片，剪成长 2 ~ 3 cm 的齐头平钩，晒干或蒸后晒干。

| 药材性状 |　本品茎枝呈圆柱形或类方柱形，长 2 ~ 3 cm，直径 0.2 ~ 0.5 cm。表面红棕色至紫红色者具细纵纹，光滑无毛；黄绿色至灰褐色者有的可见白色点状皮孔，被黄褐色柔毛。多数枝节上对生两个向下弯曲的钩（不育花序梗），或仅一侧有钩，另一侧为凸起的疤痕；钩略扁或稍圆，先端细尖，基部较阔；钩基部的枝上可见叶柄脱落后的窝点状痕迹和环状的托叶痕。质坚韧，断面黄棕色，皮部纤维性，髓部黄白色或中空。气微，味淡。

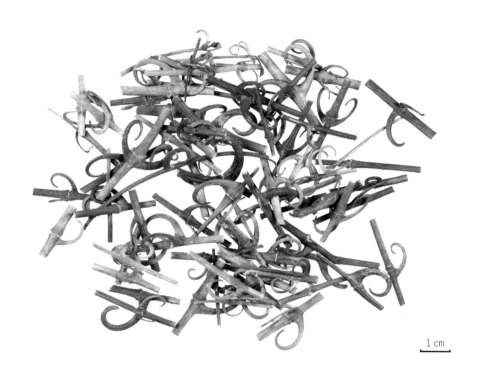

1 cm

| 功能主治 | 甘，凉。归肝、心包经。息风定惊，清热平肝。用于肝风内动，惊痫抽搐，高热惊厥，感冒夹惊，小儿惊啼，妊娠子痫，头痛眩晕。

| 用法用量 | 内服煎汤，6～30 g，不宜久煎；或入散剂。

| 附　　注 | （1）光绪《石门县志》等6个湖南地方志的"药之属"均记载了钩藤。湖南钩藤野生资源较为丰富，长期以采集野生资源为主，收购量较大，药材供应全国，近年来开始发展钩藤种植，种植面积不断扩大。2022年，"钩藤"入选《湖南省道地药材目录（第一批）》。

（2）钩藤具有较高的药用价值，主要用于治疗头痛、高血压、高脂血症、脑血管硬化、急性脑出血、眩晕及脑梗死。近几十年来，随着现代科学技术的发展，钩藤的化学成分、药理作用及临床应用研究不断深入，为科学、有效地开发钩藤资源打下了良好的基础。以钩藤为主的制剂，不仅有天麻钩藤饮、羚角钩藤汤等经典名方，还有最新开发的钩藤片、钩藤茶口服液等单方制剂。通过不同的配伍，钩藤还能治疗神经衰弱、梅尼埃病、小儿夜啼等多种疾病，具有相当大的开发潜力。

忍冬科 Caprifoliaceae 忍冬属 *Lonicera*

灰毡毛忍冬
Lonicera macranthoides Hand.-Mazz.

| 物种别名 |

山花、山金银花、土忍冬。

| 药 材 名 |

山银花（药用部位：花蕾或带初开的花。别
名：双花、银花、土忍冬）。

| 形态特征 |

藤本。幼枝或其顶梢及总花梗有薄绒状短
糙伏毛，有时兼具微腺毛，后变栗褐色，
有光泽而近无毛，很少在幼枝下部有开展的
长刚毛。叶革质，卵形、卵状披针形、矩圆
形至宽披针形，长 6 ~ 14 cm，先端尖或渐尖，
基部圆形、微心形或渐狭，上面无毛，下面
被由短糙毛组成的灰白色或有时带灰黄色的
毡毛，并散生暗橘黄色微腺毛，网脉凸起而
呈明显的蜂窝状；叶柄长 6 ~ 10 mm，有薄
绒状短糙毛，有时具开展的长糙毛。花有香
味，双花常密集于小枝梢成圆锥状花序；总
花梗长 0.5 ~ 3 mm；苞片披针形或条状披
针形，长 2 ~ 4 mm，连同萼齿外面均有细
毡毛和短缘毛；小苞片圆卵形或倒卵形，长
约为萼筒之半，有短糙缘毛；萼筒常有蓝白
色粉，无毛，有时上半部或全部有毛，长近
2 mm，萼齿三角形，长 1 mm，比萼筒稍短；

花冠白色，后变黄色，长 3.5 ~ 4.5（~ 6）cm，外被倒短糙伏毛及橘黄色腺毛，唇形，筒纤细，内面密生短柔毛，与唇瓣等长或略长，上唇裂片卵形，基部具耳，两侧裂片裂隙深达 1/2，中裂片长为侧裂片之半，下唇条状倒披针形，反卷；雄蕊生于花冠筒先端，连同花柱均伸出而无毛。果实黑色，常有蓝白色粉，圆形，直径 6 ~ 10 mm。花期 6 月中旬至 7 月上旬，果熟期 10 ~ 11 月。

| 野生资源 | （1）生境分布。生于山坡灌丛或疏林中、路旁、乱石堆。湖南各地均有分布。

（2）蕴藏量。野生资源丰富。

| 栽培资源 | （1）栽培条件。喜温暖、稍湿润气候，耐阴。对土壤要求不严，耐盐碱，在土层深厚、质地疏松、富含有机质、湿润且排水良好、pH 5.6 ~ 7.4 的中性至微酸性砂壤土中生长较好。

（2）栽培区域。以隆回、溆浦为核心，还包括怀化其他县（自治县、市、区）及娄底、郴州、永州等。

（3）栽培要点。繁殖方法以扦插繁殖为主。选取当年春季萌发生长的一年生或多年生藤茎。扦插可在春季、夏季和秋季进行，按行距 15 ~ 20 cm，在畦内开深 20 cm 左右的沟，将处理好的插条按株距 5 cm、45° ~ 70° 角斜放于沟内，覆土压实。幼苗移栽可于春季、秋季进行，每穴栽苗 4 ~ 5 株，呈梅花形种植。

（4）栽培面积与产量。湖南隆回灰毡毛忍冬栽培面积 21 万亩，山银花年产量超 1.2 万 t，年产值超 12 亿元。

| **采收加工** | 夏初花开前采收，干燥。

| **药材性状** | 本品呈棒状，稍弯曲，长 3 ~ 4.5 cm，上部直径约 2 mm，下部直径约 1 mm。表面黄色或黄绿色。总花梗集结成簇，开放者花冠裂片不及全长之半。质稍硬，手捏之稍有弹性。气清香，味微苦、甘。

1 cm

| **功能主治** | 甘，寒。归肺、心、胃经。清热解毒，疏散风热。用于痈肿疔疮，喉痹，丹毒，热毒血痢，风热感冒，温病发热。

| **用法用量** | 内服煎汤，6 ~ 15 g；或入丸、散剂。外用适量，捣敷。

| **附　　注** | （1）山银花原是金银花的一个商品规格，来源于南方野生分布、包括忍冬在内的多种忍冬属植物的花蕾和初开的花。20 世纪 60 年代，中成药工业崛起，山银花的需求量逐年上升，湖南顺应市场需求，开始山银花野生变家种工作。灰毡毛忍冬以绿原酸、异绿原酸含量较高，生产成本低，采收加工方便成为了首选栽培种类。湖南灰毡毛忍冬栽培面积约 40 万亩，山银花为重要大宗中药材，具有地方特色。2022 年，"湘银花"入选《湖南省道地药材目录（第一批）》。（2）菰腺忍冬 Lonicera hepoglauca Miq. 长 2.5 ~ 4.5 cm，直径 0.8 ~ 2 mm；表面黄白色至黄棕色，无毛或疏被毛，萼筒无毛，先端 5 裂，裂片长三角形，被毛，开放者花冠下唇反转，花柱无毛。华南忍冬 Lonicera confuse (Sweet) DC. 长 1.6 ~ 3.5 cm，直径 0.5 ~ 2 mm；萼筒和花冠密被灰白色毛。黄褐毛忍

冬 *Lonicera fulvotomentosa* Hsu et S. C. Cheng 长 1 ~ 3.4 cm，直径 1.5 ~ 2 mm；花冠表面淡黄棕色或黄棕色，密被黄色茸毛。

（3）山银花的价格起伏较大，2020 年最高为 150 元 /kg，2023 年为 60 元 /kg。

（4）目前，临床应用山银花以复方制剂为主，如维 C 银翘片、复方银花解毒颗粒（可预防流行性乙型脑炎、流行性脑脊髓膜炎，治疗痢疾、热淋、胆道感染、疮疡痛甚等）。在《中华人民共和国药典》将山银花单列以前，山银花作为金银花入药，山银花含有多种药理活性较强的成分，具有抗病原微生物、抗炎、抗氧化、保肝、抗肿瘤、调节免疫功能与抗动脉粥样硬化等活性。山银花除药用外，还应用于日化、食品、美容、保健品等领域，需求量很大。为了提高山银花的种植效益，更好地利用其药用资源，要进一步扩大对其有效成分的研究范围，加强对其保健食品的深入研究。山银花药用历史悠久且资源充足，但有关山银花化学成分与药理作用等的实验研究相对较少，且主要集中在绿原酸方面，对山银花其他活性成分及其药理作用、临床应用等的研究有待进一步开展或加强，这对进一步开发利用山银花具有重要的意义。

艾

Artemisia argyi Lévl. et Van.

| 物种别名 |

冰台、艾蒿、野艾。

| 药材名 |

艾叶（药用部位：叶。别名：艾蒿、蕲艾）、艾实（药用部位：果实。别名：艾子）。

| 形态特征 |

多年生草本或稍亚灌木状，植株有浓香。茎有少数短分枝，被灰色蛛丝状柔毛。叶上面被灰白色柔毛，兼有白色腺点与小凹点，下面密被白色蛛丝状绒毛；基生叶具长柄；茎下部叶近圆形或宽卵形，羽状深裂，每侧裂片 2 ~ 3，裂片有裂齿，干后下面主、侧脉常呈深褐色或锈色，叶柄长 0.5 ~ 0.8 cm；中部叶卵形、三角状卵形或近菱形，长 5 ~ 8 cm，1 ~ 2 回羽状深裂或半裂，每侧裂片 2 ~ 3，宽 2 ~ 3（~ 4）cm，干后主脉和侧脉深褐色或锈色；叶柄长 0.2 ~ 0.5 cm；上部叶与苞片叶羽状半裂、浅裂、3 深裂或不分裂。头状花序椭圆形，排列成穗状花序或复穗状花序，在茎上常组成尖塔状窄圆锥形花序；总苞片背面密被灰白色蛛丝状绵毛，边缘膜质；雌花 6 ~ 10；两性花 8 ~ 12，檐部紫色。瘦果长卵圆形或长圆形。花果期 7 ～ 10 月。

| **野生资源** | （1）生境分布。生于海拔 70 ～ 1 000 m 的岗地、低山、中山的树林、路旁、草地和村边。湖南各地广泛分布。

（2）蕴藏量。野生资源丰富。

| **栽培资源** | （1）栽培条件。喜温暖湿润气候，耐旱，耐阴。适合栽培于有疏松肥沃、富含腐殖质的黄棕壤的荒坡、丘陵、平地等。

（2）栽培区域。湘西州及临湘、临武、华容、醴陵等有栽培。

（3）栽培要点。繁殖方法以种根繁殖为主。移栽一般在霜降之后至萌芽前进行。选择无病虫害、植株健壮、根系发达的母株，去掉泥土，从母株茎基分取带根

的幼枝苗作为种苗进行移栽。每年中耕除草、施肥 2 ~ 3 次，收获后（一般在 5、7、9 月）要施肥，以人畜粪肥为主。栽培 3 ~ 4 年后，老株要重新栽种。（4）栽培面积与产量。湖南艾栽培面积 2 万亩，年产鲜货 3.6 万 t。

| 采收加工 | 艾叶：夏季花未开时采摘，除去杂质，晒干。

| 药材性状 | 艾叶：本品多皱缩、破碎，有短柄。完整叶片展平后呈卵状椭圆形，羽状深裂，裂片椭圆状披针形，边缘有不规则的粗锯齿；上表面灰绿色或深黄绿色，有稀疏的柔毛和腺点；下表面密生灰白色绒毛。质柔软。气清香，味苦。

1 cm

| 功能主治 | 艾叶：辛、苦，温。归肝、脾、肾经。温经止血，散寒止痛，祛湿止痒。用于吐血，衄血，咯血，便血，崩漏，妊娠下血，月经不调，痛经，胎动不安，心腹冷痛，泄泻，久痢，霍乱转筋，带下，湿疹，疥癣，痔疮，痈疡。
艾实：苦、辛，温。温肾壮阳。用于肾虚腰酸，阳虚内寒。

| 用法用量 | 艾叶：内服煎汤，3 ~ 10 g；或入丸、散剂；或捣汁。外用适量，捣绒作柱；或制成艾条熏灸；或捣敷；或煎汤熏洗；或炒热温熨。
艾实：内服研末，1.5 ~ 4.5 g；或入丸剂。

| 附　　注 | （1）南北朝时期《荆楚岁时记》记载当时人们有艾灸和门户悬挂艾叶的习惯。《艾叶的研究与应用》记载的艾的道地产地有临湘。目前，艾在湘北、湘南、湘西皆有较大面积的种植，艾叶是湖南大宗药材。2022 年，"湘艾"入选《湖

南省道地药材目录（第一批）》。

（2）艾叶商品等级划分见表 2-1-9。2017 年 7 月—2021 年 11 月，艾叶的价格为 6 ~ 8 元 /kg，2021 年 12 月价格逐渐上升，最高为 10.5 元 /kg。

表 2-1-9　艾叶商品等级划分

等级	性状描述	
	共同点	不同点
选货	干货。多皱缩、破碎，有短柄。完整叶片展平后呈卵状椭圆形，羽状深裂，裂片椭圆状披针形，边缘有不规则的粗锯齿；上表面灰绿色或深黄绿色，有稀疏的柔毛和腺点，下表面灰白色，密生绒毛。质柔软。气清香，味苦。其他杂质含量 ≤ 1%，无虫蛀、霉变	茎梗含量 ≤ 3%
统货		茎梗含量 ≤ 5%

（3）艾叶的制剂有艾叶油胶丸、艾叶油气雾剂、艾叶油胶囊、艾叶油、艾叶注射液、肝舒注射液、艾地合剂、艾油烧伤膏、羌艾合剂等。艾集药品、食品、保健品、工业原料、饲料、文化创意产品等于一体，具有广泛的用途和广阔的开发利用前景。现代研究证实，艾具有较好的疾病预防和健康保健作用，艾灸配合醒脑开窍针刺能显著调节血脂，明显改善脑梗死合并高脂血症患者的代谢紊乱；体位指导联合艾灸干预可有效纠正臀位妊娠，提高自然分娩率，降低不良妊娠的发生率；艾灸肾俞、足三里穴具有抗炎免疫作用，能够改善并增强机体的免疫功能，纠正发生炎症时的自由基代谢紊乱，调节神经递质的失衡；艾条点燃烟熏烧伤创面可治疗烫火伤；艾叶、苍术制成的蚊香点熏可以预防流行性感冒；艾叶酒炒热敷会阴、阴囊及耻骨处可治疗小儿阴缩症等。艾在纺织业的应用已有较长的历史，古时就有将艾用于布匹印染的记载，艾含有色素，可作为天然染料对织物进行印染；艾纤维比电阻小，回潮率高，弹性好，生产加工时不容易产生静电，具有较好的可纺性，并且具有抑菌、除臭、驱蚊、保健等功能。在农业方面，从艾中提取的植物活性物质具有较高的灭杀桃蚜、蓟马等害虫的活性等。在食品方面，艾可制成艾叶生鲜面条、艾叶饼干、艾叶茶等。通过研究艾黄酮的粉径大小及其粉末添加量、食用糖和面粉添加量对蛋糕品质的影响，获得了最佳配比，做出的蛋糕既具有戚风蛋糕特有的蛋香味，又带有艾的清香；通过研究不同艾、南瓜泥、鸡蛋和白砂糖添加量对蛋糕品质的影响，增加了蛋糕的花色品种，既为艾南瓜保健蛋糕的加工生产提供了理论支撑，又为艾和南瓜深加工产业的发展开辟了一条新途径。

菊科 Asteraceae 苍术属 Atractylodes

白术 *Atractylodes macrocephala* Koidz.

物种别名

山蓟、冬白术、山姜。

药材名

白术（药用部位：根茎。别名：于术、冬术、浙术）。

形态特征

多年生草本。高 20 ～ 60 cm，根茎结节状。茎直立，通常自中下部长分枝，全部光滑无毛。中部茎生叶有长 3 ～ 6 cm 的叶柄，叶片通常 3 ～ 5 羽状全裂，极少兼杂不裂而为长椭圆形的叶，侧裂片 1 ～ 2 对，倒披针形、椭圆形或长椭圆形，长 4.5 ～ 7 cm，宽 1.5 ～ 2 cm，顶裂片比侧裂片大，倒长卵形、长椭圆形或椭圆形；自中部茎生叶向上、向下，叶渐小，与中部茎生叶等样分裂，接花序下部的叶不裂，椭圆形或长椭圆形，无柄，或大部茎生叶不裂，但总兼杂有 3 ～ 5 羽状全裂的叶；全部叶质地薄，纸质，两面绿色，无毛，边缘或裂片边缘有长或短针刺状缘毛，或细刺齿。头状花序单生于茎枝先端，植株通常有 6 ～ 10 头状花序，但不呈明显的花序式排列；苞叶绿色，长 3 ～ 4 cm，针刺状羽状全裂；总苞大，宽钟状，直径

3 ～ 4 cm，总苞片 9 ～ 10 层，覆瓦状排列，外层及中外层长卵形或三角形，长 6 ～ 8 mm，中层披针形或椭圆状披针形，长 11 ～ 16 mm，最内层宽线形，长 2 cm，先端紫红色，全部苞片先端钝，边缘有白色蛛丝状毛；小花长 1.7 cm，紫红色，冠檐 5 深裂。瘦果倒圆锥状，长 7.5 mm，被顺伏、稠密、白色的长直毛，冠毛刚毛羽毛状，污白色，长 1.5 cm，基部结合成环状。花果期 8 ～ 10 月。

| **野生资源** | （1）生境分布。生于山坡草地及山坡林下。分布于湖南平江等地。
（2）蕴藏量。野生资源稀少。

| **栽培资源** | （1）栽培条件。喜凉爽气候，耐寒，怕湿热，怕干旱。对土壤要求不高，但以排水良好、肥沃疏松、土层深厚的微酸性砂壤土为好，也可在排水良好的微碱性砂质土中生长。

（2）栽培区域。以平江为核心，还包括邵东、耒阳等。

（3）栽培要点。繁殖方法为种子繁殖或根茎繁殖。种子繁殖选择生长健壮、无病虫害的植株留作种株，播种宜在 3 月下旬至 4 月上旬进行。根茎繁殖宜选择健壮、无病害、顶芽饱满、侧芽少的根茎作种。7 月上中旬至 8 月上旬，除留种地外，其余须及时摘蕾。

（4）栽培面积与产量。湖南平江为白术道地产区，白术栽培面积达 3 万亩，平均亩产量可达 600 kg。此外，洪江、龙山、溆浦、隆回等也有栽培。

| 采收加工 | 10 月下旬至 11 月中旬待地上部分枯萎后，清除地上部分枝叶，采挖根茎，烘干或晒干。

| 药材性状 | 本品为不规则的肥厚团块，长 3 ~ 13 cm，直径 1.5 ~ 7 cm。表面灰黄色或灰棕色，有瘤状突起及断续的纵皱纹和沟纹，并有须根痕，先端有残留茎基和芽痕。质坚硬，不易折断，断面不平坦，黄白色至淡棕色，散在棕黄色的点状油室；烘干者断面角质样，色较深或有裂隙。气清香，味甘、微辛，嚼之略带黏性。

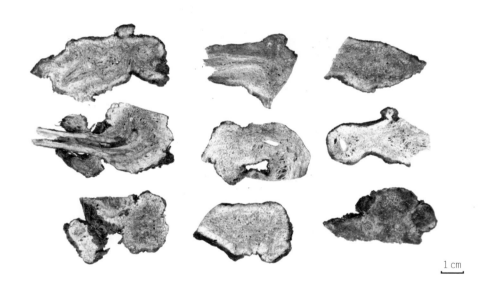

1 cm

| 功能主治 | 苦、甘，温。归脾、胃经。健脾益气，燥湿利水，止汗，安胎。用于脾虚食少，腹胀泄泻，痰饮眩悸，水肿，自汗，胎动不安。

| 用法用量 | 内服煎汤，6 ~ 12 g；或熬膏；或入丸、散剂。

| 附　　注 | （1）《本草纲目》记载平江幕阜山产白术。隆庆《岳州府志》载："平江产有白术，以紫花者为上。"《古今医鉴》载有"健脾开胃平术膏"。同治《平江县志》载："平术最著名，然自山地垦阔后，天生术殊不易得。"《湖南各县市经济概况》载："民国三十一年平江白术年产 10.5 万 kg。"平江白术栽培源于抗日战争时期，浙东术农内迁平江传授技术，种植技术或经验主要由此演变而来。近年来，同仁堂在平江建设生产基地，专门生产平江白术。2022 年，"平

江白术"入选《湖南省道地药材目录（第一批）》。

（2）白术是补脾益气之要药，国内市场白术药材主要用于饮片和中成药生产。白术及其制剂在临床上广泛应用于胃肠疾病（如参苓白术丸、香砂养胃胶囊、枳术冲剂、补中益气丸、四君子丸等）、小儿脾胃虚弱所致消化不良（如保儿宁糖浆、小儿喜食片、肥儿散等）和妇产科疾病（如安胎丸、白带片、逍遥颗粒等）。现代研究表明，白术具有抗氧化、延缓衰老、降血糖、抗凝血、抗肿瘤等作用，也被国外医药、保健品生产企业广泛用于美容护肤品中。

菊科 Asteraceae 麻花头属 Serratula

华麻花头

Serratula chinensis S. Moore

| 物种别名 | 鸭麻菜、升麻。

| 药 材 名 | 广升麻（药用部位：根。别名：蓝肉升麻、绿升麻、广东升麻）。

| 形态特征 | 多年生草本。高 60 ~ 120 cm。根茎短，生多数直径 8 ~ 12 mm 的纺锤状直根。茎直立，上部分枝，全部茎枝被稀疏蛛丝状毛或脱毛至无毛。中部茎生叶椭圆形、卵状椭圆形或长椭圆形，少有倒卵形，长 9.3 ~ 13 cm，宽 3.5 ~ 7 cm，极少长达 22 cm，宽达 8 cm，基部楔形，有长 1.5 ~ 2.5（~ 4.5）cm 的叶柄；上部茎生叶小，无柄或几无柄，与中部茎生叶同形；全部叶边缘有锯齿，两面粗糙，两面被多细胞短节毛及棕黄色的小腺点。头状花序少数，单生于茎枝先端，不呈明显的伞房花序式排列；总苞碗状，上部无收缩，直径

约 3 cm，总苞片 6 ~ 7 层，外层卵形至长椭圆形，长 5 ~ 13 mm，宽 3 ~ 5 mm，内层至最内层长椭圆形至线状长椭圆形，长 2 ~ 2.6 cm，宽 3 ~ 5 mm，全部总苞片质地薄，无毛，先端圆形或钝，无针刺，染紫红色；小花两性，花冠紫红色，长 3 cm，细管部长 1.3 cm，檐部长 1.7 cm，花冠裂片线形，长 9 mm。瘦果长椭圆形，深褐色，长 7 mm，宽 2 mm，冠毛褐色，多层，不等长，长达 1.6 cm；冠毛刚毛微锯齿状，分散脱落。花果期 7 ~ 10 月。

| 野生资源 | （1）生境分布。生于山坡草地或林缘、林下、灌丛中。湖南各地均有分布。
（2）蕴藏量。湘南野生资源丰富。

| 栽培资源 | （1）栽培条件。喜阴凉湿润气候，适宜在肥沃疏松、富含腐殖质的黑砂壤土中种植。
（2）栽培区域。汝城、桂东、炎陵等有栽培。
（3）栽培要点。繁殖方法以种子繁殖为主，春、秋季均可。在畦面上按行距 20 ~ 25 cm 开沟，沟深 4 ~ 5 cm，条播，覆土填平，播种后保持畦面湿润，出苗后适当浇水。每年中耕除草 2 ~ 3 次，花蕾初现时剪去花序，以保证根茎的生长。
（4）栽培面积。湖南汝城等地华麻花头栽培面积约 2 000 亩。

| 采收加工 | 秋季挖取，去掉泥土，洗净，晒干。

| 药材性状 | 本品根呈圆柱形，稍扭曲，末端稍细；表面灰黄色或浅灰色，有纵皱纹或纵沟，并有少数须根痕。质脆，易折断，断面浅棕色或灰白色。味淡、微苦。

1 cm

| 功能主治 | 辛、苦，寒。归肺、胃、大肠经。透疹解毒，升阳举陷。用于风热头痛，麻疹透发不畅，斑疹，肺热咳喘，咽喉肿痛，胃火牙痛，久泻脱肛，子宫脱垂。

| 用法用量 | 内服煎汤，3～9g。外用适量，煎汤洗。

| 附　注 | （1）汝城升麻为华南地区的特色药材，地方药材标准也称"广升麻"。《湖南省中药材标准》（1993 年版）收载了"汝城升麻"。2022 年，"汝城升麻"入选《湖南省道地药材目录（第一批）》。

（2）广升麻的主要成分为蜕皮甾酮类化合物，它具有促进蛋白质合成、调节基因表达、抗脂质过氧化的功效，可用于降低胆固醇及治疗心脑血管疾病。此外，广升麻还含有挥发油、脑苷脂、神经酰胺类化合物等。据统计，广升麻在岭南140 种药材使用量中排第 28 名，资源较为丰富，取材方便，分布广泛，已有产业化种植。

百合科 Liliaceae 百合属 *Lilium*

百合
Lilium brownii F. E. Brown var. *viridulum* Baker

| **物种别名** | 白百合、蒜脑薯、山丹。

| **药 材 名** | 百合（药用部位：鳞叶）、百合花（药用部位：花）、百合子（药用部位：种子）。

| **形态特征** | 多年生草本，高 60 ~ 100 cm。鳞茎球状，白色，肉质，先端常开放如荷花状，长 3.5 ~ 5 cm，直径 3 ~ 4 cm，下面着生多数须根。茎直立，圆柱形，常具褐紫色斑点。叶 4 ~ 5 列，互生，无柄，叶片呈线状披针形至长椭圆状披针形，长 4.5 ~ 10 cm，宽 8 ~ 20 mm，先端渐尖，基部渐狭，全缘或微波状，叶脉 5，平行。花大，单生于茎顶，少有 1 花以上者；花梗长达 3 ~ 10 cm；花被片 6，呈倒卵形，乳白色或带淡棕色；雄蕊 6，花药呈线形，"丁"字形着生；

雌蕊 1，子房呈圆柱形，3 室，每室具多数胚珠，柱头盾状膨大。蒴果呈长卵圆形，室间开裂，绿色；种子多数。花期 6 ~ 8 月，果期 9 月。

| 野生资源 |　（1）生境分布。生于土壤深厚肥沃的林边或草丛中。湖南各地均有分布。

（2）蕴藏量。野生资源丰富。

| 栽培资源 |　（1）栽培条件。喜温暖稍带冷凉而干燥的气候，耐阴性较强。对土壤要求不严，但宜在土层深厚、肥沃疏松的砂壤土中生长，黏性重、排水不畅、通气不良的土壤不宜栽培。

（2）栽培区域。以隆回、洞口、中方、新化为核心，还包括娄底、邵阳及怀化的其他地区等。

（3）栽培要点。选择海拔 800 ~ 1 400 m 以上山地的背风向阳、排水良好的壤土或砂壤土。繁殖方法以鳞茎繁殖为主，播种时间以 7 月下旬至 8 月上旬为宜，选晴天或阴天播种。追肥原则为早施苗肥、重施壮茎肥、后期看苗补肥。及时防治灰霉病、炭疽病和蚜虫。

（4）栽培面积与产量。据统计，湖南百合栽培面积约 3 万亩。

| 采收加工 |　**百合：** 秋季采挖鳞茎，洗净，剥取鳞叶，置沸水中略烫，干燥。

百合花： 6 ~ 7 月采摘，阴干或晒干。

百合子： 夏、秋季采收，晒干。

| 药材性状 |　**百合：** 本品呈长椭圆形、披针形或长三角形，长 2 ～ 4 cm，宽 0.5 ～ 1.5 cm，肉质，肥厚，中心较厚，边缘薄而呈波状或向内卷曲。表面乳白色或淡黄棕色，光滑细腻，略有光泽，瓣内具数条平行纵走的白色维管束。质坚硬而稍脆，折断面较平整，呈黄白色，似蜡样。气微，味微苦。以瓣匀肉厚、色黄白、质坚、筋少者为佳。

百合花： 本品较大，单生于茎顶。花被呈倒卵形。

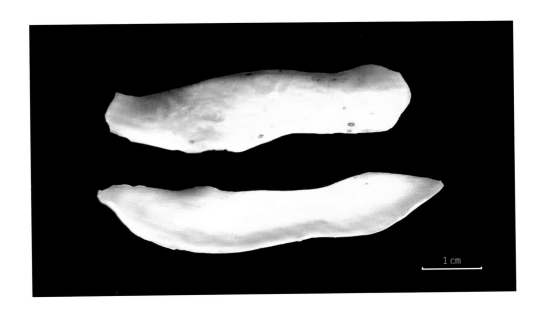

1 cm

| 功能主治 |　**百合：** 甘，寒。养阴润肺，清心安神。用于阴虚久咳，痰中带血，虚烦惊悸，失眠多梦，精神恍惚。

百合花： 润肺，清火，安神。用于咳嗽，眩晕，夜寐不安，天疱疮。

百合子： 甘、苦，凉。清热凉血。用于肠风下血。

| 用法用量 |　**百合：** 内服煎汤，6 ～ 12 g；或入丸、散剂；或蒸食、煮粥。外用适量，捣敷。

百合花： 内服煎汤，6 ～ 12 g。外用适量，研末调敷。

百合子： 内服煎汤，3 ～ 9 g；或研末。

| 附　　注 |　（1）《药物出产辨》云："湖南湘潭、宝庆产者，名拣片外合，为最佳……以龙牙合为最，拣片次之。"康熙《宝庆府志》、乾隆《湖南通志》、光绪《邵阳县志》等 19 个湖南地方志均记载："百合邵阳出者特大而肥美。"2019年，中华中医药学会发布了《道地药材 第 145 部分：龙牙百合》（T/CACM1020.145—2019）。2022 年，"龙牙百合"入选《湖南省道地药材目录（第

一批）》。

（2）龙牙百合价格一直较高，2019—2022 年价格为 50 ~ 80 元 /kg，2023 年以来价格走高，产地价格为 80 ~ 100 元 /kg。

（3）百合是药食两用物质。现代研究表明，百合可用于镇痰止咳、滋阴润肺、抗病毒、抗氧化、调节免疫功能、抗肿瘤、降血糖、抗衰老等。目前，以百合为主要原料的成药有百合乌药汤、百合宁神汤、百合固金汤、百合固金丸、百合知母汤、百合地黄汤、胃舒百合饮、百合丹参香芍散等。在临床上，百合乌药汤合平胃散加减治疗脾胃病效佳，兼顾脾虚湿重、胃热夹湿、气滞血瘀等；百合丹参香芍散加减可治疗慢性胃炎；百合健胃汤加减治疗消化性溃疡疗效显著；丹参百合四逆汤可治疗胆囊切除术后综合征。百合含有丰富的淀粉、蛋白质、脂肪、微量元素等营养成分，具有较高的营养价值，在我国民间具有悠久的食用历史，含百合的菜品有冰糖炖百合、清蒸百合、百合炒里脊、西芹炒百合、百合冬瓜汤等。以百合精粉为主要原料，辅以杜仲籽粕粉，采用液态发酵可酿造风味独特、口感柔和的杜仲百合醋；以百合、麦芽为主要原料，利用小型啤酒生产线可开发生产具有营养保健功能的百合啤酒；以百合、鱼腥草为主要原料，可开发生产百合鱼腥草复合饮料；以红枣、甘草、百合提取的浓缩液为主要原料，可制作复合保健软糖。

百合科 Liliaceae　百合属 Lilium

卷丹

Lilium lancifolium Thunb.

| 药 材 名 |

百合（药用部位：肉质鳞叶。别名：卷丹百合）。

| 形态特征 |

鳞茎近宽球形，高约 3.5 cm，直径 4 ~ 8 cm；鳞片宽卵形，长 2 ~ 5 cm，宽 1.4 ~ 2.5 cm，白色。茎高 0.8 ~ 1.5 m，带紫色条纹，具白色绵毛。叶散生，矩圆状披针形或披针形，长 6.5 ~ 9 cm，宽 1 ~ 1.8 cm，两面近无毛，先端有白毛，边缘有乳头状突起，有 5 ~ 7 脉，上部叶腋有珠芽。花 3 ~ 6 或更多；苞片叶状，卵状披针形，长 1.5 ~ 2 cm，宽 2 ~ 5 mm，先端钝，有白色绵毛；花梗长 6.5 ~ 9 cm，紫色，有白色绵毛；花下垂，花被片披针形，反卷，橙红色，有紫黑色斑点，外轮花被片长 6 ~ 10 cm，宽 1 ~ 2 cm，内轮花被片稍宽，蜜腺两边有乳头状突起，尚有流苏状突起；雄蕊四面张开，花丝长 5 ~ 7 cm，淡红色，无毛，花药矩圆形，长约 2 cm；子房圆柱形，长 1.5 ~ 2 cm，宽 2 ~ 3 mm，花柱长 4.5 ~ 6.5 cm，柱头稍膨大，3 裂。蒴果狭长卵形，长 3 ~ 4 cm。花期 7 ~ 8 月，果期 9 ~ 10 月。

| 野生资源 |　（1）生境分布。生于林缘路旁及山坡草地。分布于湘西南、湘中、湘东等。

（2）蕴藏量。野生资源稀少。

| 栽培资源 |　（1）栽培条件。喜温暖稍带冷凉而干燥的气候，耐阴性较强，耐寒，适宜生长温度为 15 ~ 25 ℃，生长前期和中期喜光照，最忌酷热和雨水过多。宜选向阳、土层深厚、疏松肥沃、排水良好的砂壤土种植，低洼地不宜种植。

（2）栽培区域。以龙山为核心，包括浏阳、邵东、花垣、永顺等。

（3）栽培要点。繁殖方法以鳞片、小鳞茎和珠芽繁殖为主。一般以 9 ~ 10 月栽植为宜，株行距（15 ~ 20）cm×（30 ~ 33）cm，每亩栽种 0.8 万 ~ 1.1 万株，栽植深度要适宜，过浅则鳞茎易分瓣，过深则出苗迟、生长细弱、缺苗率较高。栽后可适当浇稀粪水，以增加土壤湿度，并覆盖稻草、麦秆、薄膜等。

（4）栽培面积与产量。2011 年，龙山卷丹栽培面积达 6 万亩，截至 2016 年底，龙山已成为我国规模最大的卷丹百合产区，卷丹栽培面积 8.2 万余亩，百合总产量 7.8 万 t，总产值 9.9 亿元。目前，龙山已建成百合干片加工烘烤房 424 栋、百合保鲜库 28 座，有规模不等的百合加工企业（作坊）100 余家，年加工百合干片达 1.2 万 t（消耗鲜百合 3.6 万 t）。

| 采收加工 |　秋季采挖，洗净，剥取鳞叶，置沸水中略烫，干燥。

| 药材性状 |　本品呈长椭圆形，长 2 ~ 5 cm，宽 1 ~ 2 cm，中部厚 1.3 ~ 4 mm。表面黄白色至淡棕黄色，有的微带紫色，有数条纵直平行的白色维管束，先端稍尖，基部较宽，边缘薄，微波状，略向内弯曲。质硬而脆，断面较平坦，角质样。气微，味微苦。

1 cm

| 功能主治 | 甘，寒。归心、肺经。养阴润肺，清心安神。用于阴虚燥咳，劳嗽咯血，虚烦惊悸，失眠多梦，精神恍惚。

| 用法用量 | 内服煎汤，6～12 g；或蒸食；或煮粥食。外用适量，捣敷。

| 附　　注 | （1）20 世纪 60 年代，湖南龙山从江苏宜兴引种卷丹。龙山平均海拔较高，卷丹生长病害少，质量好，形成了较为明显的区域特色。龙山百合是国家地理标志保护产品。2022 年，"龙山百合"入选《湖南省道地药材目录（第一批）》。
（2）卷丹百合的价格 2022 年以前较为稳定，为 16～32 元 /kg，2023 年初开始缓慢上涨，涨至 52 元 /kg。
（3）卷丹在临床上应用广泛。现代研究表明，百合固金汤加减可治疗燥咳、肺结核及糖尿病；百合宁神汤可治疗精神分裂症；百合地黄汤加减可治疗失眠、抑郁、更年期综合征、甲状腺功能亢进症、焦虑等。卷丹百合作为保健产品的原料也有着广泛的应用，但对于卷丹百合药效物质基础及增效作用机制等，目前研究较少，且基础薄弱，有待更加深入全面地研究。

百合科 Liliaceae 黄精属 *Polygonatum*

多花黄精 *Polygonatum cyrtonema* Hua

| 物种别名 | 笔管菜、乌鸦七、黄鸡菜。

| 药 材 名 | 黄精（药用部位：根茎。别名：姜形黄精）。

| 形态特征 | 根茎圆柱状，由于结节膨大，节间一头粗、一头细，粗的一头有短分枝（《中药志》称这种根茎所制成的药材为鸡头黄精），直径 1 ~ 2 cm。茎高 50 ~ 90 cm 或超过 1 m，有时呈攀缘状。叶轮生，每轮 4 ~ 6，条状披针形，长 8 ~ 15 cm，宽（4 ~）6 ~ 16 mm，先端拳卷或弯曲成钩。花序通常具 2 ~ 4 花，似成伞形，总花梗长 1 ~ 2 cm，花梗长（2.5 ~）4 ~ 10 mm，俯垂；苞片位于花梗基部，膜质，钻形或条状披针形，长 3 ~ 5 mm，具 1 脉；花被乳白色至淡黄色，全长 9 ~ 12 mm，花被筒中部稍缢缩，裂片长约 4 mm；花

丝长 0.5 ~ 1 mm，花药长 2 ~ 3 mm；子房长约 3 mm，花柱长 5 ~ 7 mm。浆果直径 7 ~ 10 mm，黑色，具 4 ~ 7 种子。花期 5 ~ 6 月，果期 8 ~ 9 月。

| 野生资源 |　（1）生境分布。生于海拔 300 ~ 1 000 m 的林下、灌丛或山坡阴处。湖南各地均有分布。

　　（2）蕴藏量。野生资源丰富。

| 栽培资源 |　（1）栽培条件。喜温暖湿润气候和阴湿的环境，耐寒，对气候适应性较强。可选择半高山或平地栽培，以土层深厚、肥沃、疏松、湿润的土壤为宜。

（2）栽培区域。以安化、新化、新晃为核心，还包括洪江、凤凰、桂东、岳阳、临湘、隆回、炎陵、蓝山、平江等。

（3）栽培要点。繁殖方法为根茎繁殖和种子繁殖，以根茎繁殖为主。应选择 2 ~ 3 年生长健壮、无病虫害、带有芽头的根茎，每段有 2 ~ 3 节，用多菌灵拌种消毒。种植后，及时用秸秆、树叶、干草等覆盖，保温保墒。

（4）栽培面积与产量。据不完全统计，湖南以雪峰山为核心，怀化、邵阳、娄底、益阳等地黄精栽培面积约 20 万亩。

| 采收加工 | 栽后 3 年收获。9 ~ 10 月采挖，去掉茎秆，洗净泥沙，除去须根和烂疤，蒸至透心，晒干、烘干或鲜用。

| 药材性状 | 本品呈不规则的圆锥状，形似鸡头，或呈结节块状，形似姜，分枝少而短粗。表面黄白色至黄棕色，半透明，全体有细皱纹及稍隆起呈波状的环节，地上茎痕呈圆盘状，中心常凹陷，根痕多呈点状凸起。干燥者质硬，易折断，未完全干燥者质柔韧。断面淡棕色，呈半透明角质样或蜡质状，并有多数黄白色小点。气微，味微甜而有黏性。

1 cm

| 功能主治 | 甘，平。归脾、肺、肾经。养阴润肺，补脾益气，滋肾填精。用于阴虚劳嗽，肺燥咳嗽，脾虚乏力，食少口干，消渴，肾亏腰膝酸软，阳痿遗精，耳鸣目暗，须发早白，体虚羸瘦，风癞癣疾。

| 用法用量 | 内服煎汤，10 ～ 15 g，鲜品 30 ～ 60 g；或入丸、散剂；或熬膏。外用适量，煎汤洗；或熬膏涂；或浸酒搽。

| 附　　注 | （1）康熙《衡州府志》、乾隆《辰州府志》、同治《安化县志》等至少 16 个湖南地方志的"药之属"中明确记载了黄精。《药物出产辨》云："以湖南产者为正。"这表明湖南所产黄精质量最佳。湖南黄精野生资源丰富、分布范围广，是我国黄精传统主产区。黄精是湖南药食两用资源代表种类，安化黄精、新化黄精等为国家地理标志保护产品或国家地理标志证明商标。2022 年，"湘黄精"入选《湖南省道地药材目录（第一批）》。

（2）湖南黄精以多花黄精为主流，商品等级划分见表 2-1-10。黄精价格较为稳定，2019 年平均为 70 元 /kg，2020—2021 年最低为 68 元 /kg，2022 年最高为 75 元 /kg，2023 年为 62 元 /kg。

表 2-1-10　黄精商品等级划分

等级		性状描述	
		共同点	不同点
选货	一等	干货。呈肥厚肉质的结节块状，表面淡黄色至黄棕色，具环节，有皱纹及须根痕，结节上侧茎痕呈圆盘状，圆周凹入，中部凸出。质硬而韧，不易折断，断面角质，淡黄色至黄棕色，有多数淡黄色筋脉小点。气微，味甜，嚼之有黏性。至少 2 节	每节最小处直径超过 20 mm
	二等		每节最小处直径 16 ～ 20 mm
统货		干货。呈肥厚肉质的结节块状，表面淡黄色至黄棕色，具环节，有皱纹及须根痕，结节上侧茎痕呈圆盘状，圆周凹入，中部凸出。质硬而韧，不易折断，断面角质，淡黄色至黄棕色，有多数淡黄色筋脉小点。气微，味甜，嚼之有黏性。长短不一，大小不等	

（3）目前，临床上应用黄精以复方制剂为主，包括参精止渴丸、二精丸、九转黄精丸、精乌颗粒等。黄精既可药用，又可食用。在盛产黄精的地区，人们将黄精烹饪为菜肴，还将鲜黄精蒸熟食用以行食疗。有研究发现，黄精多糖富含多种生物活性物质，对人体具有特殊的功能，如免疫调节、抗肿瘤、预防糖尿病和骨质疏松、抗菌消炎、保护心血管、抗疲劳等，可用于治疗阿尔茨海默病、动脉粥样硬化、骨质疏松症、肝病、糖尿病、恶性肿瘤等多种临床疾病，这些药理作用和生物活性可能与其结构有关。因此，应对黄精多糖提取工艺和黄精活性部位进行深入研究，阐明药效，为进一步开发利用黄精提供科学依据。

百合科 Liliaceae　黄精属 Polygonatum

玉竹

Polygonatum odoratum (Mill.) Druce

| 物种别名 | 尾参、地管子、猪屎尾。

| 药 材 名 | 玉竹（药用部位：根茎。别名：尾参）。

| 形态特征 | 多年生草本。根茎圆柱形，直径 3 ~ 16 mm。茎高 20 ~ 50 cm，具 7 ~ 12 叶。叶互生，椭圆形至卵状矩圆形，长 5 ~ 12 cm，宽 3 ~ 16 cm，先端尖，下面带灰白色，下面脉上平滑至呈乳头状粗糙。花序具 1 ~ 4 花（栽培者可多至 8 花），总花梗（单花时为花梗）长 1 ~ 1.5 cm，无苞片或有条状披针形苞片；花被黄绿色至白色，全长 13 ~ 20 mm，花被筒较直，裂片长 3 ~ 4 mm；花丝丝状，近平滑至具乳头状突起，花药长约 4 mm；子房长 3 ~ 4 mm，花柱长 10 ~ 14 mm。浆果蓝黑色，直径 7 ~ 10 cm，具 7 ~ 9 种子。花期 5 ~ 6 月，果期 7 ~ 9 月。

| **野生资源** | （1）生境分布。生于海拔 100 ～ 800 m 的林下或山野阴坡。湖南各地均有分布。

（2）蕴藏量。野生资源丰富。

| **栽培资源** | （1）栽培条件。喜温暖湿润气候，适宜栽培于背风向阳、排水良好、深厚疏松、富含有机质的砂壤土。

（2）栽培区域。益阳、长沙、衡阳、郴州、怀化、张家界、株洲有栽培。

（3）栽培要点。繁殖方法以根茎繁殖为主。种茎种植前可用多菌灵或甲基硫菌灵进行浸种消毒。出苗后分别在苗期、旺长期、现蕾期进行追肥。每年 12 月至翌年 2 月割除杂草及地上部分，并覆盖稻草或玉米秸秆。

（4）栽培面积与产量。湖南玉竹栽培面积约 30 万亩，年产量 8 万 t 左右。

| **采收加工** | 秋季采挖，除去须根，洗净，晒至柔软，反复揉搓、晾晒至无硬心，晒干；或蒸透，揉至半透明，晒干。

| **药材性状** | 本品呈长圆柱形，略扁，少有分枝，长 4 ～ 18 cm，直径 0.3 ～ 1.6 cm。有白色圆点状须根痕和圆盘状茎痕。气微，味甘，嚼之发黏。以条长、肥壮、色黄白、光泽、半透明、味甜者为佳。

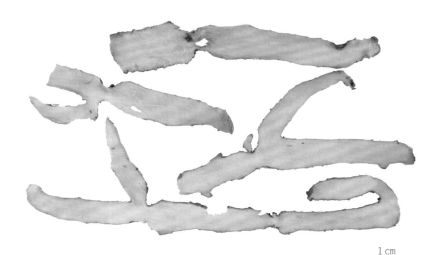

1 cm

1 cm

| 功能主治 | 甘，微寒。归肺、胃经。养阴润燥，生津止渴。用于肺胃阴伤，燥热咳嗽，咽干口渴，内热消渴。

| 用法用量 | 内服煎汤，6 ~ 12 g。外用适量，捣敷。

| 附　　注 | （1）《邵阳县乡土志》载："玉竹参一名葳蕤，又名女萎，近谷皮洞多产此。"《药物出产辨》载："有产湖南，名曰广竹，糖质与海竹同。"《中药志》《药材资料汇编》《中华本草》均记载湖南玉竹产量大、品质佳，具有根条粗壮、色泽黄亮、质地柔润的特点。湖南是我国最大的玉竹产区。玉竹是药食两用物质，中华中医药学会发布了《道地药材　第 144 部分：湘玉竹》（T/CACM 1020.144—2019）。2022 年，"湘玉竹"入选《湖南省道地药材目录（第一批）》。

（2）玉竹商品等级划分见表 2-1-11。2018—2019 年，玉竹的价格为 30 ～ 32 元 /kg，2020—2021 年为 20 ～ 36 元 /kg，2022—2023 年为 36 ～ 63 元 /kg。

表 2-1-11　玉竹商品等级划分

等级		性状描述	
		共同点	不同点
选货	一等	长圆柱形，略扁。表面黄白色或淡黄棕色，半透明，具纵皱纹、微隆起的须根痕和圆盘状茎痕。质硬而脆或稍软，易折断，断面角质样或显颗粒性。气微，味甘，嚼之发黏	长度 ≥ 14 cm，直径 ≥ 1.2 cm
	二等		长度 ≥ 9 cm，直径 ≥ 0.9 cm
统货		圆柱形或略扁。表面黄白色或淡黄棕色，具纵皱纹和微隆起的环节，有白色圆点状的须根痕和圆盘状茎痕。质硬而脆或稍软，易折断，断面角质样或显颗粒性。气微，味甘，嚼之发黏。长度 ≥ 4 cm，直径 ≥ 0.5 cm。长短、直径不均一	

（3）玉竹可用于治疗热病、口燥咽干、干咳少痰、心烦心悸等，其制剂可用于扩张冠脉、降血脂、降血糖和增强免疫力。此外，玉竹还可被用于制作保健品和食品，主要产品有玉竹饼、玉竹茶、玉竹果脯、玉竹果糖、玉竹米粉等，深受消费者青睐。玉竹的根茎和幼苗可鲜食（凉拌、蒸炖或炒食），也可制成干品食用。玉竹多糖抗衰老作用明显，主要表现在清除自由基、提高免疫力、抑制淋巴细胞凋亡等方面。

天南星科 Araceae 菖蒲属 Acorus

石菖蒲 *Acorus tatarinowii* Schott

| **物种别名** | 菖蒲、山菖蒲、九节菖蒲。

| **药 材 名** | 石菖蒲（药用部位：根茎。别名：九节菖蒲）、石菖蒲花（药用部位：花）。

| **形态特征** | 多年生草本。根茎芳香，直径 2 ~ 5 mm，淡褐色，节间长 3 ~ 5 mm，上部分枝甚密，植株因而呈丛生状，分枝常被纤维状宿存的叶基；根肉质，具多数须根。叶无柄；叶片基部两侧膜质叶鞘宽可达 5 mm，上延几达叶片中部，先端渐狭，脱落；叶片薄，暗绿色，线形，长 20 ~ 50 cm，基部对折，中部以上平展，宽 7 ~ 13 mm，先端渐狭， 无中肋，平行脉多数，稍隆起。花序梗腋生，长 4 ~ 15 cm，三棱形；叶状佛焰苞长 13 ~ 25 cm，长为肉穗花序的 2 ~

5 倍或更长，稀与肉穗花序近等长；肉穗花序圆柱状，长 2.5 ~ 8.5 cm，直径 4 ~ 7 mm，上部渐尖，直立或稍弯；花白色。成熟果序长 7 ~ 8 cm，直径可达 1 cm；幼果绿色，成熟时黄绿色或黄白色。花果期 2 ~ 6 月。

| **野生资源** | （1）生境分布。生于林下、湿地或溪旁石上。湖南各地均有分布。
（2）蕴藏量。野生资源丰富。

| **栽培资源** | （1）栽培条件。宜选择水源充足的阴湿环境，喜冷凉湿润气候，耐寒，忌干旱。以沼泽湿地或灌水方便的砂壤土、富含腐殖质的壤土为宜，土壤 pH 以 5.5 ~ 6.5 为宜。
（2）栽培区域。以澧县为核心，还包括沅陵、安乡、安化、华容、醴陵、平江等。
（3）栽培要点。繁殖方法为根茎繁殖。挖取带有完整根茎的母株，消毒后留作种苗，于春、秋季按株行距 40 cm×60 cm 进行种植，栽后盖土压紧。定植后至封行前进行人工除草，综合防治叶斑病、螟虫等病虫害。
（4）栽培面积与产量。湖南澧县于 2017 年开始栽培石菖蒲，栽培面积约 2 000 亩；2021 年栽培面积发展到 1.25 万亩，年产量 2 500 t。

| **采收加工** | **石菖蒲**：栽种 3 ~ 4 年后的早春或冬末采挖，剪去叶片和须根，洗净，鲜用或晒干后撞去毛须。
石菖蒲花：2 ~ 5 月花开放时采收，晒干。

| **药材性状** | **石菖蒲**：本品呈扁圆柱形，多弯曲，常具分枝。表面棕褐色或灰棕色，粗糙，

1 cm

具疏密不匀的环节，具细纵纹，一面残留须根或圆点状根痕。质硬，断面纤维性，类白色或微红色，内皮层环明显，可见多数维管束小点。气芳香，味苦、微辛。

| 功能主治 |　**石菖蒲：** 辛、苦，微温。归心、肝、脾经。豁痰开窍，化湿和胃，宁心益志。用于热病神昏，痰厥，健忘，失眠，耳鸣，耳聋，噤口痢，风湿痹痛。

　　　　　　　石菖蒲花： 调经行血。

| 用法用量 |　**石菖蒲：** 内服煎汤，3 ~ 6 g，鲜品加倍；或入丸、散剂。外用适量，煎汤洗；或研末调敷。

　　　　　　　石菖蒲花： 内服煎汤，1.5 ~ 3 g。

| 附　　注 |　（1）宋代《本草图经》载有"衡州菖蒲"。湖南为石菖蒲的传统道地产区，有 11 个地方志的"药之属"记载该药。湖南澧县是石菖蒲的道地产区之一，2022 年，"澧县石菖蒲"入选《湖南省道地药材目录（第一批）》。

　　　　　　　（2）2017 年 7 月—2021 年 6 月，石菖蒲的价格为 41 ~ 50 元 /kg，2021 年 7 月价格开始上涨，2023 年最高价格为 86 元 /kg，最低价格为 65 元 /kg。

　　　　　　　（3）临床上，单味石菖蒲挥发油制成的注射液（0.5% 总挥发油溶液）可治疗肺性脑病昏迷。石菖蒲复方制剂应用广泛，多用于治疗神经系统和心血管系统疾病，如石菖蒲的复方煎剂鼻饲结合西药可治疗流行性乙型脑炎；石菖蒲等多味药制成的脑醒冲剂可治疗缺血性脑卒中；四七汤（制半夏、朱茯苓、石菖蒲、枳实、郁金）加味可治疗阿尔茨海默病；定志丸（人参、远志、茯苓、石菖蒲）可防治记忆障碍；菖蒲郁金温胆汤以疏肝解郁开窍为基础，可治疗阿尔茨海默病；补肾健脑汤（淫羊藿、石菖蒲等）可治疗中风痴呆；石菖蒲配伍活血化瘀药（当归、川芎等）可治疗脑外伤后综合征；醒脑汤（黄花、石菖蒲等）可治疗脑震荡后遗症。

天南星科 Araceae 半夏属 Pinellia

半夏 *Pinellia ternata* (Thunb.) Breit.

物种别名

三叶半夏、三片叶、小天南星。

药 材 名

半夏（药用部位：块茎。别名：水玉、守田、地珠半夏）。

形态特征

块茎圆球形，直径 1 ~ 2 cm，具须根。叶 2 ~ 5，有时 1；叶柄长 15 ~ 20 cm，基部具鞘，鞘内、鞘部以上或叶片基部（叶柄顶头）有直径 3 ~ 5 mm 的珠芽，珠芽在母株上萌发或落地后萌发；幼苗叶片卵状心形至戟形，为全缘单叶，长 2 ~ 3 cm，宽 2 ~ 2.5 cm；老株叶片 3 全裂，裂片绿色，背面色淡，长圆状椭圆形或披针形，两头锐尖，中裂片长 3 ~ 10 cm，宽 1 ~ 3 cm，侧裂片稍短；全缘或具不明显的浅波状圆齿，侧脉 8 ~ 10 对，细弱，细脉网状，密集，集合脉 2 圈。花序梗长 25 ~ 30（~ 35）cm，长于叶柄；佛焰苞绿色或绿白色，管部狭圆柱形，长 1.5 ~ 2 cm，檐部长圆形，绿色，有时边缘青紫色，长 4 ~ 5 cm，宽 1.5 cm，钝或锐尖；肉穗花序雌花序长 2 cm，雄花序长 5 ~ 7 mm，其中间隔 3 mm，附属器绿

色变青紫色，长 6 ~ 10 cm，直立，有时呈 "S" 形弯曲。浆果卵圆形，黄绿色，先端渐狭为明显的花柱。花期 5 ~ 7 月，果实 8 月成熟。

| **野生资源** | （1）生境分布。生于草坡、荒地、玉米地、田边或疏林下。湖南各地均有分布。
（2）蕴藏量。野生资源丰富。

| **栽培资源** | （1）栽培条件。喜温暖、潮湿，耐阴，宜选择土层深厚、疏松肥沃、排水良好、pH 6 ~ 7 的砂壤土栽培。
（2）栽培区域。常德及溆浦、麻阳、安化等有栽培。
（3）栽培要点。繁殖方法以块茎繁殖为主。选择无机械损伤、无病斑的块茎作种，播前用多菌灵消毒。播种时间为 12 月下旬至翌年 2 月中旬，撒播，覆土 4 ~ 5 cm，稍镇压。每亩用种量为 150 ~ 200 kg。出苗后，及时除草，适当追肥，

花期及时剪掉花序，注意半夏根际培土。

（4）栽培面积与产量。湖南半夏栽培面积约 2 000 亩，年产量 600 t。

| **采收加工** | 夏、秋季采挖，洗净，除去外皮和须根，晒干。

| **药材性状** | 本品呈类球形，有的稍偏斜，直径 0.7 ~ 1.6 cm。表面白色或浅黄色，先端有凹陷的茎痕，周围密布麻点状根痕；下面钝圆，较光滑。质坚实，断面洁白，富粉性。气微，味辛、辣、麻舌而刺喉。

1 cm

| **功能主治** | 辛，温；有毒。归脾、胃、肺经。燥湿化痰，降逆止呕，消痞散结。用于湿痰寒痰，咳喘痰多，痰饮眩悸，风痰眩晕，痰厥头痛，呕吐反胃，胸脘痞闷，梅核气；外用于痈肿痰核。

| **用法用量** | 内服炮制后煎汤，3 ~ 9 g。外用适量，磨汁涂；或研末酒调敷。

| **附　　注** | （1）光绪《石门县志》等 22 个湖南地方志的"药之属"均记载了半夏。《药物出产辨》载："产湖北荆州为最，其次湖南常德。"2022 年，"湘半夏"入选《湖南省道地药材目录（第一批）》。

（2）半夏商品等级划分见表 2-1-12。2018—2019 年，半夏的价格为 95 ~

115 元 /kg，2020—2021 年为 68 ～ 100 元 /kg，2022 年上半年呈下降趋势，为
68 ～ 78 元 /kg，2023 年为 78 ～ 100 元 /kg。

表 2-1-12　半夏商品等级划分

等级		性状描述	
		共同点	区别点
选货	一等	干货。呈圆球形、半圆球形或偏斜不等，去净外皮。表面白色或浅黄白色，上端圆平，中心凹陷（茎痕），周围有棕色点状根痕，下面钝圆，较平滑。质坚实，断面洁白或白色，粉质细腻。气微，味辛、麻舌而刺喉。无包壳、杂质、虫蛀、霉变	直径＞ 13.5 mm，每粒重≥ 1 g。每千克块茎≤ 1 000 粒
	二等		直径 12 ～ 13.5 mm，每粒重 0.6 ～ 1 g。每千克块茎 1 000 ～ 2 400 粒
统货		干货。呈圆球形、半圆形或偏斜不等，去净外皮。表面类白色、浅黄白色或深黄色，上端圆平，中心凹陷（茎痕），周围有棕色点状根痕，下面钝圆，较平滑。直径 10 ～ 15 mm。质坚实，断面洁白或白色，粉质细腻。气微，味辛、麻舌而刺喉。无包壳、杂质、虫蛀、霉变。每千克块茎＞ 2 400 粒	

（3）半夏有止呕、抗恶性肿瘤的功效，能抑制中枢神经系统，对脑梗死、年龄
相关性脑功能障碍等都有一定疗效，还能降低红细胞内超氧化物歧化酶的活性
及血清和肝组织中一氧化氮合酶的活性，通过降低组织中脂质过氧化程度等多
种途径起到抗抑郁的作用。用清开灵治疗中风痴呆时配合半夏茶（半夏、白芷根、
白术、太子参）可起到抗炎、抗病毒作用，半夏的生物碱类成分是抗炎作用的
主要成分之一。半夏总生物碱对二甲苯所致小鼠耳郭肿胀、小鼠腹腔毛细血管
通透性增高等急性炎症有抑制作用，对大鼠棉球肉芽肿亚急性炎症也具有较强
的抑制作用。半夏生物碱可使炎症气囊内前列腺素 E_2（PGE_2）明显降低，这表
明半夏的抗炎作用可能与前列腺素的代谢调节有关。半夏可阻止或延缓食饵性
高脂血症的形成，对高脂血症有一定的治疗作用，临床可用于降血脂。半夏在
防治农业害虫方面也有应用。有研究表明，半夏的石油醚、乙酸乙酯、乙醇等
提取物均对棉蚜有较强的拒食和毒杀作用，对线虫、松材线虫等的毒杀作用也
很强。

兰科 Orchidaceae 天麻属 Gastrodia

天麻 *Gastrodia elata* Bl.

物种别名

赤箭、绿天麻、乌天麻。

药材名

天麻（药用部位：块茎）、还筒子（药用部位：果实）。

形态特征

多年生草本，高 30 ～ 100 cm，有时可达 2 m。根茎肥厚，块茎状，椭圆形至近哑铃形，肉质，长 8 ～ 12 cm，直径 3 ～ 5（～ 7）cm，有时更大，具较密的节，节上被多数三角状宽卵形鞘。茎直立，橙黄色、黄色、灰棕色，无绿叶，下部被数枚膜质鞘。总状花序长 5 ～ 30（～ 50）cm，通常具 30 ～ 50 花；苞片长圆状披针形，长 1 ～ 1.5 cm，膜质；花梗和子房长 7 ～ 12 mm，略短于苞片；花扭转，橙黄色、淡黄色、蓝绿色或黄白色，近直立；萼片和花瓣合生成长约 1 cm 的花被筒，花被筒直径 5 ～ 7 mm，近斜卵状圆筒形，先端具 5 裂片，2 侧萼片合生处裂口深达 5 mm，花被筒基部向前凸出；外轮裂片（萼片离生部分）卵状三角形，先端钝，内轮裂片（花瓣离生部分）近长圆形，较小；唇瓣长圆状卵圆形，长 6 ～ 7 mm，宽

3 ～ 4 mm，3 裂，基部贴生于蕊柱足末端与花被筒内壁上，并具 1 对肉质胼胝体，上部离生，上面具乳突，边缘具不规则短流苏；蕊柱长 5 ～ 7 mm，蕊柱足短。蒴果倒卵状椭圆形。花果期 5 ～ 7 月。

| **野生资源** | （1）生境分布。生于海拔 400 ～ 1 800 m 的疏林下、林中空地、林缘、灌丛边。分布于湖南长沙（浏阳）、怀化（洪江）等。

（2）蕴藏量。野生资源稀少。

| **栽培资源** | （1）栽培条件。喜冷凉、潮湿的气候环境，以海拔 800 ～ 1 400 m 的地区为宜。土壤以富含腐殖质、疏松、排水良好的砂壤土为好。

（2）栽培区域。以绥宁、洪江为核心，还包括新化、安化、溆浦、靖州、桂东、炎陵等。

（3）栽培要点。备好菌棒，选好坑窖，将米麻（长 2 ～ 7 cm，重量＜ 2.5 g）或白麻（长 2 ～ 7 cm，直径 1.5 ～ 2 cm，重量 2.5 ～ 30 g）顺着菌棒压过的凹槽留放，在菌棒间填放处理过的枝条，填砂土，压实。栽种后及时除去地沟和窖面的杂草。注意防旱、防涝、防冻、防高温、防虫害。

（4）栽培面积与产量。绥宁、洪江天麻栽培面积共 2 000 余亩，年产鲜天麻
75 t。

| 采收加工 |　天麻：冬栽者于翌年冬季或第 3 年春季采挖，春栽者于当年冬季或翌年春季采
挖，除去泥沙，水煮至透心，用硫黄熏 20 ~ 30 分钟，文火烘烤至 七八成干，
取出，压扁，待其全干。

还筒子：夏季果实成熟时采收，晒干。

| 药材性状 |　天麻：本品为长椭圆形块茎，扁缩而稍弯曲，长 8 ~ 12 cm，先端具红棕色芽孢、
残留茎基或茎痕，底部具圆脐形疤痕。表面黄白色或淡黄色，微透明，具纵皱
及沟纹，并具由点状斑痕组成的环纹。质坚硬，不易折断，断面平坦，角质样，
米白色或淡棕色，有光泽，内心有裂隙。气特异，味甘、微辛。

还筒子：本品倒卵形，表面淡褐色，具短梗，内含多数细小种子，粉尘状。气微，
味淡。

| 功能主治 |　天麻：甘、辛，平。息风止痉，平肝潜阳，祛风通络。用于急慢惊风，抽搐拘挛，
破伤风，眩晕，头痛，半身不遂，肢体麻木，风湿痹痛。

还筒子：甘，寒。补虚定风。用于眩晕，黑矇，头风，少气失精，须发早白。

| 用法用量 |　天麻：内服煎汤，3 ~ 10 g；或入丸、散剂；或研末吞服，1 ~ 1.5 g。

还筒子：内服煎汤，3 ~ 9 g；或入丸、散剂。

| 附　　注 |　（1）宋代《本草图经》所载"邵州天麻"主要指雪峰山区分布的野生天麻，湖南

4 个地方志的"药之属"均记载了天麻。怀化的黔阳天麻为农产品地理标志产品，怀化是湖南天麻道地产区。2022 年，"雪峰天麻"入选《湖南省道地药材目录（第一批）》。

（2）天麻的常见伪品有紫茉莉 *Mirabilis jalapa* L. 和大丽花 *Dahlia pinnata* Cav. 的干燥根。紫茉莉为紫茉莉科植物，茎直立，叶片卵形或卵状三角形，花被紫红色、黄色、白色；大丽菊为菊科植物，叶 1 ~ 3 回羽状全裂，上部叶有时不分裂，裂片卵形或长圆状卵形，管状花黄色。两个伪品的原植物与天麻原植物有较明显的区别。

（3）市场上，天麻主要有乌天麻和红天麻 2 个规格，商品规格等级划分见表 2-1-13。2017—2021 年，天麻的价格较为平稳，为 115 ~ 120 元 /kg，2022 年最低为 85 元 /kg，2023 年回涨至 120 元 /kg。

表 2-1-13　天麻商品规格等级划分

规格		等级	性状描述	
			共同点	不同点
乌天麻	冬麻	选货 一等	椭圆形、卵形或宽卵形，略扁且短、粗，肩宽、肥厚，俗称"酱瓜"形；长 5 ~ 12 cm，宽 2.5 ~ 6 cm，厚 0.8 ~ 4 cm。表面灰黄色或黄白色，纵皱纹细小。"芝麻点"多且大；环节纹深且粗，且环节较密，一般为 9 ~ 13 节。"鹦哥嘴"呈红棕色或深棕色，较小。"肚脐眼"小巧，下凹明显。体重，质坚实，难折断，断面平坦，黄白色，无白心、空心、角质样。气微，味回甜，久嚼有黏性	每千克 16 支以内，无空心、枯炕
		二等		每千克 25 支以内，无空心、枯炕
		三等		每千克 50 支以内，大小均匀，无枯炕
		四等		每千克 50 支以外，以及凡不符合一、二、三等的碎块、空心、破损天麻均属此等
	春麻	统货	宽卵形、卵形，扁且短，肩宽；长 5 ~ 12 cm，宽 2.5 ~ 6 cm，厚 0.8 ~ 4 cm。多留有花茎残基，表皮纵皱纹粗大，外皮多未去净，灰褐色。体轻，质松泡，易折断，断面常中空	
红天麻	冬麻	选货 一等	长圆柱形或长条形，略扁，稍弯曲，肩部窄，不厚实；长 6 ~ 15 cm，宽 1.5 ~ 6 cm，厚 0.5 ~ 2 cm。表面灰黄色或浅棕色，纵皱纹细小。"芝麻点"少且小；环节纹浅且较细，且环节较稀而多，一般为 15 ~ 25 节。"鹦哥嘴"呈红棕色，较肥大。"肚脐眼"较粗大，下凹不明显。质坚硬，不易折断，断面较平坦，黄白色至淡棕色，角质样，一般无空心。味微苦，略甜	每千克 16 支以内，无空心、枯炕
		二等		每千克 25 支以内，无空心、枯炕
		三等		每千克 50 支以内，大小均匀，无枯炕
		四等		每千克 50 支以外，以及凡不符合一、二、三等的碎块、空心、破损天麻均属此等

续表

规格	等级	性状描述	
		共同点	不同点
春麻	统货	长圆柱形或长条形，扁，弯曲皱缩，肩部窄，不厚实；长 6 ～ 15 cm，宽 1.5 ～ 6 cm，厚 0.5 ～ 2 cm。多留有花茎残基，表皮纵皱纹粗大，外皮多未去净，黄褐色或灰褐色。体轻，质松泡，易折断，断面常中空	

（4）天麻为传统名贵中药材，具有抗惊厥、抗癫痫、抗抑郁、镇静催眠等功效，其成方制剂有小儿奇应丸、珠珀保婴散、养阴降压胶囊、天麻钩藤颗粒、天麻醒脑胶囊、心脾补益颗粒等。天麻在我国民间广泛食用，与不同食材进行配伍有不同功效，如天麻蒸煮鸡蛋，有助于治疗子宫脱垂、头痛、目眩等；天麻、枸杞煮猪脑，可辅助治疗脑震荡后遗症等；天麻蒸羊脑、鲜天麻蒸猪肉，可治疗肝虚型高血压、动脉硬化、神经衰弱等。此外，天麻还可用于制作化妆品，如以天麻多糖为主要原料，辅以甘油、羊毛脂、白凡士林、液体石蜡等制成天麻多糖润肤霜。此润肤霜在促进皮肤角质层降解和新陈代谢方面具有良好的效果，还具有保湿、抗氧化功效，是一种绿色天然的护肤类化妆品。

瘿绵蚜科 Pemphigidae 倍蚜属 Melaphis

五倍子蚜 *Melaphis chinensis* (Bell) Baker

| 物种别名 | 倍蚜。

| 药 材 名 | 五倍子（药用部位：五倍子蚜寄生于盐肤木而成的虫瘿。别名：木附子、百虫仓、倍子）。

| 形态特征 | 成虫分有翅型和无翅型 2 种。有翅型成虫均为雌虫，全体灰黑色，长约 2 mm，头部触角 5 节，第 3 节最长，感觉芽分界明显，缺缘毛；翅 2 对，透明，前翅长约 3 mm，痣纹长镰状；足 3 对；腹部略呈圆锥形。无翅型成虫，雄者绿色，雌者褐色，口器退化。

| 野生资源 | （1）生境分布。寄生于盐肤木上。湖南各地均有分布。
（2）蕴藏量。湘西野生资源丰富。

| 采收加工 | 5~6月采摘肚倍，9~10月采摘角倍，采后用沸水煮3~5分钟，杀死内部蚜虫，晒干或阴干。

| 药材性状 | 本品肚倍呈长圆形或纺锤形囊状，长 2.5~9 cm，直径 1.5~4 cm；表面灰褐色或灰棕色，微有柔毛；质硬而脆，易破碎，断面角质样，有光泽，壁厚0.2~0.3 cm，内壁平滑，有黑褐色死蚜虫及灰色粉状排泄物。气特异，味涩。角倍呈菱形，具不规则的钝角状分枝，柔毛较明显，壁较薄。

1 cm

| **功能主治** | 酸、涩，寒。归肺、大肠、肾经。敛肺降火，涩肠止泻，敛汗，止血，收湿敛疮。用于肺虚久咳，肺热痰嗽，久泻久痢，自汗盗汗，消渴，便血痔血，外伤出血，痈肿疮毒，皮肤湿烂。

| **用法用量** | 内服煎汤，3～10 g；或研末，1.5～6 g；或入丸、散剂。外用适量，煎汤熏洗；或研末撒；或研末调敷。

| **附　注** | （1）乾隆《辰州府志》等 12 个湖南地方志的 "药之属" 均记载了五倍子。湘西、湘南等主产区五倍子的野生资源量大，药材主要依靠野生资源，人工培育处于起步阶段。2022 年，"五倍子" 入选《湖南省道地药材目录（第一批）》。

（2）近年来，五倍子药材价格整体呈上升趋势，2018 年为 20～25 元/kg，2019 年为 24 元/kg，2020 年为 20～28 元/kg，2021 年为 28～40 元/kg，2022 年为 28～29 元/kg，2023 年为 30～36 元/kg。

■蜈蚣科■ Scolopendridae ■蜈蚣属■ *Scolopendra*

少棘巨蜈蚣 *Scolopendra subspinipes mutilans* L. Koch

| **物种别名** | 吴公、天龙、百足虫。

| **药材名** | 蜈蚣（药用部位：全体。别名：天龙、吴公、百脚）。

| **形态特征** | 体长 110 ~ 160 mm。头板和第 1 有足体节的背板呈金黄色，与墨绿色或黑褐色的其他背板显然不同。步足多为黄色，最末步足多为赤褐色，也有步足均为赤褐色的个体。头板无纵沟线。触角分为 17 节，基部的 6 节无细密的绒毛。颚齿为 5+5（即左右齿板上各有 5 小齿），每侧小齿常被一间隙分作 2+3 二组。背板纵沟线从第 4 ~ 9 背板至第 20 背板，最末背板无纵沟线。胸板纵沟线从第 2 胸板至第 19 胸板。体部背板两侧的棱缘从第 5 ~ 9 背板至最末背板。第 20 步足和前面步足一样都有 1 跗棘，基侧板突起末端常有 2 小棘，少有 1 或 3 小棘。

1 cm

最末步足（即第 21 步足）无跗棘；前股节背面内侧有 1 棘；腹面外侧有 2 棘，而内侧有 1 棘。雄性生殖区前生殖节胸板两侧有 1 对生殖肢。

| **野生资源** | （1）生境分布。栖息于丘陵地带和多石少土的低山、杂草丛中、乱石堆下、路旁和田坎等处的缝隙中。湖南各地均有分布。

（2）蕴藏量。湘北丘岗野生资源丰富。

| **养殖资源** | （1）养殖条件。蜈蚣为夜行性动物，白天潜居于杂草丛中或乱石堆下，夜晚活动觅食；亦为典型的肉食性动物，食性广泛，尤喜小昆虫类，也食蛙、鼠、蜥蜴及蛇类等。喜独居，有冬眠习性。每年秋、冬季气温低于 15 ℃时即蛰伏在石下 10 ~ 15 cm 深的向阳、避风处。

（2）养殖区域。以澧县为核心，还包括石门、临澧等。

（3）养殖技术。常采用箱养、缸养、池养等养殖方法。夏季采用灯光诱虫饲喂，春、秋季饲养地鳖虫、蚯蚓饲喂蜈蚣。产卵繁殖期是饲养的关键时期，产卵前应加强营养，孵化结束后应及时将幼体与母体分离。冬季要做好保暖保湿工作，温度不能低于 0 ℃。

（4）养殖规模与产量。湖南蜈蚣养殖规模较小，尚处于起步阶段。

| **采收加工** | 4 ~ 6 月捕捉，捕捉后用两头削尖的长竹片，插入头尾两部晒干即得；或先用沸水烫过，晒干或烘干。

| **药材性状** | 本品呈扁平长条形，长 9 ~ 15 cm，宽 0.5 ~ 1 cm。由头部和躯干部组成，全体共 22 环节。头部暗红色或红褐色，略有光泽，有头板覆盖，头板近圆形，前端稍突出，两侧贴有颚肢 1 对，前端两侧有触角 1 对。躯干部第 1 背板与头板同色，其余 20 背板为棕绿色或墨绿色，具光泽，第 4 ~ 20 背板上常有 2 纵沟线；腹部淡黄色或棕黄色，皱缩；自第 2 节起，每节两侧有步足 1 对；步足黄色或红褐色，偶有黄白色，呈弯钩形，最末 1 对步足尾状，故又称尾足，易脱落。质脆，断面有裂隙。气微腥，有特殊刺鼻的臭气，味辛、微咸。

| **功能主治** | 辛，温；有毒。归肝经。息风镇痉，通络止痛，攻毒散结。用于肝风内动，痉挛抽搐，小儿惊风，中风口喎，半身不遂，破伤风，风湿顽痹，偏正头痛，疮疡，瘰疬，蛇虫咬伤。

| **用法用量** | 内服煎汤，2 ~ 5 g；或研末，0.5 ~ 1 g；或入丸、散剂。外用适量，研末撒；或油浸；或研末调敷。

| 附　注 | （1）光绪《石门县志》等 2 个湖南地方志的"药之属"记载了蜈蚣。《药物出产辨》载："产湖北武昌、洪山、宜昌等处。"湖南澧县为相邻产区，环境类似。2022 年，"蜈蚣"入选《湖南省道地药材目录（第一批）》。

（2）2018—2023 年，蜈蚣药材价格较为稳定，在 2.7 ~ 3.8 元 /kg 间小幅波动。

（3）蜈蚣作为一种珍稀的生物资源，具有较好的药理作用和临床治疗前景，但在应用上仍处于初级阶段，深加工不够。临床应用以中医配方为主，以蜈蚣为主药或含蜈蚣药材的相关制剂品种较少，未见以蜈蚣提取物或单体成分为主的相关品种的深入研究和开发，蜈蚣资源存在较大浪费。我国蜈蚣药材主要来源于野生资源，随着蜈蚣药材需求量的日益增加，其野生资源将面临不断减少甚至枯竭的危险。尝试开展蜈蚣的人工养殖，合理应用其他地方习用品种，有利于充分利用蜈蚣属药用资源，对促进蜈蚣资源的可持续性利用具有重要意义。

鳖科 Trionychidae 鳖属 Trionyx

鳖
Trionyx sinensis Wiegmann

| 物种别名 | 中华鳖、甲鱼、水鱼。

| 药 材 名 | 鳖甲（药用部位：背甲。别名：鳖壳、甲鱼壳、鳖盖子）。

| 形态特征 | 体呈椭圆形或近卵圆形，成体全长 30 ~ 40 cm。头尖，吻长，形成
短管状吻突；鼻孔位于吻突前端，上下颌缘覆有角质硬鞘，无齿，
眼小；瞳孔圆形，鼓膜不明显，颈部长可超过 70 mm，颈基部无颗
粒状疣，头、颈可完全缩入甲内。背、腹甲均无角质板而被革质软皮，
边缘具柔软、较厚的结缔组织，俗称"裙边"。背面皮肤有凸起的
小疣，呈纵行棱起，背部中央稍凸起，椎板 8 对，肋板 8 对，无臀板，
边缘无缘板相连。背部骨片没有完全骨质化，肋骨与肋板愈合，其
末端突出于肋板外侧。四肢较扁平，前肢 5 指；内侧 3 指有外露的

爪；外侧 2 指的爪全被皮肤包裹而不外露，后肢趾爪生长情况亦同，指、趾间具发达的蹼。雄性体较扁而尾较长，末端露出裙边；雌性尾粗短，不露出裙边。泄殖孔纵裂。头颈部上面榄绿色，下面黄色，下颌至喉部有黄色斑纹，两眼前后有黑纹，眼后头顶部有 10 余黑点。体背榄绿色或黑棕色，具黑斑，腹部肉黄色，两侧裙边处有绿色大斑纹，近尾部有 2 团豌豆大的绿色斑纹。前肢上面榄绿色，下面淡黄色；后肢上面色较浅。尾部正中为榄绿色，余皆为淡黄色。

| **野生资源** | （1）生境分布。生活于湖泊、河流、池塘及水库等。湖南各地均有分布。
（2）蕴藏量。湖北洞庭湖区野生资源丰富。

| **养殖资源** | （1）养殖条件。选择水源充足、无污染、排灌方便处。池深 1.5 ～ 2 m，土质保水性好，底泥深 20 ～ 35 cm。
（2）养殖区域。以汉寿、沅江为核心，还包括岳阳、益阳及常德的其他地区等。
（3）养殖技术。养殖地宜选择交通方便、地域开阔、阳光充足、相对安静、不受干旱与洪涝影响的池塘。放养时间宜在 4 ～ 5 月，此时水温稳定在 18 ℃以上。时刻观察鳖的摄食和活动情况，及时清除敌害生物。加强雨期的巡查，及时排洪、捞杂。
（4）养殖规模与产量。湖南汉寿被授予"中国龟鳖产业启航地""中国生态甲鱼品质强县"称号，目前，鳖养殖面积 14.5 万亩，繁育养殖户 2 000 多户，从业人员 5 万人以上，年产值近 60 亿元。

| **采收加工** | 全年均可捕捉，以秋、冬季为多。捕捉后杀死，置沸水中烫至背甲上的硬皮可剥落时取出，剥取背甲，除去残肉，晒干。

| **药材性状** | 本品呈椭圆形或卵圆形，背面隆起，长 10 ～ 15 cm，宽 9 ～ 14 cm。外表面黑褐色或墨绿色，略有光泽，具细网状皱纹和灰黄色或灰白色斑点，中间有 1 纵棱，两侧各有 8 左右对称的横凹纹，外皮脱落后，可见锯齿状嵌接缝。内表面类白色，中部有凸起的脊椎骨，颈骨向内卷曲，两侧各有肋骨 8，伸出边缘。质坚硬。气微腥，味淡。

| **功能主治** | 咸，微寒。归肝、肾经。滋阴潜阳，退热除蒸，软坚散结。用于阴虚发热，骨蒸劳热，阴虚阳亢，头晕目眩，虚风内动，手足瘛疭，经闭，癥瘕，久疟疟母。

| **用法用量** | 内服煎汤，10 ～ 30 g，先煎；或熬膏；或入丸、散剂。外用适量，烧存性，研末掺或调敷。

| 附 注 | （1）唐代《食疗本草》"鳖"条即有"其甲：岳州昌江（今平江）者为上"。宋代《本草图经》云："以岳州沅江（今益阳沅江）其甲有九肋者为胜。"此后历代本草皆以岳州九肋者为胜。《新唐书·地理志》载："岳州巴陵郡（今岳阳、益阳北部及常德东部）……土贡……鳖甲。"20世纪80年代以来，汉寿等地发展甲鱼养殖，选用洞庭湖地区的优质甲鱼，传承了道地药材种质资源。目前汉寿等地仍有较大面积的以取甲为目的的甲鱼养殖。2019年，中华中医药学会发布了《道地药材　第146部分：鳖甲》（T/CACM 1020.146—2019）。2022年，"鳖甲"入选《湖南省道地药材目录（第一批）》。

（2）鳖甲价格起伏较小，2018年为130 ~ 140元/kg，2019年为110 ~ 120元/kg，2020年为118 ~ 130元/kg，2021年为120 ~ 130元/kg，2022年基本稳定在120元/kg，2023年为125元/kg。

（3）临床实践证明，鳖甲具有补肝健脾、滋阴壮体的功效，可促进肝脾代谢、改善骨髓造血功能、提高人体免疫力与淋巴细胞转化率，还可预防和抑制肝肠脾胃炎症及免疫力受损导致的恶性肿瘤、血液病等。除背甲外，鳖的其他部分亦有利用价值，在治疗肝硬化、肝脾大及抗衰老方面具有重要作用。此外，鳖还是人们喜欢的滋补品之一。在鳖的活性成分不被破坏的基础上将其开发成味正、疗效独特的保健医疗食品、药品，对提高人们的健康水平和促进鳖的开发利用均具有深远的意义。

蝰科 Viperidae 尖吻蝮属 *Deinagkistrodon*

尖吻蝮 *Deinagkistrodon acutus* (Günther)

| 物种别名 | 五步蛇、白花蛇、百步蛇。

| 药材名 | 蕲蛇（药用部位：除去内脏的全体。别名：白花蛇）。

| 形态特征 | 吻端尖而翘向前上方。头呈三角形，与颈区分明显；头背黑色，头侧自吻棱经眼斜至口角以下为黄白色，头、腹及喉为白色。体粗壮，尾较短，全长可达 2 m，背面深棕色或棕褐色。背脊有（15 ～ 20）+（2 ～ 5）方形大斑，方斑边缘浅褐色，中央色略深，有的方斑不完整；腹面白色，有交错排列的黑褐色斑块，略成 3 纵行，有的若干斑块互相连续而界限不清；尾腹面白色，散以疏密不等的黑褐色点斑。吻鳞甚高，上部窄长；鼻间鳞 1 对。头背具对称而富疣粒的大鳞；有颊窝；眶前鳞 2，眶后鳞 1，有一较大的眶下鳞；上唇鳞 7。背鳞

21（23）—21（23）—17（19）行，除最外侧 1 ～ 3 行外，余均具结节状强棱；腹鳞 157 ～ 170；肛鳞完整；尾下鳞 52 ～ 59，大部分双行，少数为单行，尾后段侧扁，末端 1 鳞片侧扁而尖长。

| 野生资源 |　（1）生境分布。生活于山区或丘陵草木繁盛的阴湿处。湖南各地均有分布。

（2）蕴藏量。野生资源较少。

| 养殖资源 |　（1）养殖条件。蛇场应选择地势高燥、土质较密、开阔向阳、离居民区较远的地方。蛇场的大小可根据养蛇的数量来定。

（2）养殖区域。以永州为核心，还包括涟源、中方、永顺等。

（3）养殖技术。蛇场需筑围墙，墙高 2 ～ 2.5 m，墙基要深，要牢，墙面光滑无缝。蛇场地面要有一定的坡度，以利排水。场内设置蛇窝，窝的高度和宽度一般以 0.5 m 左右为宜，排水口等可以出入蛇场的地方要用金属筛板遮挡，防止蛇逃出或其他动物钻入。

（4）养殖规模与产量。湖南永州是蕲蛇的主产区，有养殖蛇 50 万条，年产量 500 t。

| 采收加工 |　夏、秋季捕捉，以 6 月为多。捕捉时要用带叉的棍棒压住蛇。加工品有蕲蛇鲞与蕲蛇棍 2 种。"鲞"系将蛇剖腹，取出内脏，以头为中心盘成圆形，用竹片撑开以炭火烘干；"棍"系将蛇剖腹，取出内脏，盘成圆形，不用竹片撑开。

| 药材性状 |　本品卷成圆盘状，盘径 17 ～ 34 cm，体长可达 2 m。头在中间稍向上，呈三角形而扁平，吻端向上，习称"翘鼻头"。上颚有管状毒牙，牙中空，尖锐。背部两侧各有 17 ～ 25 黑褐色与浅棕色组成的"V"形斑纹，"V"形斑纹的两上端在背中线上相接，习称"方胜纹"，有的左右不相接，交错排列。腹部撑开或不撑开，灰白色，鳞片较大，有黑色类圆形的斑点，习称"连珠斑"；腹内壁黄白色，脊椎骨的棘突较高，呈刀片状上突，前后椎体下突基本同形，多为弯刀状，向后倾斜，尖端明显超过椎体后隆面。尾部骤细，末端有三角形深灰色的角质鳞片 1。气腥，味微咸。

| 功能主治 | 甘、咸，温；有毒。归肝经。祛风，通络，止痉。用于风湿顽痹，麻木拘挛，中风口眼㖞斜，半身不遂，抽搐痉挛，破伤风，麻风，疥癣。

| 用法用量 | 内服煎汤，3 ～ 9 g；或浸酒；或熬膏；或入丸、散剂；或研末吞服，每次 1 ～ 1.5 g，每日 2 ～ 3 次。

| 附　　注 | （1）蕲蛇药用历史悠久，自唐代以来即为贡品，"永州之野产异蛇，黑质而白章"，此"异蛇"即本种。永州蕲蛇人工养殖技术成熟，产业发展较好。2022 年，"永州蕲蛇"入选《湖南省道地药材目录（第一批）》。

（2）蕲蛇的价格 2018 年为 1 800 ～ 2 000 元 /kg，2019—2020 年为 1 700 ～ 1 800 元 /kg，2021 年为 1 800 元 /kg，2022—2023 年最高为 2 000 元 /kg。

（3）蛇类入药早在 2 000 多年前的《神农本草经》中就有记载，而且蛇全身都有药用价值。蛇肉有活血祛风、除痰祛湿、补中益气的功效，对风湿性关节炎、肢体麻木、气虚血亏、惊风癫痫及皮肤瘙痒等均有较好的疗效；蛇胆、蛇骨、蛇蜕对坐骨神经痛、偏头痛、风湿关节痛、恶性肿瘤晚期、麻风等有较好的疗效。蛇毒是国际市场上十分紧缺的药，价格比黄金还贵，有"天赐良药"之美称。要实现蛇产业的可持续发展，政府需加强对养殖技术的指导，扶持蛇产业发展，制定行业标准，企业也应着力发展蛇业，加强对外宣传，加强科技投入，延长产业链。

辰砂 Cinnabaris

别　　名	丹砂、光明砂。
药 材 名	朱砂（药材来源：硫化物类矿物辰砂族辰砂的矿石。别名：丹砂、光明砂、辰砂）。
形态特征	三方晶系。晶体呈厚板状或为菱面体，在自然界中单体少见，多呈粒状、致密状块体出现，也有呈粉末状被膜者。朱红色至黑红色，有时带铅灰色。条痕为红色。具金刚光泽，半透明。有平行的完全解理。断口呈半贝壳状或参差状。硬度 2 ~ 2.5。比重 8.09 ~ 8.2。性脆。
矿产资源	常呈矿脉，产于石灰岩、板岩、砂岩中。分布于湖南怀化（新晃）、

湘西（凤凰）等地。

| **采收加工** | 劈开辰砂矿石，取出岩石中夹杂的少数朱砂。利用浮选法，将凿碎的矿石放在直径约尺余的淘洗盘内，左右旋转淘洗盘，因比重不同，故朱砂沉于底，杂石浮于上，除去杂石后，再将朱砂劈成片、块，片状者为"镜面砂"，块状者为"豆瓣砂"，碎末者为"朱宝砂"。

| **药材性状** | 本品为粒状或块状集合体，呈颗粒状或块片状，鲜红色或暗红色，条痕红色至褐红色，具光泽。体重，质脆，片状者易破碎，粉末状者有闪烁的光泽。气微，味淡。

250 μm

| **功能主治** | 甘，微寒；有毒。归心经。清心镇惊，安神，明目，解毒。用于心悸易惊，失眠多梦，癫痫发狂，小儿惊风，视物昏花，口疮，喉痹，疮疡肿毒。 |

| **用法用量** | 内服多入丸、散剂，0.1 ～ 0.5 g，不宜入煎剂。外用适量，加水调敷。 |

石膏 Gypsum

别　　名	细石、细理石、软石膏。
药 材 名	石膏（药材来源：硫酸盐类石膏族矿物石膏。别名：细石、细理石、软石膏）。
形态特征	单斜晶系。晶体常呈板状，集合体常呈致密粒状、纤维状或叶片状。通常为白色，结晶体无色透明，当成分不纯时可呈现灰色、肉红色、蜜黄色或黑色等。条痕白色。透明至半透明。解理面具玻璃光泽或珍珠光泽，纤维状者具丝绢光泽。片状解理显著。断口贝壳状至多片状。硬度 1.5 ~ 2。比重 2.3。具柔性和挠性。
矿产资源	常产于海湾盐湖和内陆湖泊形成的沉积岩中。分布于湖南常德（石门）等。

| 采收加工 | 冬季采挖，去净泥土及杂石。 |

| 药材性状 | 本品为纤维状集合体，呈长块状、板块状或不规则块状。白色、灰白色或淡黄色，有的半透明。体重，质软，纵断面具丝绢光泽。气微，味淡。 |

| 功能主治 | 甘、辛，大寒。归肺、胃经。清热泻火，除烦止渴。用于外感热病，高热烦渴，肺热喘咳，胃火亢盛，头痛，牙痛。 |

| 用法用量 | 内服煎汤，15 ～ 60 g；或入丸、散剂。外用适量，煅研撒或调敷。 |

| 附　　注 | 湖南石门为石膏药材的主产区。2022 年，"石门石膏"入选《湖南省道地药材目录（第一批）》。 |

雄黄 Realgar

| 别　　名 | 黄食石、熏黄、黄石。

| 药 材 名 | 雄黄（药材来源：硫化物类矿物雄黄的矿石。别名：黄食石、熏黄、黄石）。

| 形态特征 | 单斜晶系。晶体细小，呈柱状、短柱状或针状，但较少见。通常多呈粒状、致密块状，有时为土状、粉末状、皮壳状集合体。橘红色，表面或有暗黑色及灰色的锖色。条痕浅橘红色。晶体具金刚光泽，断口具树脂光泽。硬度 1.5 ~ 2，相对密度 3.56，阳光久照后会变为淡橘红色粉末。锤之有刺鼻蒜臭。

| 矿产资源 | 存在于低温热液、火山热液矿床中，与雌黄紧密共生，还可见于温

泉和硫质喷气孔的沉积物里，偶见于煤层和褐铁矿层中。分布于湖南常德（石门）等。

| **采收加工** | 一般用竹刀剔取熟透部分，除去杂质。

| **药材性状** | 本品为块状或粒状集合体，形状不规则。深红色或橙红色，条痕淡橘红色，晶面有金刚光泽。质脆，易碎，断面具树脂光泽。微有特异的臭气，味淡。

| **功能主治** | 辛，温；有毒。归肝、大肠经。解毒杀虫，燥湿祛痰，截疟。用于痈肿疔疮，蛇虫咬伤，虫积腹痛，惊痫，疟疾。

| **用法用量** | 内服入丸、散剂，0.05 ~ 0.1 g。外用适量，研末撒、调敷或烧烟熏。

| **附　　注** | 湖南石门为雄黄药材的主产区，雄黄矿储量 48.77 万 t，正品含二硫化二砷 98%。2022 年，"石门雄黄"入选《湖南省道地药材目录（第一批）》。

下 篇

湖南省中药资源各论

菌物

虫草科 Cordycipitaceae 虫草属 Cordyceps

蝉花虫草
Cordyceps sobolifera (Hill ex Watson) Berk. et Broome

| 药 材 名 | 蝉花（药用部位：子座及寄生虫体的干燥复合体。别名：金蝉花、冠蝉、虫花）。

| 形态特征 | 虫体长椭圆形，微弯曲，长约 3 cm，直径 1 ~ 1.4 cm，形似蝉蜕。虫体头部具 1 ~ 2 棒状子座，子座长条形或卷曲，分枝或不分枝，长 3 ~ 7 cm，直径 3 ~ 4 mm，黑褐色，先端稍膨大，表面有多数细小的点状突起。

| 生境分布 | 生于蝉的幼虫上。分布于湖南娄底（冷水江）等。

| 资源情况 | 野生资源一般。药材来源于野生。

| 采收加工 | 6 ~ 8 月自土中挖出，除去泥土，晒干。

| 药材性状 | 本品子座 1 ~ 2，分枝或不分枝，长 3 ~ 7 cm，褐色；头部膨大，先端渐细，长 4 ~ 6 mm，直径 3 ~ 4 mm，表面可见小点（子囊壳向外凸出的孔口），柄部直径 4 ~ 5 mm。虫体白色，体内布满白色菌丝。质脆，易折断。气微，味淡。

| 功能主治 | 甘，寒。归肺、肝经。明目退翳，定惊镇痉，疏风透疹。用于小儿惊痫，夜啼，心悸，久翳不退，痘疹不透，外感风热，咽痛。

| 用法用量 | 内服煎汤，3 ~ 10 g。

肉座菌科 Hypocreaceae 竹黄属 Shiraia

竹黄

Shiraia bambusicola P. Henn.

| 药 材 名 | 竹黄（药用部位：子座及孢子。别名：竹花、天竹花、竹赤团子）。

| 形态特征 | 子座呈不规则瘤状，早期白色，后变成粉红色，表面平滑，后期龟裂，肉质，渐变为木栓质，长 1.5 ~ 4 cm，宽 1 ~ 2.5 cm。子囊壳近球形，埋生于子座内，直径 480 ~ 580 μm；子囊呈长圆柱状，长 280 ~ 340 μm，宽 22 ~ 35 μm；子囊孢子单行排列，长方形至梭形，两端大多尖锐，有纵横隔膜，长 42 ~ 92 μm，宽 13 ~ 35 μm，无色或近无色，成堆时柿黄色。

| 生境分布 | 生于将衰败或已衰败竹林中箬竹属、刚竹属的竹竿上。分布于湖南怀化（通道）等。

| **资源情况** | 野生资源较少。药材来源于野生。 |

| **采收加工** | 清明前后采下，晒干。 |

| **药材性状** | 本品子座呈瘤状，略呈椭圆形或纺锤形，长 1 ~ 4 cm，直径 1 ~ 2 cm。背部隆起，有不规则的横沟，基部凹陷，常有竹的残留枝竿。表面粉红色，有细密纹理及针尖大小的灰色斑点。质疏松，易折断；横断面略呈扇形，外层粉红色，内层及基部色浅，可见竹的枝竿断面。气特异，味淡。 |

| **功能主治** | 淡，平。归肺、胃、心、肝经。化痰止咳，活血通络，祛风利湿。用于咳嗽痰多，百日咳，带下，胃痛，风湿痹痛，小儿惊风，跌打损伤。 |

| **用法用量** | 内服煎汤，6 ~ 15 g；或浸酒。外用适量，浸酒敷。孕妇及高血压病人禁服，服药期间忌食萝卜、酸辣食品。 |

| **附　　注** | 古代本草中将"天竺黄"称作"竹黄"，造成了"天竺黄"与"竹黄"混淆使用的情况，但两者功效截然不同，在书写处方、调配饮片时需要注意。 |

线虫草科 Ophiocordycipitaceae 线虫草属 Ophiocordyceps

雪峰线虫草 *Ophiocordyceps xuefengensis* T. C. Wen, R. C. Zhu, J. C. Kang et K. D. Hyde

| 药 材 名 | 雪峰虫草（药用部位：菌核及子座。别名：仙草）。

| 形态特征 | 子座圆柱形，黄棕色，长 3 ～ 46 cm，宽 0.2 ～ 0.7 cm，1 ～ 4 子座从寄主头部、尾部或其他部位（主要是头部）伸出，多为单生，少丛生或散生，有的呈分枝状，通常 2 ～ 6 分枝或多分枝；可孕部少见，呈圆柱形，有的呈分枝状，黄棕色至深棕色，无不孕先端，长 2 ～ 20 cm，宽 0.2 ～ 0.4 cm，子囊壳表生，长卵圆形。虫体似蚕，略弯曲，长 3 ～ 15 cm，宽 0.3 ～ 1.2 cm，表面黄棕色至深棕色，分为头部、胸节和腹节 3 部分，有的被棕黄色绒毛，体表有众多黄棕色至深棕色的瘤状突起；头部棕黑色，具光泽；胸足 3 对，呈圆锥状弯曲；腹足 8 对，其中第 3 至第 6 对呈乳头状隆起；臀足 1 对，略呈钩状回弯，形态与腹足相似；虫体两侧下缘各具 9 棕褐色、椭

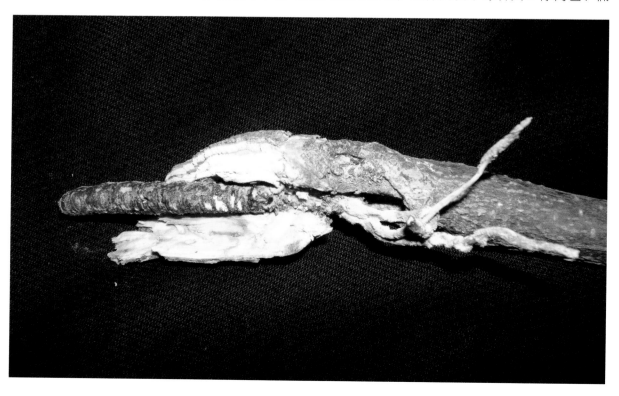

圆形环状气门，气门内部密被棕黄色绒毛。

| **生境分布** | 生于海拔 300 ~ 1 000 m 的阔叶林中马鞭草科植物大青 *Clerodendrum cyrtophyllum* Turcz. 的近地面根或茎中。分布于湖南邵阳（洞口、隆回）等。

| **资源情况** | 野生资源较少。药材来源于野生。

| **采收加工** | 夏、秋季采挖，晒干。

| **药材性状** | 本品子座圆柱形，黄棕色，长 3 ~ 46 cm，1 ~ 4 子座从寄主头部、尾部或其他部位（主要是头部）伸出，多为单生，少丛生或散生，有的呈分枝状。虫体似蚕，略弯曲，表面黄棕色至深棕色，有的被棕黄色绒毛，体表有众多黄棕色至深棕色的瘤状突起；头部棕黑色，具光泽；胸足 3 对，腹足 8 对，臀足 1 对；虫体两侧下缘各具 9 棕褐色、椭圆形环状气门，气门内部密被棕黄色绒毛。质脆，易折断，断面略平坦，淡黄白色，可见残留的内脏痕迹。具蘑菇样气味，味微苦。

| **功能主治** | 补肺益肾，止咳化痰。用于肺炎，哮喘，百日咳，干咳，热咳，高血压，病毒性肝炎，类风湿性关节炎，痛风等。

| **用法用量** | 内服煎汤，6 ~ 15 g；或蒸煮；或炖肉；或浸酒。

炭角菌科 Xylariaceae 炭角菌属 *Xylaria*

黑柄炭角菌 *Xylaria nigripes* (Kl.) Sacc.

| 药 材 名 | 乌灵参（药用部位：菌核。别名：雷震子、地炭棍、鸡茯苓）。

| 形态特征 | 菌丝白色，直径 8 ~ 14 μm，成熟时部分菌丝集结形成菌核。菌核球形、椭圆状球形或卵形，外表褐色或黑色，直径 1.5 ~ 8 cm，上端有柄，柄悬着于白蚁穴上壁，与假根相连。假根圆柱形或扁圆柱形，直径 2 ~ 3 mm，外表黑色，常有分枝，上部与子座柄部相连。子座生于地面，多单枝，偶从柄部分枝，呈圆柱形，连柄长 4 ~ 18 cm，柄长 1 ~ 6 cm，直径 2 ~ 5 mm，外表黑色，内部灰白色，中心黑色。子座棍棒状，中部稍粗，先端圆钝，初生时灰白色，后变为褐色，外表有疣状凸起的子囊盖；子囊壳椭圆形，埋于子座外层，子囊盖外突；疣状孔口黑色。子囊孢子众多，类球形，成熟时黑褐色。侧丝单根或分枝。

| **生境分布** | 生于温暖山坡土层较深处或河堤土坡上土栖白蚁遗弃的菌圃腔内。分布于湖南衡阳（衡阳）、郴州（嘉禾）、长沙等。

| **资源情况** | 野生资源一般。药材来源于野生。

| **采收加工** | 春、夏季采挖，洗去污物和砂粒，风干。

| **药材性状** | 本品球形、椭圆形或卵形，偶呈扁块状，长 4 ~ 10 cm，直径 1 ~ 7 cm，表面黑褐色或黑色，略具光泽，密布不规则细皱纹。一端有圆形凹窝，呈"肚脐"状，另一端有凸起的蒂迹，先端常裂开似鸟嘴状。体较坚实，不易破碎；断面不平坦，白色或黄白色，质细腻，稍软。偶有皮纹粗糙、体轻、质松泡或枯空者。气特异，味甘。以皮纹细、体结实、入水下沉、内部色白者（俗称"细花货"）为佳，皮纹较粗、体较轻、入水半沉者（俗称"二花货"）次之，皮纹粗糙、体轻泡、入水不沉、肉色棕黄者（俗称"大花货"）更次。

| **功能主治** | 甘、淡，平。归心、脾经。安神，益气，补脾。用于心悸，失眠，脾虚少食，产后乏乳。

| **用法用量** | 内服煎汤，30 ~ 60 g。

马勃科 Lycoperddaceae 马勃属 Lycoperdon

网纹马勃
Lycoperdon perlatum Pers.

| 药 材 名 | 网纹灰包（药用部位：子实体）。

| 形态特征 | 担子果近卵形、倒卵形、陀螺形或梨形，直径 2 ~ 4（~ 5）cm，高 2.5 ~ 7 cm，表面初白色，后灰黄色至黄褐色、灰黑褐色，有较发达甚至似柄的不孕基部。外包被多疣，混生易脱落的粗刺，刺脱落后在内包被表面呈现淡色斑点，呈网纹状；内包被浅黄色至灰褐色或榄绿色，光滑，成熟后先端开孔，散发孢子。孢体黄绿色，后变褐色至淡紫色。孢子球形，浅黄色，具散生的微细小疣，直径 3.5 ~ 4.5 μm。孢丝很长，浅黄色至黄褐色，直径 2.7 ~ 5.5 μm，分枝不发达，尖端渐小。

| 生境分布 | 群生于林中的空旷地，有时生于腐木上。分布于湖南株洲（茶陵）、怀化（新晃）等。

| **资源情况** | 野生资源稀少。药材来源于野生。

| **采收加工** | 夏、秋季子实体成熟时采收，除去泥沙，干燥。

| **功能主治** | 辛，平。清肺利咽，解毒止血。用于咽喉肿痛，咳嗽失音，吐血，衄血，诸疮不敛。

| **用法用量** | 内服煎汤，1.5 ~ 6 g，包煎；或入丸、散剂。外用适量，研末撒；或调敷；或作吹药。

泡头菌科 Physalacriaceae 蜜环菌属 Armillaria

蜜环菌 *Armillaria mellea* (Vahl) P. Kumm.

| 药 材 名 |

蜜环菌（药用部位：子实体）。

| 形态特征 |

菌盖肉质，宽 4 ~ 13 cm，扁半球形，后渐平展，中部钝或稍凹下；盖面通常干、湿时黏，浅土黄色、蜜黄色或浅黄褐色，老后棕褐色，中部有平伏或直立的小鳞片，有时光滑；盖缘初时内卷，有条纹。菌褶白色，老后常有暗褐色斑点。菌柄长 5 ~ 14 cm，直径 0.7 ~ 1.9 cm，圆柱形，基部稍膨大，常弯曲，与盖面同色，有纵条纹或毛状小鳞片，纤维质，内部松软，后中空。菌环上位，白色，幼时双层，松软。孢子椭圆形或近卵圆形，无色或稍带黄色，光滑，（7 ~ 11）μm ×（5 ~ 7.5）μm。

| 生境分布 |

丛生或群生于阔叶树及针叶树的根部、树干基部或倒木及林中地上。分布于湖南张家界（武陵源）等。

| 资源情况 |

野生资源稀少。药材来源于野生。

| **采收加工** | 7 ~ 8 月采收，去净泥土，晒干。

| **药材性状** | 本品菌盖肉质，扁半球形或平展，中部稍凹下，直径 5 ~ 10 cm，蜜黄色、浅黄褐色或棕褐色，中央色较暗，有直立或平伏的小鳞片，有时光滑，边缘有条纹。菌肉白色或类白色。菌褶白色、污秽色，或具斑点。菌柄圆柱形，长 5 ~ 13 cm，直径 4 ~ 10 mm，光滑，下部有毛状鳞片，与菌盖同色，内部松软或中空。菌环白色，生于菌柄上部，有的为双环。气微，味淡。

| **功能主治** | 甘，平。息风平肝，祛风通络，强筋壮骨。用于头晕，头痛，失眠，四肢麻木，腰腿疼痛，冠心病，高血压，血管性头痛，眩晕，癫痫。

| **用法用量** | 内服煎汤，30 ~ 60 g；或研末。

裂褶菌科 Schizophyllaceae 裂褶菌属 Schizophyllum

裂褶菌
Schizophyllum commune Fr.

| 药 材 名 | 树花（药用部位：子实体）。

| 形态特征 | 子实体常覆瓦状叠生。菌盖无柄，侧生，或背面有附着点，革质，强韧，干时卷缩，湿润时恢复原状，扇形或肾形，宽 1 ~ 4 cm；盖面白色至灰白色，有绒毛或粗毛，常有环纹；盖缘反卷，有多数裂瓣，呈小云状锯齿形。菌肉薄干，韧，白色带褐色。菌褶幅窄，从基部放射而出，直达盖缘尽头，有长短不同的 3 种褶；沿边缘纵裂反卷，白色、灰褐色至淡肉桂色。孢子印白色，孢子长椭圆形，无色，光滑，（4 ~ 6）μm×（2 ~ 3）μm。

| 生境分布 | 生于阔叶树或针叶树的倒树、枯立木、原木、伐桩及木材上。分布于湖南衡阳（耒阳）、永州（双牌）等。

| **资源情况** | 野生资源稀少。药材来源于野生。

| **采收加工** | 全年均可采收，去除杂质，晒干。

| **药材性状** | 本品菌盖卷缩，湿润后呈扇形或肾形，直径 1 ~ 3 cm，白色、灰白色或淡紫色，表面有绒毛或粗毛，边缘反卷，瓣裂，裂瓣边缘波状；革质。菌肉薄，类白色。菌褶狭窄，从基部辐射而出，白色、灰白色或淡紫色，边缘纵裂而反卷。气微，味淡。

| **功能主治** | 甘，平。归脾经。滋补强身，止带。用于体虚气弱，带下。

| **用法用量** | 内服煎汤，9 ~ 16 g。

类脐菇科 Omphalotaceae 微香菇属 *Lentinula*

香菇

Lentinula edodes (Berk.) Pegler

| 药 材 名 | 香菇（药用部位：子实体）。

| 形态特征 | 菌盖半肉质，宽 5 ~ 12 cm，扁半球状，后渐平展，菱色至深肉桂色，上有淡色的鳞片。菌肉厚，白色。菌褶白色，稠密，弯生。菌柄中生至偏生，白色，内实，常弯曲，长 3 ~ 5（ ~ 9）cm，直径 5 ~ 9 mm，菌环以下部分往往覆有鳞片，菌环窄而易消失。孢子无色，光滑，椭圆形，（4.5 ~ 5）μm×（2 ~ 2.5）μm。

| 生境分布 | 生于阔叶林的倒木上。分布于湖南怀化（靖州）、衡阳（衡东）、常德（石门）等。

| 资源情况 | 野生资源较少。药材来源于野生。

| **采收加工** | 子实体长到六七分成熟、边缘仍向内卷曲、菌盖尚未完全展开时采收，鲜用或烤干（火烤、电烤）、晒干。野生者秋、冬、春季采收，晒干。

| **药材性状** | 本品菌盖半肉质，扁半球形或平展，直径 4 ~ 12 cm，表面褐色或紫褐色。菌褶类白色或浅棕色。菌柄中生或偏生，近圆柱形或稍扁，弯生或直生，常有鳞片，上部白色，下部白色至褐色，内实，柄基部膨大。气微香，味淡。

| **功能主治** | 甘，平。扶正补虚，健脾开胃，祛风透疹，化痰理气，解毒，抗肿瘤。用于正气衰弱，神倦乏力，纳呆，消化不良，贫血，佝偻病，高血压，高脂血症，慢性肝炎，盗汗，小便失禁，水肿，麻疹透发不畅，荨麻疹，毒菇中毒，肿瘤。

| **用法用量** | 内服煎汤，6 ~ 9 g，鲜品 15 ~ 30 g。

双囊菌科 Diplocystidiaceae 硬皮地星属 Astraeus

硬皮地星 *Astraeus hygrometricus* (Pers.) Morgan

| 药 材 名 | 尖顶地星（药用部位：子实体）。

| 形态特征 | 包被呈圆球形，顶部具 1 尖喙。包被直径 3 ~ 8 cm；外包被呈芒状开裂，裂为 5 ~ 8 瓣，背面灰色，腹面肉桂色，有龟裂；内包被灰色，薄膜状，直径 1.7 ~ 2.7 cm，成熟时先端开裂。孢体锈褐色，基部有短柄状的轴托。孢子球形，褐色，有疣突，3.5 ~ 5.5 μm。孢丝线状，淡褐色，直径 5 ~ 6 μm。

| 生境分布 | 生于草地或灌丛地、落叶层和腐殖质上。分布于湖南郴州（宜章）、益阳（安化）等。

| 资源情况 | 野生资源稀少。药材来源于野生。

| **采收加工** | 夏、秋季采收，去净杂质，晒干。 |

| **药材性状** | 本品内包被球形，直径 1.7 ～ 2.5 cm，嘴部明显，宽圆锥形，粉灰色至烟灰色，膜质。孢体锈褐色。 |

| **功能主治** | 辛，平。清肺，利咽，消肿，止血。用于咳嗽，咽喉肿痛，痈肿疮毒，冻疮流水，吐血，衄血，外伤出血。 |

| **用法用量** | 内服煎汤，3 ～ 6 g。外用适量，研末敷。 |

硬皮马勃科 Sclerodermataceae 硬皮马勃属 Scleroderma

橙黄硬皮马勃 *Scleroderma citrinum* Pers

| 药 材 名 | 黄硬皮马勃（药用部位：成熟孢子粉）。

| 形态特征 | 子实体中等大小，扁圆球形，直径 4 ~ 10 cm，佛手黄色或杏黄色，后渐变为黄褐色至深青黄灰色，有深色小斑片和紧贴的小鳞片，成熟时呈不规则的裂片状，无柄或基部似柄状，由 1 团黄色的菌丝索固着于地上。孢体灰褐色或带淡紫灰色，后变为深棕灰色。孢子球形，深褐色，多刺；刺长约 1 μm，常相连成网纹，直径 7 ~ 10 μm。

| 生境分布 | 群生或单生于阔叶林的地上。分布于湖南郴州（汝城）等。

| **资源情况** | 野生资源稀少。药材来源于野生。

| **功能主治** | 退热消肿。

鬼笔科 Phallaceae 竹荪属 Dictyophora

长裙竹荪 *Dictyophora indusiata* (Vent.) Desv.

| 药 材 名 |

长裙竹荪（药用部位：子实体）。

| 形态特征 |

菌蕾球形至倒卵形，污白色，具包被，成熟时包被开裂，菌柄伸长外露，包被遗留于菌柄基部形成菌托。成熟的子实体高12 ~ 20 cm。菌托白色，直径3 ~ 5.5 cm。菌柄白色，中空，基部直径2 ~ 3 cm，向上渐细，壁海绵状。菌盖钟形，高、宽各3 ~ 5 cm，有明显的网格，先端平，具穿孔，有暗绿色、微臭的黏性孢体。菌裙白色，从菌盖下垂10 cm以上，具多角形网眼，直径0.5 ~ 1 cm。孢子光滑，椭圆形，（2.8 ~ 3.5）μm×（1.5 ~ 2.3）μm。

| 生境分布 |

生于竹林或阔叶林下的多枯枝落叶、腐殖质的厚土中，也生于腐木之上。分布于湘南。

| 资源情况 |

野生资源较少，栽培资源一般。药材来源于野生和栽培。

| **采收加工** | 当竹荪开伞、菌裙下延伸至菌托、孢子胶质开始自溶（子实体已成熟）时采收，用手指握住菌托，将子实体轻轻扭动拔起，切勿损坏菌裙，除去菌盖和菌托，以免黑褐色的孢子胶汁污染菌柄、菌裙，晒干或烘干。

| **药材性状** | 本品压成海绵状长条形，长 10 ~ 20 cm，表面白色至黄白色。菌盖钟形，长、宽各 3 ~ 5 cm，白色，有明显的多角形网格，先端平，具穿孔。菌裙从菌盖下垂 10 cm 以上，黄白色，具多角形网眼，网眼直径 0.5 ~ 1 cm。菌柄压扁，呈圆柱状，基部直径 2 ~ 3 cm，向上渐细，白色。菌托白色。体轻，质松泡，柔韧不易折断；断面中空，壁海绵状。气香，味淡。

| **功能主治** | 甘、微苦，凉。补气养阴，润肺止咳，清热利湿。用于肺虚热咳，喉炎，痢疾，带下，高血压，高脂血症。

| **用法用量** | 内服煎汤，10 ~ 30 g。

鬼笔科 Phallaceae 鬼笔属 Phallus

红鬼笔

Phallus rubicundus (Bosc.) Fr.

| 药 材 名 |

红鬼笔（药用部位：子实体）。

| 形态特征 |

子实体高 6 ~ 20 cm，幼期包于白色的肉质膜内。菌盖钟形，高 1.5 ~ 3.3 cm，宽 1 ~ 1.5 cm，先端平截，中央有 1 穿孔，外表面具网格和凹巢，表面覆盖着青褐色、黏而有臭气的孢体。菌柄圆柱状，橘红色，向下色渐淡，中空，海绵质。孢子椭圆形，透明，（4 ~ 4.5）μm×2 μm。

| 生境分布 |

生于竹林、混交林、路边或田野中。分布于湖南株洲（攸县）、郴州（嘉禾）、湘西州（凤凰）等。

| 资源情况 |

野生资源稀少。药材来源于野生。

| 采收加工 |

夏、秋季采收，洗净，晒干。

| 功能主治 |

苦，寒；有毒。清热解毒，消肿生肌。用于

恶疮，痈疽，喉痹，刀伤，烫火伤。

| **用法用量** | 外用适量，研末敷；或香油调涂。

木耳科 Auriculariaceae 木耳属 Auricularia

毛木耳 *Auricularia cornea* Ehrenb.

| 药 材 名 | 木耳（药用部位：子实体。别名：木檽、蕈耳、黑木耳）。

| 形态特征 | 子实体初期呈杯状，渐变为耳状至叶状，胶质，韧，干后软骨质，大部分平滑，基部常有折皱，直径 10 ~ 15 cm，干后强烈收缩。不孕面灰褐色至红褐色，有绒毛，绒毛长 500 ~ 600 μm，宽 4.5 ~ 6.5 μm，无色，仅基部带褐色。子实层面紫褐色至近黑色，平滑，稍有皱纹，成熟时上面有孢子。孢子无色，肾形，长 13 ~ 18 μm，宽 5 ~ 6 μm。

| 生境分布 | 生于杨、柳、桑、槐等阔叶树的腐木上。湖南大部分地区均有分布。

| 资源情况 | 野生资源较少，栽培资源一般。药材来源于栽培。

| **采收加工** | 夏、秋季采收，烘干（温度由 35 ℃逐渐升高到 60 ℃）。

| **药材性状** | 本品呈不规则块片状，多皱缩，大小不等，不孕面黑褐色或紫褐色，密生绒毛，子实层面色较淡。水浸泡后膨胀，形似耳状，棕褐色，柔润，微透明，有滑润的黏液。气微香，味淡。

| **功能主治** | 甘，平。归肺、脾、大肠、肝经。补益气血，润肺止咳，止血，降血压，抗肿瘤。用于气虚血亏，肺虚久咳，咳血，衄血，血痢，痔疮出血，崩漏，高血压，眼底出血，子宫颈癌，阴道癌，跌打疼痛。

| **用法用量** | 内服煎汤，15 ~ 50 g；或研末。

木耳

Auricularia auricula (L.) Underw.

| 药 材 名 | 木耳（药用部位：子实体。别名：木檽、蕈耳、黑木耳）。

| 形态特征 | 子实体丛生，常覆瓦状叠生，耳状、叶状或近杯状，边缘波状，薄，宽 2 ~ 6 cm，厚约 2 mm，以侧生的短柄或狭细的基部固着于基质上。初期为柔软的胶质，黏而富弹性，后稍带软骨质，干后强烈收缩，为黑色硬而脆的角质至近革质。背面外面呈弧形，紫褐色至暗青灰色，疏生短绒毛，绒毛基部褐色，向上渐尖，尖端几无色，长 115 ~ 135 μm，宽 5 ~ 6 μm；里面凹入，平滑或稍有脉状皱纹，黑褐色至褐色。菌肉由锁状联合的菌丝组成，直径 2 ~ 3.5 μm。子实层生于里面，由担子、担孢子及侧丝组成；担子长 60 ~ 70 μm，直径约 6 μm，横隔明显；孢子肾形，无色，长 9 ~ 15 μm，宽 4 ~ 7 μm；分生孢子近球形至卵形，长 11 ~ 15 μm，宽 4 ~ 7 μm，无色，常

生于子实层表面。

| **生境分布** | 生于杨、柳、桑、槐等阔叶树的腐木上。湖南各地均有分布。湖南各地均有分布。

| **资源情况** | 野生资源较丰富，栽培资源丰富。药材来源于栽培。

| **采收加工** | 夏、秋季采收，烘干（温度由 35 ℃逐渐升高到 60 ℃）。

| **药材性状** | 本品呈不规则块片状，多皱缩，大小不等，不孕面黑褐色或紫褐色，疏生极短的绒毛，子实层面色较淡。水浸泡后膨胀，形似耳状，厚约 2 mm，棕褐色，柔润，微透明，有滑润的黏液。气微香，味淡。

| **功能主治** | 甘，平。归肺、脾、大肠、肝经。益气强身，活血止血，舒筋活络。用于崩中漏下，产后虚弱，抽筋麻木，腰腿疼痛。

| **用法用量** | 内服煎汤，15 ～ 50 g；或研末。

| **附　　注** | 本种接受名为黑木耳 *Auricularia heimuer* F. Wu et al.。

锈革菌科 Hymenochataceae 桑黄孔菌属 Sanghuangporus

桑黄

Sanghuangporus sanghuang (Sheng H. Wu, T. Hatt. et Y. C. Dai)

| 药 材 名 | 桑黄（药用部位：子实体。别名：桑上寄生、桑臣、桑黄菇）。

| 形态特征 | 菌盖多数叠生，马蹄形或不规则形，长 6 ~ 1.5 cm，宽 10 ~ 20 cm，基部直径 3 ~ 6 cm，表面黄褐色、褐色或灰褐色，老时黑褐色，具同心环带和浅沟纹，粗糙至光滑，老后常具不均匀、放射状的裂纹，开裂或龟裂，初期有细微绒毛，后变粗糙，边缘钝，幼时柠檬黄色至金黄色，老时土黄色或黄棕色。孔口表面呈金黄色或棕黄色，老后黄棕色，管口圆形或角形。菌肉黄色、棕黄色、土黄色至浅黄褐色，厚 0.5 ~ 2 cm。菌管与菌肉同色，多层。孢子宽椭圆形，浅棕黄色，光滑，（4 ~ 4.5）μm ×（3.5 ~ 4）μm。

| 生境分布 | 生于桑、杨、柳等阔叶树的树干上。分布于湖南湘西州（永顺、龙山）

等。湖南偶有分布。

| **资源情况** | 野生资源稀少，栽培资源较少。药材来源于野生或栽培。

| **采收加工** | 全年均可采收，除去杂质，晒干。

| **药材性状** | 本品呈不规则片状，草绿色至墨绿色，大小、厚薄不一，表面可见细丝；质绵软，易碎裂，断裂处呈毛茸状。鲜品聚集成团状，黄绿色，有多数小气泡，藻丝可见，摸之有滑腻感；质柔软，易扯断。气腥，味咸。

| **功能主治** | 甘、辛、苦，寒。归肝、肾经。活血止血，化饮止泻。用于血崩，血淋，脱肛泻血，带下，经闭，癥瘕积聚，癖饮，脾虚泄泻。

| **用法用量** | 内服煎汤，6～15 g。外用适量，研末调敷。

灵芝科 Ganodermataceae 灵芝属 Ganoderma

灵芝

Ganoderma lucidum (Curtis) P. Karst.

| **药 材 名** | 灵芝（药用部位：子实体）。

| **形态特征** | 担子果一年生，有柄，栓质。菌盖褐黄色或红褐色，盖边渐趋淡黄色，有同心环纹，微皱或平滑，有亮漆样光泽，边缘微钝。菌肉乳白色，近管处淡褐色。菌管长达 1 cm，每毫米有 4 ~ 5 管口；管口近圆形，初为白色，后呈淡黄色或黄褐色。菌柄圆柱形，侧生或偏生，偶中生，长 10 ~ 19 cm，直径 1.5 ~ 4 cm，色泽与菌盖相似。皮壳部菌丝呈棒状，先端膨大。菌丝系统三体型；生殖菌丝透明，壁薄；骨架菌丝黄褐色，壁厚，近实心；缠绕菌丝无色，壁厚弯曲，均分枝。孢子卵形，有双层壁，先端平截，外壁透明，内壁淡褐色，有小刺，（9 ~ 11）μm×（6 ~ 7）μm。担子果多在秋季成熟，华南及西南地区可延至冬季。

| **生境分布** | 生于向阳的壳斗科和松科植物等的根际或枯树桩上。湖南各地均有分布。湖南有广泛栽培。 |

| **资源情况** | 野生资源一般，栽培资源一般。药材来源于野生和栽培。 |

| **采收加工** | 菌盖外缘不再生长、菌盖下面的管孔开始向外喷射担孢子时从菌柄下端拧下整个子实体，晾干或低温烘干（温度不超过 55 ℃）。 |

| **药材性状** | 本品伞形，菌盖（菌帽）为坚硬的木栓质，半圆形或肾形，宽 12 ~ 20 cm，厚约 2 cm，皮壳坚硬，初为黄色，渐变为红褐色，有光泽，具环状棱纹及辐射状皱纹，边缘薄而平截，常稍内卷。菌肉近白色至淡褐色；菌盖下表面的菌肉白色至浅棕色，由无数细管状孔洞（菌管）构成；菌管内有担子器及担孢子。菌柄侧生，长达 19 cm，直径约 4 cm，表面红褐色至紫褐色，有漆样光泽。气微，味淡。 |

| **功能主治** | 甘，平。归肺、心、脾经。益气血，安心神，健脾胃。用于虚劳，心悸，失眠，头痛，神疲乏力，久咳气喘，冠心病，硅肺，肿瘤。 |

| **用法用量** | 内服煎汤，10 ~ 15 g；或研末，2 ~ 6 g；或浸酒。 |

灵芝科 Ganodermataceae 灵芝属 Ganoderma

紫芝

Ganoderma sinense J. D. Zhao et al.

| **药 材 名** | 灵芝（药用部位：子实体）。

| **形态特征** | 担子果一年生，有柄，栓质。菌盖呈紫黑色至近褐色，盖边渐趋淡黄色，有同心环纹，微皱或平滑，有亮漆样光泽，边缘微钝。菌肉呈均匀的褐色、深褐色至栗褐色。菌管长达 1 cm，每毫米有 4 ~ 5 管口。管口近圆形，初为白色，后呈淡黄色或黄褐色。菌柄圆柱形，侧生或偏生，偶中生，长 10 ~ 19 cm，直径 1.5 ~ 4 cm，色泽与菌盖相似。皮壳部菌丝呈棒状，先端膨大。菌丝系统三体型；生殖菌丝透明，壁薄；骨架菌丝黄褐色，壁厚，近实心；缠绕菌丝无色，壁厚弯曲，均分枝。孢子先端脐突形，内壁突出的小刺明显，孢子较大，（9.5 ~ 13.8）μm ×（6.9 ~ 8.5）μm。担子果多在秋季成熟，华南及西南地区可延至冬季。

| **生境分布** | 生于阔叶树或松科松属植物的树桩上。湖南各地均有分布。湖南各地均有分布。

| **资源情况** | 野生资源一般，栽培资源丰富。药材来源于野生和栽培。

| **采收加工** | 菌盖外缘不再生长、菌盖下面的管孔开始向外喷射担孢子时从菌柄下端拧下整个子实体，晾干或低温烘干（温度不超过 55 ℃）。

| **药材性状** | 本品与赤芝的药材主要区别在于本品菌盖与菌柄的皮壳呈黑色或褐黑色，菌肉与菌盖下面的菌管均为锈褐色。

| **功能主治** | 甘，平。益气血，安心神，健脾胃。用于虚劳，心悸，失眠，头痛，神疲乏力，久咳气喘，冠心病，硅肺，肿瘤。

| **用法用量** | 内服煎汤，10 ～ 15 g；或研末，2 ～ 6 g；或浸酒。

灵芝科 Ganodermataceae 灵芝属 Ganoderma

树舌

Ganoderma applanatum (Pers. ex Wall.) Pat.

| **药 材 名** | 树舌（药用部位：子实体）。

| **形态特征** | 子实体多年生，侧生，无柄，木质或近木栓质。菌盖扁平，半圆形、扇形、扁山丘形至低马蹄形，（5 ~ 30）cm×（6 ~ 50）cm，厚2 ~ 15 cm；盖面皮壳灰白色至灰褐色，常覆有一层褐色的孢子粉，有明显的同心环棱和环纹，常有大小不一的疣状突起，干后常有不规则的细裂纹；盖缘薄而锐，有时钝，全缘或呈波纹状。管口面初期白色，渐变为黄白色至灰褐色，受伤处立即变为褐色；管口圆形，每毫米有4 ~ 6管口；菌管多层，在各层菌管间夹有一层薄的菌丝层，老的菌管中充塞有白色粉末状菌丝。孢子卵圆形，（6.5 ~ 10）μm×（5 ~ 6.5）μm，一端有双层的截头壁，外壁光滑，无色，内壁有刺状突起，褐色。

| **生境分布** | 生于多种阔叶树的树干上。湖南各地均有分布。

| **资源情况** | 野生资源较丰富。药材来源于野生。

| **采收加工** | 夏、秋季采收，除去杂质，切片，晒干。

| **药材性状** | 本品无柄。菌盖半圆形，剖面扁半球形或扁平，长径 10 ~ 50 cm，短径 5 ~ 25 cm，厚约 15 cm；表面灰色或褐色，有同心性环带及大小不等的瘤状突起，皮壳脆，边缘薄，圆钝。管口面污黄色或暗褐色，管口圆形，每毫米有 4 ~ 6 管口。纵切面可见菌管 1 至多层。木质或木栓质。气微，味淡。

| **功能主治** | 微苦，平。消炎，抗肿瘤。用于咽喉炎，食管癌，鼻咽癌。

| **用法用量** | 内服煎汤，10 ~ 30 g。

多孔菌科 Polyporaceae 褶孔菌属 Lenzites

桦褶孔菌 *Lenzites betulina* (L.) Fr.

| 药 材 名 | 桦褶孔菌（药用部位：子实体。别名：桦革裥菌）。

| 形态特征 | 子实体一年生，小至中等大，无柄，革质或质较硬。菌盖半圆形、近扇形或贝壳状，单生或呈覆瓦状，（0.5 ~ 5）cm×（5 ~ 10）cm，厚达 8 mm，表面污白色或灰白色，干后土黄色、淡褐色或黄褐色，有绒毛或粗硬毛及密的环纹。菌肉白色或近白色，干后浅土黄色至土黄色，厚约 1 mm。菌褶白色，干后土黄色，宽 3 ~ 11 mm，间距 1 ~ 1.5 mm，大多不分叉，有时部分分叉或部分相互交织成孔状，褶缘薄、锐或钝，完整至波浪状，后期稍呈锯齿状。菌丝系统三体型，生殖菌丝具锁状联合。担孢子圆柱形，稍弯曲，透明，壁薄，平滑，（4 ~ 6.5）μm×（2 ~ 3.5）μm。

| 生境分布 | 生于阔叶树的树干上。分布于湖南衡阳（常宁）、常德（石门）等。

| 资源情况 | 野生资源较少。药材来源于野生。

| 采收加工 | 全年均可采收，除去杂质，晒干或烘干。

| 药材性状 | 本品无柄。菌盖扇形、贝壳状或半圆形，直径可达 8 cm，厚 2 ~ 6 mm，表面灰褐色，密被短绒毛，有宽窄不一的环带，边缘薄，波状或浅裂。菌褶土黄色，呈波状弯曲，褶缘波状或近齿状。革质。气微，味淡。

| 功能主治 | 淡，温。祛风散寒，舒筋活络。用于腰腿疼痛，手足麻木，四肢抽搐。

| 用法用量 | 内服煎汤，5 ~ 15 g。

多孔菌科 Polyporaceae 大孔菌属 Favolus

漏斗大孔菌 *Favolus arcularius* (Batsch : Fr.) Ames.

| 药 材 名 | 漏斗大孔菌（药用部位：子实体）。

| 形态特征 | 子实体一般较小。菌盖直径 1.5 ～ 8.5 cm，扁平，中部脐状，后期边缘平展或翘起，似漏斗状，薄，褐色、黄褐色至深褐色，有深色鳞片，无环带，边缘有长毛，新鲜时韧，肉质，柔软；干后变硬，边缘内卷。菌肉薄，厚不及 1 mm，白色或污白色。菌管白色，延生，长 1 ～ 4 mm，干时呈草黄色；管口近长方状圆形，辐射状排列，直径 1 ～ 3 mm。菌柄中生，颜色同菌盖，常有深色鳞片，长 2 ～ 8 cm，直径 1 ～ 5 mm，圆柱形，基部有污白色粗绒毛。

| 生境分布 | 生于多种倒木及枯树上。分布于湖南郴州（宜章）等。

| **资源情况** | 野生资源较少。药材来源于野生。

| **采收加工** | 夏、秋季采收，除去杂质，晒干。

| **功能主治** | 抗肿瘤。

多孔菌科 Polyporaceae 卧孔菌属 *Poria*

茯苓
Poria cocos (Schw.) Wolf

| 药 材 名 | 茯苓（药用部位：菌核）、赤茯苓（药用部位：菌核近外皮部的淡红色部分）、茯苓皮（药用部位：菌核的外皮）、茯神（药用部位：菌核中间含有松根的白色部分）、茯神木（药用部位：菌核中间的松根）。

| 形态特征 | 菌核球形、卵形、椭圆形至不规则形，长 10 ～ 30 cm 或更长，重 500 ～ 5 000 g；外面有厚而多折皱的皮壳，皮壳深褐色，新鲜时软，干后变硬；内部白色或粉红色，粉粒状。子实体生于菌核表面，平伏，厚 3 ～ 8 cm，白色，肉质，老后或干后变为浅褐色。菌管密，长 2 ～ 3 mm，管壁薄。管口圆形、多角形或不规则形，直径 0.5 ～ 1.5 mm，口缘常裂为齿状。孢子长方形至近圆柱形，平滑，（7.5 ～ 9）μm×（3 ～ 3.5）μm，有 1 歪尖。

| **生境分布** | 生于海拔 600 ~ 1 000 m 的山区干燥、向阳山坡上的马尾松、黄山松、赤松、云南松、黑松等树的根际。湖南有广泛分布。湖南有广泛栽培。

| **资源情况** | 野生资源稀少，栽培资源一般。药材来源于栽培。

| **采收加工** | **茯苓**：通常栽后 8 ~ 10 个月苓场再次出现龟裂纹、菌核表皮呈黄褐色且未出现白色裂痕时选晴天挖出，除去泥沙，堆在室内盖稻草发汗，苓皮起皱后削去外皮，干燥。

赤茯苓：采收时间和方法同茯苓，当茯苓削去外皮后，再切成厚薄均匀的片，取其中粉红色者，晒干。

茯苓皮：采收时间和方法同茯苓，将茯苓的黑紫色外皮削下，阴干或晒干。

茯神：采收时间和方法同茯苓，选中间有松根者，除去杂质，晒干。

茯神木：采收时间和方法同茯苓，选择中间有松根者，敲去苓块，拣取细松根。

| **药材性状** | **茯苓**：本品完整者呈类圆形、椭圆形、扁圆形或不规则团块状，大小不一。质坚实；破碎面颗粒状，近边缘淡红色，有细小蜂窝样孔洞，内部白色，少数淡红色。气微，味淡，嚼之黏牙。

赤茯苓：本品为大小不一的方块，长、宽均为 4 ~ 5 cm，厚 0.4 ~ 0.6 cm，间有长、宽均超过 1.5 cm 的碎块，淡红色或淡棕色。质松，略具弹性。气微，味淡。

茯苓皮：本品多呈不规则片状，外表面棕褐色或黑褐色，内表面白色或淡棕色。

质脆，略具弹性。气微，味淡。

茯神：本品多为方形薄片；质坚实，粉质。切断者呈棕黄色，横断面可见年轮状纹理。气微，味淡。

茯神木：本品多弯曲，似朽木状。外部残留有茯神，白色或灰白色，内部呈木质状。质松，体轻。气微，味淡。

| 功能主治 | **茯苓：**甘、淡，平。归心、脾、肺、肾经。利水渗湿，健脾和胃，宁心安神。用于小便不利，水肿胀满，痰饮咳逆、呕吐，脾虚食少、泄泻，心悸不安，失眠健忘，遗精，白浊。

赤茯苓：甘、淡，平。归心、脾、膀胱经。行水，利湿热。用于小便不利，水肿，淋浊，泄泻。

茯苓皮：甘、淡，平。利水消肿。用于水湿肿满，小便不利。

茯神：甘、淡，平。归心、脾经。宁心，安神，利水。用于惊悸，怔忡，健忘失眠，惊痫，小便不利。

茯神木：甘，平。归肝、心经。平肝安神。用于惊悸健忘，中风语蹇，脚气转筋。

| 用法用量 | **茯苓：**内服煎汤，10 ~ 15 g；或入丸、散剂。宁心安神用朱砂拌。

赤茯苓：内服煎汤，6 ~ 12 g；或入丸、散剂。

茯苓皮：内服煎汤，15 ~ 30 g。

茯神：内服煎汤，9 ~ 15 g；或入丸、散剂。

茯神木：内服煎汤，6 ~ 9 g；或入丸、散剂。

多孔菌科 Polyporaceae 密孔菌属 Pycnoporus

朱红密孔菌 *Pycnoporus cinnabarinus* (Jacq.) P. Karst

| 药 材 名 | 朱砂菌（药用部位：子实体）。

| 形态特征 | 子实体侧生，无柄，木栓质，单生至覆瓦状叠生，偶半平伏而反卷。菌盖半圆形至扇形，（4～10）cm×（4～15）cm，厚 0.5～2 cm，干后变硬，盖面朱红色，有细软的短绒毛至无毛，粗糙，无环纹，后期稍平滑，橙红色、污红色渐褪，木栓质，厚 1～1.5 mm。菌管与菌肉同色，菌管长 4～9 mm；管口面朱红色、橙红色或暗红色，后期呈黑色，管口圆形至多角形，每毫米有 2～4 管口。孢子圆筒形，无色至淡黄色，平滑，（5～7）μm×（2～4）μm。

| 生境分布 | 生于多种阔叶树的腐木上，偶生于针叶树上。湖南各地均有分布。

| 资源情况 | 野生资源丰富。药材来源于野生。

| **采收加工** | 夏、秋季采收，除去杂质，烘干。

| **药材性状** | 本品无柄。菌盖扁半圆形或扇形，基部狭小，长径 3 ～ 11 cm，短径 2 ～ 7 cm，厚 5 ～ 20 mm。表面朱红色，有毛或无毛，微有皱纹。管口面橙红色、朱红色或黑色，管口圆形或多角形，每毫米有 2 ～ 4 管口。木栓质。气微，味淡。

| **功能主治** | 微辛、涩，温。解毒除湿，止血。用于痢疾，咽喉肿痛，跌打损伤，痈疽疮疖，痒疹，伤口出血。

| **用法用量** | 内服煎汤，9 ～ 15 g。外用适量，研末敷。

血红密孔菌 *Pycnoporus sanguineus* (Fr.) Bond. et Sing.

| 药 材 名 | 朱砂菌（药用部位：子实体）。

| 形态特征 | 本种与朱红密孔菌的区别在于本种菌盖厚不及 5 mm，盖面血红色，后褪至苍白色，常有浓淡相间的环纹。管口面暗红色，管口小，圆形，每毫米有 6 ~ 8 管口。孢子无色，长椭圆形，稍弯曲，（7 ~ 8）μm×（2.5 ~ 3）μm。

| 生境分布 | 生于阔叶树的腐木上，偶生于针叶树上。分布于湖南衡阳（蒸湘）、益阳（资阳）、永州（双牌、蓝山）、怀化（麻阳）等。

| 资源情况 | 野生资源一般。药材来源于野生。

| 采收加工 | 夏、秋季采收，除去杂质，烘干。

| **药材性状** | 本品无柄。菌盖扁半圆形或扇形，基部狭小，长径 3 ~ 11 cm，短径 2 ~ 7 cm，厚不及 5 mm。表面血红色或苍白色，有毛或无毛，微有皱纹。木栓质。气微，味淡。

| **功能主治** | 微辛、涩，温。解毒除湿，止血。用于痢疾，咽喉肿痛，跌打损伤，痈疽疮疖，痒疹，伤口出血。

| **用法用量** | 内服煎汤，9 ~ 15 g。外用适量，研末敷。

多孔菌科 Polyporaceae 栓孔菌属 Trametes

云芝
Trametes versicolor (L.) Lloyd

| 药 材 名 | 云芝（药用部位：子实体）。

| 形态特征 | 子实体一年生，革质至半纤维质，侧生，无柄，常覆瓦状叠生，左右相连，生于伐桩断面上或倒木上者常围成莲座状。菌盖半圆形至贝壳形，（1 ~ 6）cm×（1 ~ 10）cm，厚 1 ~ 3 mm；盖面幼时白色，后渐变深，有密生的细绒毛，毛长短不等，呈灰色、白色、褐色、蓝色、紫色、黑色等，并构成云纹状的同心环纹；盖缘薄而锐，波状、完整，色淡。管口面初期白色，渐变为黄褐色、赤褐色至淡灰色；管口圆形至多角形，每毫米有 3 ~ 5 管口，后期开裂。菌管单层，白色，长 1 ~ 2 mm。菌肉白色，纤维质，干后纤维质至近革质。孢子圆筒状，稍弯曲，平滑，无色，（1.5 ~ 2）μm×（2 ~ 5）μm。

| **生境分布** | 生于阔叶林的枯立木、倒木、枯枝及衰老的活立木上，偶生于落叶松、黑松等针叶树的腐木上。湖南各地均有分布。湖南永州（蓝山）有分布。

| **资源情况** | 野生资源丰富，栽培资源一般。药材来源于野生和栽培。

| **采收加工** | 全年均可采收，除去杂质，晒干。

| **药材性状** | 本品无柄。菌盖扇形、半圆形或贝壳形，常数个叠生成覆瓦状或莲座状，直径1 ～ 10 cm，厚 1 ～ 2 mm，表面密生灰色、褐色、蓝色、紫色、黑色等颜色的绒毛，并构成多色、狭窄的同心性环带，边缘薄，全缘或波状。管口面灰褐色、黄棕色或浅黄色；管口类圆形或多角形，部分管口齿裂，每毫米有 3 ～ 5 管口。革质，不易折断。气微，味淡。

| **功能主治** | 甘、淡，微寒。入肝、脾、肺经。健脾利湿，止咳平喘，清热解毒，抗肿瘤。用于慢性肝炎，活动性肝炎，肝硬化，慢性支气管炎，小儿痉挛性支气管炎，咽喉肿痛，多种肿瘤，类风湿性关节炎，白血病。

| **用法用量** | 内服煎汤，15 ～ 30 g，宜煮 24 小时以上；或制成片剂、冲剂、注射剂。

花耳科 Dacrymycetaceae 花耳属 Dacrymyces

掌状花耳 *Dacrymyces palmatus* Bres.

| **药 材 名** | 掌状花耳（药用部位：子实体）。

| **形态特征** | 子实体显著，艳橘黄色，干后橘红色或暗橘红色，胶质；初多为泡状突起，或为垫状、脑状、扇状，或为具短柄和匙状、盘状、边缘波状卷叠的菌盖，常群集愈合形成较大型、直立、脑状或花瓣状、无柄或具短柄的群体。子实层周生。菌丝具隔，壁薄，光滑或粗糙，无锁状联合。柄及菌盖基部常具圆柱状至近棒状、具隔、少分枝、壁厚的皮层菌丝。原担子圆柱状至近棒状，基部具隔，成熟时叉状。担孢子弯圆柱状，壁稍厚，具小尖，具 3 ~ 7 隔，多为 7 隔。以近球形的分生孢子和（或）芽管萌发。

| **生境分布** | 生于阔叶树或针叶树的朽木上。分布于湖南郴州（宜章）等。

| **资源情况** | 野生资源较少。药材来源于野生。

| **采收加工** | 夏、秋季采收，洗净，晒干或烘干。

| **功能主治** | 抗肿瘤。

花耳科 Dacrymycetaceae 桂花耳属 Dacryopinax

桂花耳

Dacryopinax spathularia (Schwein.) G. W. Martin

| **药 材 名** | 桂花耳（药用部位：子实体。别名：桂花菌）。

| **形态特征** | 子实体微小，胶质，匙形或鹿角形；上部常不规则裂成叉状，橙黄色，干后橙红色；不孕部分色浅，光滑。子实体高 0.6 ~ 1.5 cm，柄下部直径 0.2 ~ 0.3 cm，有细绒毛，基部栗褐色至黑褐色，延伸入腐木裂缝中。担子 2 分叉，叉状，长 28 ~ 38 μm，宽 2.4 ~ 2.6 μm。孢子 2，椭圆形或近肾形，无色，光滑，长 8.9 ~ 12.8 μm，宽 3 ~ 4 μm，初期无横隔，后期形成 1 ~ 2 横隔，即成为 2 ~ 3 细胞。

| **生境分布** | 春季至晚秋群生或丛生于杉木等针叶树倒伏的腐木或木桩上。湖南各地均有分布。

| **资源情况** | 野生资源较丰富。药材来源于野生。

| **采收加工** | 夏、秋季采收，烘干（温度由 35 ℃逐渐升高到 60 ℃）。

| **功能主治** | 甘，平。归肺、脾、大肠、肝经。补益气血，润肺止咳，止血。用于虚劳，咯血，衄血，血痢，痔疮出血，崩漏，跌打伤痛。

| **用法用量** | 内服煎汤，15 ～ 50 g；或研末。

银耳科 Tremellaceae 银耳属 Tremella

橙黄银耳

Tremella cinnabarina Retz.

| **药 材 名** | 橙耳（药用部位：子实体。别名：黄木耳）。

| **形态特征** | 子实体橙黄色，宽 6 ~ 7 cm，由中空的瓣片组成；子实体层生于子实体表面。担子卵形，浅黄色，（14 ~ 16）μm×（10 ~ 12）μm，生于近子实体层的表面。孢子球形，具小尖，直径 6 ~ 7 μm。

| **生境分布** | 生于阔叶树的倒木上。分布于湖南永州（双牌）等。

| **资源情况** | 野生资源较少。药材来源于野生。

| **采收加工** | 夏、秋季采收，洗净，晒干。

| **药材性状** | 本品由数枚中空的泡状瓣片组成，直径约5 cm，橙黄色。角质。气微，味淡。

| **功能主治** | 甘，平。归脾、胃经。养胃，健脾止泻。用于食欲不振，脾虚久泻。

| **用法用量** | 内服煎汤，3 ~ 10 g。

银耳

Tremella fuciformis Berk.

| **药 材 名** | 银耳（药用部位：子实体。别名：白木耳、桑鹅、五鼎芝）。

| **形态特征** | 子实体纯白色，胶质，半透明，宽 5 ~ 10 cm，由多数宽而薄的瓣片组成，新鲜时软，干后收缩。担子近球形，纵分隔，长 10 ~ 13 μm，宽 9 ~ 10 μm。孢子无色，光滑，近球形，长 6 ~ 8.5 μm，宽 4 ~ 7 μm。

| **生境分布** | 生于栎及其他阔叶树的腐木上。分布于湖南常德（桃源）、永州（双牌）等。湖南部分地区有分布。

| **资源情况** | 野生资源较少，栽培资源一般。药材来源于栽培。

| **采收加工** | 当耳片开齐停止生长时采收，清水漂洗 3 次，晒干或烘干。

| 药材性状 | 本品由数片至 10 余片薄而多折皱的瓣片组成，呈菊花形、牡丹花形或绣球形，直径 3 ~ 15 cm，白色或类黄色，表面光滑，有光泽，基蒂黄褐色。角质，硬而脆。水中浸泡后膨胀，胶质。气微，味淡。

| 功能主治 | 甘，平。归肺、胃、肾经。滋补生津，润肺养胃。用于虚劳咳嗽，痰中带血，津少口渴，病后体虚，气短乏力。

| 用法用量 | 水（或加冰糖）炖服，3 ~ 10 g。风寒咳嗽者及湿热酿痰致咳者禁用。

树花科 Ramalinaceae 石蕊属 Cladonia

石蕊
Cladonia rangiferina (L.) Web.

| **药 材 名** | 石蕊（药用部位：地衣枝状体。别名：石濡、石芥、云茶）。

| **形态特征** | 内生植物，初生地衣体早期消失。子器柄主轴明显，呈不等长的多叉假轴型分枝，枝腋间有近圆形小穿孔，枝先端呈茶褐色，常向同一方向倾斜或下垂；分枝圆柱状，粗壮，中空，高 3 ~ 12 cm 或更高，直径 1 ~ 3 mm，表面呈灰白色或深灰绿色，生于光照强处者常变成污黑色，无光泽。子器柄无皮层；外髓层粗糙，其间分散有藻细胞；内髓层软骨质；果柄近基部呈污黑色，具颗粒状疣突。子囊盘呈褐色，小型，顶生于果柄上。

| **生境分布** | 生于森林中的腐殖土或砂壤土上。分布于湖南怀化（洪江）、永州（双牌）等。

| **资源情况** | 野生资源一般。药材来源于野生。

| **采收加工** | 全年均可采收，除去杂质，洗净，晒干。

| **药材性状** | 本品子器柄圆柱形，长 5 ~ 10 cm，具不等长的多叉分枝，表面灰白色，粗糙，枝腋有小穿孔。子囊盘顶生，半球形，暗褐色或黑褐色，干时脆硬，湿时柔软。

| **功能主治** | 甘、涩，凉。归心、肝经。清热，润燥，凉肝，化痰，利湿。用于烦热不安，咽燥痰结，目昏翳障，热淋，黄疸。

| **用法用量** | 沸水泡服，9 ~ 15 g；或嚼服；或浸汤嗽。

石耳科 Umbilicariaceae 石耳属 Umbilicaria

石耳

Umbilicaria esculenta (Miyoshi) Minks

| **药 材 名** | 石耳（药用部位：地衣体。别名：石壁花、石木耳、岩茹）。

| **形态特征** | 内生植物。地衣体单片型，幼小时正圆形，长大后为椭圆形或稍不规则形，直径 12 cm 左右，大者可达 18 cm，革质。裂片边缘浅撕裂状；上表面褐色，近光滑，局部粗糙无光泽，或呈斑点状脱落而露出白色髓层；下表面棕黑色至黑色，具细颗粒状突起，密生黑色粗短而具分叉的假根，中央脐部青灰色至黑色，直径 5 ~ 12 mm，有时自脐部向四周放射的脉络明显而凸起。子囊盘少见。

| **生境分布** | 生于裸露的岩石上，尤喜生于硅质岩上。分布于湖南郴州（桂东）、湘西州（花垣、永顺）等。

| 资源情况 | 野生资源较少。药材来源于野生。

| 采收加工 | 全年均可采收，晒干。

| 药材性状 | 本品多干裂皱缩，呈片状，完整者展平后呈不规则的圆形，直径 12 cm 左右，边缘有时碎裂，小穿孔较大。脐背凸起。上表面灰棕色，较光滑；下表面棕黑色至灰黑色，较粗糙，有由多数珊瑚状黑色假根组成的羝毡层。干时质脆，易碎；折断面可见明显的黑、白 2 层。气微，味淡。

| 功能主治 | 甘，凉。归肺、心、胃经。养阴润肺，凉血止血，清热解毒。用于肺虚劳咳，吐血，衄血，崩漏，肠风下血，痔漏，脱肛，淋浊，带下，毒蛇咬伤，烫伤，刀伤。

| 用法用量 | 内服煎汤，9 ~ 15 g；或入丸、散剂。外用适量，研末调敷。

瓶口衣科 Verrucariaceae 皮果衣属 Dermatocarpon

皮果衣
Dermatocarpon miniatum (L.) W. H. Mann.

| 药 材 名 | 白石耳（药用部位：地衣体。别名：黑石耳、石耳子、岩菇）。

| 形态特征 | 地衣体叶状，厚 0.45 ~ 0.5 mm，不规则圆形，直径 2 ~ 4 cm。背面呈灰褐色、污灰色，表面有粉霜状物覆盖。腹面呈深褐色、黑褐色，成簇着生的假根与基质相贴结。被子器埋于背面的表层下，圆球形，直径 0.3 mm，凸起的孔口呈小点状，周围的菌丝层暗褐色。孢子长圆形，无色，1 室，（14 ~ 17）μm×（6 ~ 9）μm。

| 生境分布 | 生于海拔 800 m 以上较湿润的河岸溪沟旁的岩石表面，尤以石灰岩表面为主。分布于湖南湘西州（龙山、永顺）、张家界（桑植）等。

| 资源情况 | 野生资源稀少。药材来源于野生。

| 采收加工 | 全年均可采收，洗净，晒干。

| 药材性状 | 本品呈叶状，不规则圆形，直径 2 ～ 4 cm。背面灰褐色、污灰色；腹面深褐色、黑褐色，簇生的假根与基质相贴结。气微，味淡。

| 功能主治 | 淡、微苦，平。归胃经。消食，利水，降血压。用于消化不良，腹胀，痢疾，疳积，高血压。

| 用法用量 | 内服煎汤，9 ～ 15 g。

梅衣科 Parmeliaceae 皱梅衣属 Flavoparmelia

皱梅衣
Flavoparmelia caperata (L.) W. Hale

| **药 材 名** | 皱梅衣（药用部位：地衣体）。

| **形态特征** | 平铺着生，由中央向周围扩散，呈放射状分瓣，裂片宽大，末端呈钝圆形。上表面灰绿色、国画染料石青色，表面有时密布小瘤状至短棒状粉芽堆，边缘光滑，近全缘。下表面黑色，中央具黑色假根，边缘褐色而裸露。

| **生境分布** | 生于海拔 1 000 m 以上的树干上或岩石表面。分布于湖南各地山区。

| **资源情况** | 野生资源较少。药材来源于野生。

| **采收加工** | 全年均可采收，晒干。

| **功能主治** | 甘，平。补肝益肾，明目，止血，利湿解毒。用于视物模糊，腰膝疼痛，吐血，崩漏，黄疸，疮癣。 |

| **用法用量** | 内服煎汤，9～15 g。 |

梅衣科 Parmeliaceae 梅衣属 Parmelia

石梅衣 *Parmelia saxatilis* (L.) Ach.

| 药 材 名 | 石花（药用部位：地衣体。别名：乳花、地衣）。

| 形态特征 | 地衣体叶状，直径 5 ~ 8 cm 或更大，裂瓣深裂，末端截形或锐尖；上表面灰绿色至灰褐色，裂片边缘具网状白色假杯点，裂片中央多有颗粒状的粉芽堆，有时堆成短柱状。叶缘光滑，叶缘至叶片的上表面微有光泽。下表面黑褐色至黑色，假根单一，不分枝，直布至叶片边缘。

| 生境分布 | 生于海拔 1 200 m 以上的山地树干上或岩石表面的腐殖质上。湖南各地均有分布。

| 资源情况 | 野生资源较少。药材来源于野生。

| 采收加工 | 夏、秋季采挖，除去泥土、杂石，洗净，晒干。

| 药材性状 | 本品呈叶状，近圆形或不整齐伸展，直径可达 15 cm 以上，裂片深裂，狭长，长 0.5 ~ 4 cm，宽 1 ~ 5 mm，边缘有光泽，呈截形或凹入；上表面灰绿色至灰褐色，中央部分色暗，具圆形或线形白斑及鼓起的网纹，粉芽堆多集中于中央；下表面黑色，密生不分枝的黑色假根。

| 功能主治 | 甘，平。归肝、肾经。补肝益肾，明目，止血，利湿解毒。用于视物模糊，腰膝疼痛，吐血，崩漏，黄疸，疮癣。

| 用法用量 | 内服煎汤，9 ~ 15 g；或研末；或浸酒。外用适量，研末调敷或撒敷。

肺衣科 Lobariaceae 肺衣属 Lobaria

网肺衣 *Lobaria retigera* (Bory) Trevis.

| 药 材 名 | 老龙皮（药用部位：地衣体。别名：老龙七、石龙皮、石龙衣）。

| 形态特征 | 叶状体中型至大型，直径 8 ~ 15 cm，较薄，向周围不规则延伸，边缘多呈波状，裂瓣不明显，近缘处有时为虫蚀状孔洞。背面灰褐色、榄绿色。网目较小，共生藻为蓝藻。腹面淡黄褐色，有密毛茸。粉芽呈颗粒状，凸起于裂片的末端，白色，上仰。

| 生境分布 | 生于树干基部或藓类丛中，习见于较干燥的松林地。湖南各地均有分布。

| 资源情况 | 野生资源较少。药材来源于野生。

| 采收加工 | 全年均可采收，洗净，晒干。

| **功能主治** | 淡、微苦，平。归脾、肾经。消食健脾，利水消肿，祛风止痒。用于消化不良，疳积，腹胀，水肿，皮肤瘙痒，烫伤，无名肿毒。

| **用法用量** | 内服煎汤，9 ～ 15 g。外用适量，研细末或烧存性研末调敷。

松萝科 Usneaceae 松萝属 Usnea

环裂松萝

Usnea diffracta Vain.

| 药 材 名 | 松萝（药用部位：地衣体）。

| 形态特征 | 地衣体枝状，悬垂型，长 15 ～ 50 cm，淡灰绿色至淡黄绿色。枝体基部直径约 3 mm，主枝直径 3 ～ 4 mm，多回二叉分枝，次生分枝整齐或不整齐，枝圆柱形，少数末端稍扁平或有棱角。枝干具环状裂隙，如脊椎状。

| 生境分布 | 生于海拔 1 200 m 以上的潮湿针叶林或阔叶林树干上、岩石上。分布于湖南张家界（桑植）、常德（石门）、郴州（宜章）等。

| 资源情况 | 野生资源较少。药材来源于野生。

| 采收加工 | 6 ～ 9 月采收，切段，晒干。

药材性状	本品丝状，较粗壮，淡灰绿色或淡黄棕色。枝体表面有多数环状裂沟。横断面中央有线状强韧性的中轴，具弹性，由菌丝组成；藻环常被环状沟纹分离成短筒状。
功能主治	甘、苦，平。归心、肺、肾经。祛风通络，清热解毒，止咳化痰，止血调经。用于风湿痹痛，疮肿，乳痈，热痰咳嗽，外伤出血，呕血，便血，月经不调等。
用法用量	内服煎汤，6～9 g。外用适量，煎汤洗；或研末敷。

松萝科 Usneaceae 松萝属 Usnea

长松萝
Usnea longissima Ach.

| 药 材 名 | 松萝（药用部位：地衣体）。

| 形态特征 | 全株为藻类和菌类共生结合成的大型地衣丝状体，长 20 ～ 100 cm（或更长），柔软，向下悬垂，以基部附着器固着于基物上，附着器明显膨大，直径 3 ～ 4 mm，次生附着器常见。主枝直径 1 ～ 2 mm，有环裂；次生分枝为等长的二叉分枝，并密生与次生分枝垂直的刺状小分枝。表面灰白色至淡黄绿色，无光泽，无粉芽和裂芽。髓层具致密的中轴，有弹性。子囊盘少见，侧生，圆盘状，全缘，盘缘具长短不一的缘毛；盘面棕褐色，被粉霜；子囊内含 8 孢子。孢子无色，椭圆形。

| 生境分布 | 生于海拔 1 200 m 以上的潮湿针叶林或阔叶林树干上、岩石上。分

布于湖南张家界（桑植）、常德（石门）、郴州（宜章）等。

| **资源情况** | 野生资源较少。药材来源于野生。

| **采收加工** | 夏、秋季采收，切段，晒干。

| **药材性状** | 本品呈丝状，缠绕成团，灰绿色或黄绿色，主轴单一，极少有大的分枝。两侧密生细短的侧枝，呈蜈蚣状，侧枝长 0.3 ～ 1.5 cm；柔软，略有弹性，易折断，断面绿白色，断面中央具线状柔韧的中轴。气微，味酸。

| **功能主治** | 甘、苦，平。归心、肺、肾经。祛风通络，清热解毒，止咳化痰，止血调经。用于风湿痹痛，疮肿，乳痈，热痰咳嗽，外伤出血，呕血，便血，月经不调等。

| **用法用量** | 内服煎汤，6 ～ 9 g。外用适量，煎汤洗；或研末敷。

植物

藻类植物

念珠藻

Nostoc commune Vauch.

| 药 材 名 | 葛仙米（药用部位：藻体。别名：地木耳、地皮菜、天仙米）。

| 形态特征 | 新鲜藻体被厚胶质鞘包围，呈不规则的球状，绿褐色、墨绿色或榄绿色，圆形细胞呈念珠状单列排列；大型异形细胞直径 15 ~ 20 μm，圆形，近透明。环境干燥或藻体干熟后，呈不规则瓣片状，形如木耳；其内的念珠状细胞链顺着胶质鞘的表面平行排列。干燥后藻体中空，破裂为片状，蓝黑色或黑色。脆而易碎，浸水后复原。

| 生境分布 | 生于夏、秋季雨后潮湿的草地或湿水滩旁。湖南各地均有分布。湖南各地均有分布。

| 资源情况 | 野生资源丰富，栽培资源丰富。药材来源于野生和栽培。

| 采收加工 | 夏、秋季雨后采收，洗净，晒干。

| 药材性状 | 本品形似木耳，外被透明的胶质物，蓝绿色。干后卷缩，呈灰褐色，易碎裂。具青草气，味淡。

| 功能主治 | 甘、淡，凉。归肝经。清热明目，收敛益气。用于目赤肿痛，夜盲症，烫火伤，久痢，脱肛。

| 用法用量 | 内服煎汤，30 ~ 60 g。外用适量，研末调敷。

双星藻科 Zygnemataceae 水绵属 Spirogyra

光洁水绵 *Spirogyra nitida* (Dillw.) Link

| 药 材 名 | 水绵（药用部位：藻体。别名：石衣、石发、水青苔）。

| 形态特征 | 多年生水生藻类。营养细胞宽 70 ~ 84 μm，长 93 ~ 300 μm。横壁平直；色素体 3 ~ 5，呈 1 ~ 5 圈的螺旋状；接合管由雌、雄配子囊形成，呈梯形接合。接合孢子囊圆柱形；接合孢子椭圆形，两端尖，长 105 ~ 189 μm，宽 55 ~ 90 μm，黄色。

| 生境分布 | 生于水稻田、水池、水沟和藕塘中。湖南各地均有分布。

| 资源情况 | 野生资源丰富。药材来源于野生。

| 采收加工 | 春、夏季采收，洗净，鲜用或晒干。

| **药材性状** | 本品呈不规则片状，草绿色至墨绿色，大小、厚薄不一，表面可见细丝；质绵软，易碎裂，断裂处呈毛茸状。鲜品聚集成团状，黄绿色，有多数小气泡，藻丝可见，摸之有滑腻感；质柔软，易扯断。气腥，味咸。

| **功能主治** | 甘，平。归心经。清热解毒，利湿。用于丹毒，痈肿，漆疮，烫伤，泄泻。

| **用法用量** | 内服煎汤，3 ～ 10 g。外用适量，鲜品捣敷。

苔藓植物

泥炭藓科 Sphagnaceae 泥炭藓属 Sphagnum

泥炭藓
Sphagnum palustre L.

| 药 材 名 | 泥炭藓（药用部位：全草。别名：水藓、水苔、地毛衣）。

| 形态特征 | 枝条纤长，黄绿色或黄白色，高 8 ~ 20 cm。茎生叶舌形，平展，长 1 ~ 2 mm，宽 0.8 ~ 0.9 mm；枝生叶阔卵圆形，内凹，先端兜状内卷，绿色。雌雄异株；精子器球形，集生于雄株头状枝或短枝先端，每苞叶叶腋间具 1；颈卵器生于雌株头状枝丛的雌器苞内。孢蒴球形或卵形，成熟时棕栗色，具小蒴盖。

| 生境分布 | 生于水湿环境及沼泽地带。湖南有广泛分布。

| 资源情况 | 野生资源较丰富。药材来源于野生。

| 采收加工 | 全年均可采收，洗净，鲜用或晒干。

| 药材性状 | 本品呈缠绕的团状，黄绿色或黄白色，湿润展平后，茎长 10 ~ 15 cm，有 4 ~ 5
丛生的分枝；茎生叶舌形，长 1.5 ~ 1.7 mm，枝生叶瓢状卵形，较茎生叶稍大；
孢子黄色。气微，味淡。

| 功能主治 | 淡、甘，凉。清热，明目，止痒。用于目生云翳，皮肤病，蚊虫叮咬。

| 用法用量 | 内服煎汤，9 ~ 12 g。外用适量，捣敷。

葫芦藓

Funaria hygrometrica Hedw.

| 药材名 |

葫芦藓（药用部位：全草。别名：石松毛、红孩儿、牛毛七）。

| 形态特征 |

植株矮小，高 1 ~ 3 cm，直立，淡绿色。茎单一或从基部分枝。叶簇生于茎顶，长舌形；中肋粗。雌雄同株，异苞；雄苞顶生，花蕾状；雌苞生于雄苞下的短侧枝上。蒴柄细长，黄褐色，长 2 ~ 5 cm，上部弯曲；孢蒴弯梨形，不对称；蒴齿 2 层；蒴帽兜形，具长喙，形似葫芦瓢状。

| 生境分布 |

生于阴湿地上。湖南有广泛分布。

| 资源情况 |

野生资源较丰富。药材来源于野生。

| 采收加工 |

夏季采收，鲜用或晒干。

| 药材性状 |

本品为皱缩的散株或数株丛集的团块，黄绿色，无光泽。长达 3 cm，茎多单一，茎顶密集地簇生众多皱缩小叶。小叶润湿展平后呈长舌状，全缘，中肋较粗，不达叶尖。有的可见紫红色细长的蒴柄，上部弯曲，着生梨形孢蒴，孢蒴不对称，蒴帽兜形，有长喙。气微，味淡。

| **功能主治** | 淡，平。除湿止血。用于劳伤吐血，跌打损伤，湿气脚痛。

| **用法用量** | 内服煎汤，30～60g。外用适量，捣敷。

真菌科 Bryaceae 大叶藓属 Rhodobryum

暖地大叶藓
Rhodobryum giganteum (Schwaegr) Par.

| 药 材 名 | 回心草（药用部位：全草。别名：茴心草、铁脚一把伞、岩谷伞）。

| 形态特征 | 矮小草本，高 4 ~ 7 cm，多成片散生。根茎横走，长 5 ~ 8 cm，暗红褐色，有多数毛状假根。茎多枝，由根茎生出，直立，紫红色。茎下部叶细小，紫红色，膜质，鳞片状贴生于茎上；茎顶部叶绿色，较大，多层丛集成莲座状，叶片倒卵状披针形或长倒卵形，长 1 ~ 1.5 cm，宽 2 ~ 4 mm，边缘下部无锯齿，内卷，上部有细锯齿，中肋长达叶尖。夏、秋季茎顶部的叶丛簇生数个孢子体。蒴柄细长，长 3 ~ 5 cm，上端弓曲；孢蒴下垂，红黄色，长卵状圆柱形，长 7 ~ 8 mm；蒴盖凸，有短喙。

| 生境分布 | 生于潮湿的林地、腐木或土石上。分布于湖南湘西州等。

| **资源情况** | 野生资源丰富。药材来源于野生。

| **采收加工** | 全年均可采收，鲜用或阴干。

| **药材性状** | 本品多皱缩。水浸泡后叶片很快舒展，并明显返青。根茎纤细，长 5～8 cm，有红褐色绒毛状的假根。茎红棕色，长 4～7 cm。鳞片状小叶紧密贴于茎下部，紫红色至褐色；顶部的叶大，簇生成花苞状，着生于茎的顶部，或呈楼台状簇生，2 层，绿色至黄绿色；叶片长倒卵状披针形，具短尖，无柄，长 1～1.5 cm，宽 0.2～0.4 cm，边缘明显分化，上部有细齿，中下部无齿；中肋直达叶尖。蒴柄黄色，直立，顶部弯曲；孢蒴下垂，有短喙。气微腥，味淡。

| **功能主治** | 淡，平。归心经。养心安神。用于心悸，怔忡，神经衰弱；外用于目赤肿痛。

| **用法用量** | 内服煎汤，3～9 g。外用适量，煎汤熏洗。

绢藓科 Entodontaceae 绢藓属 Entodon

密叶绢藓 *Entodon compressus* (Hedw.) C. Müll.

| 药 材 名 | 密叶绢藓（药用部位：全草。别名：石苔、扁绢藓、扁枝绢藓）。

| 形态特征 | 植株呈暗绿色、榄绿色或亮绿色，具光泽。茎匍匐，近羽状分枝，带叶的茎及枝扁平，枝长 8 ~ 10 mm。茎生叶长卵圆形，内凹，先

端钝圆，具短尖头；叶具 2 短中肋，有时缺如；叶中部细胞线形，向上渐短；角细胞透明，四方形。枝上的叶与茎生叶同形，但较狭小。雌雄异株。孢蒴椭圆形、卵形；蒴盖圆锥形，具喙状突起；蒴帽兜形；蒴齿双层，外齿片线形，内齿片三角形。

| 生境分布 | 生于林下湿地或岩石表面的薄土层上。湖南各地均有分布。

| 资源情况 | 野生资源丰富。药材来源于野生。

| 采收加工 | 全年均可采收，洗净，鲜用或晒干。

| 功能主治 | 苦，平。利尿消肿。用于小便不利，水肿。

| 用法用量 | 内服煎汤，10 ~ 30 g。

灰藓科 Hypnaceae 大灰藓属 Calohypnum

大灰藓

Calohypnum plumiforme (Wilson) Jan Kučera et Ignatov

| 药 材 名 |

灰藓（药用部位：全草）。

| 形 态 特 征 |

体形大，黄绿色或绿色，有时带褐色。茎匍匐，长可达 10 cm；横切面圆形，皮层细胞厚壁，4 ～ 5 层，中部细胞较大，薄壁；中轴稍发育，红褐色；规则或不规则羽状分枝；分枝平铺或倾立，扁平或近圆柱形，长可达 1.5 cm；假鳞毛少数，黄绿色，丝状或披针形。茎生叶基部不下延，阔椭圆形或近心形，渐上阔披针形，渐尖，尖端一向弯曲，长 1.8 ～ 3.0 mm，宽 0.65 ～ 1.0 mm，上部具纵褶；叶边平展，尖端具细齿；中肋 2，短弱。叶细胞长线形，厚壁，基部细胞短，胞壁加厚，黄褐色，有壁孔；角细胞大，薄壁，透明，无色或带黄色，上部有 2 ～ 4 列较小的近方形细胞。枝生叶与茎生叶同型，小于茎生叶。雌雄异株。雌苞叶直立，阔披针形，具长尖，有纵褶，边缘平直，具细齿；中肋不明显。蒴柄黄红色或红褐色，长 30 ～ 50 mm。孢蒴长圆柱形，弓形背曲，黄褐色或红褐色，长 2.5 ～ 3.0 mm。蒴齿发育完全，齿毛 2 ～ 3，与齿片等长。环带由 2 ～ 3 列细胞构成。蒴盖圆锥形，短钝。孢子小，直

径 12 ～ 18 μm，春末至夏季成熟。。

| **生境分布** | 生于低山或马尾松林地和土坡草地上，在湿度高的地区或石灰岩地区生于树干向北面的基部。分布于湖南株洲（攸县）、衡阳（祁东）、张家界（武陵源）、永州（冷水滩）、娄底（涟源）、郴州（桂东）等。

| **资源情况** | 野生资源较丰富。药材来源于野生。

| **采收加工** | 全年均可采收，洗净，鲜用或晒干。

| **功能主治** | 甘，凉。消炎，止血。用于外伤出血。

| **用法用量** | 内服水（或加冰糖）炖服，3 ～ 10 g。

金发藓科 Polytrichaceae 小发金藓属 Pogonatum

东亚小金发藓 *Pogonatum inflexum* (Lindb.) Sande Lac.

| 药 材 名 | 小金发藓（药用部位：全草。别名：红孩儿、小土马鬃、杉叶藓）。

| 形态特征 | 植株暗绿色、绿色，老时黄褐色。茎单一，直立，稀分枝，高 2～8 cm，基部密生假根。干时叶紧贴于茎，卷曲，湿时叶片倾立，如杉树苗叶状；叶片基部椭圆形，内凹，半鞘状，上部阔披针形，长 6～7 mm，宽 0.4～0.7 mm，叶缘中上部有红色锯齿，由 2～3 细胞组成；中肋较粗，达叶尖，栉片布满腹面，约 30，高 4～6 细胞，顶细胞大，内凹。雌雄异株；雄株较小，先端精子器呈花蕾状；雌株蒴柄长 2～4 cm，橙黄色；孢蒴圆柱形，具长喙；蒴帽兜形，被黄白色下垂的长绒毛。

| 生境分布 | 生于林下湿土上或岩石薄土上。湖南各地均有分布。

| 资源情况 | 野生资源丰富。药材来源于野生。

| 采收加工 | 春、夏季采收，洗净，晒干。

| 药材性状 | 本品为数株丛集在一起的团块。茎长 2～8 cm，暗绿色或黄褐色；单一，基部密生细假根。叶阔披针形，渐尖，基部圆卵形，内凹，半鞘状，边缘有粗锯齿；中肋粗，长达叶尖，腹面布满栉片。蒴柄细长，橙黄色。孢蒴圆柱形，蒴盖有长喙，蒴帽密布黄色长毛。气微，味淡。

| 功能主治 | 辛，温。镇静安神，散瘀，止血。用于心悸怔忡，失眠多梦，跌打损伤，吐血。

| 用法用量 | 内服煎汤，9～15 g。

金发藓科 Polytrichaceae 金发藓属 Polytrichum

金发藓
Polytrichum commune Hedw.

| 药 材 名 | 土马棕（药用部位：全草。别名：千年松、矮松树、服丹药）。

| 形态特征 | 植株粗壮，深绿色或绿褐色。茎高 10 ～ 25 cm，单一或稀分枝。叶倾倒，干时卷曲，湿时展开。叶片上部较尖，基部鞘状，鞘部以上的中肋及叶背均具刺突；栉片 21 ～ 55，几乎布满上部叶片。雌雄异株；雄株稍短，先端雄器似花苞；雌株较高大，顶生孢蒴，蒴柄长 10 cm，红棕色；雌苞叶长而窄，中肋及顶。孢蒴具 4 棱角，长方形；蒴帽覆盖全蒴；蒴盖扁平，具短喙；蒴齿单层；孢子小圆形，黄色，平滑。

| 生境分布 | 生于山野阴湿土坡、森林沼泽、酸性土壤上。湖南有广泛分布。

| **资源情况** | 野生资源较丰富。药材来源于野生。

| **采收加工** | 全年均可采收，洗净，鲜用或晒干。

| **功能主治** | 苦，凉。收敛止血，清热解毒，补虚，通便。用于刀伤出血，衄血，吐血，便血，血崩，肺痨，痈毒。

| **用法用量** | 内服煎汤，10 ～ 30 g。

瘤冠苔科 Grimaldiaceae 石地钱属 Reboulia

石地钱

Reboulia hemisphaerica (L.) Raddi

| 药 材 名 | 石地钱（药用部位：叶状体。别名：石蛤蟆）。

| 形态特征 | 叶状体扁平，呈 2 歧分叉的带片状，长 1 ~ 4 cm，宽 3 ~ 7 mm，先端心形，背面深绿色，边缘与腹面紫红色，沿中肋沟生多数假根；气孔单一型，凸出，孔边细胞 6 ~ 9，4 ~ 5 列；气室数层，无营养丝，鳞片覆瓦状排列，两侧各 1 列，紫红色，半月形。雌雄同株；雄托圆盘状，无柄，生于叶状体中部；雌托生于叶状体先端，柄长 1 ~ 2 cm，托顶半球形，绿色，4 瓣裂，每瓣腹面有总苞片 2。孢蒴球形，黑色；孢子黄褐色，表面具网纹，直径 60 ~ 90 μm，弹丝长约 400 μm。

| 生境分布 | 生于石壁和土坡上。湖南各地均有分布。

| **资源情况** | 野生资源较少。药材来源于野生。

| **采收加工** | 夏、秋季采收，洗净，鲜用或晒干。

| **功能主治** | 淡、涩，凉。清热解毒，消肿止血。用于疮疖肿毒，烫火伤，跌打肿痛，外伤出血。

| **用法用量** | 内服煎汤，12 ～ 15 g。外用适量，研末敷；或捣敷。

蛇苔科 Conocephalaceae 蛇苔属 Conocephalum

蛇苔
Conocephalum conicum (L.) Dum.

| 药 材 名 |

蛇地钱（药用部位：叶状体。别名：蛇皮苔、地皮斑、地青苔）。

| 形态特征 |

叶状体深绿色，有光泽，长 5 ~ 10 cm，宽 1 ~ 2 cm，多回 2 歧分叉，背面有六角形气室，每室中央有一单一型的气孔，孔边细胞 5 ~ 6 列；气室内有多数直立的营养丝，营养丝由 2 ~ 5 含大量叶绿体的细胞构成，先端细胞长梨形，有狭长尖；腹面淡绿色，有假根，两侧各有 1 列深紫色鳞片。雌雄异株；雌托钝头，圆锥形或蛇头形，褐黄色，托下生 5 ~ 8 总苞，苞内具 1 梨形孢蒴，孢子褐黄色，直径 70 ~ 100 μm，表面密被细疣；雄托椭圆状盘形，紫色，无柄，贴生于叶状体背面。

| 生境分布 |

生于溪边林下的阴湿岩石上或土表。湖南各地均有分布。

| 资源情况 |

野生资源较丰富。药材来源于野生。

| 采收加工 | 6～9月采收，洗净，鲜用或晒干。

| 功能主治 | 微甘、辛，凉。清热解毒，消肿止血。用于痈疮肿毒，烫火伤，毒蛇咬伤，骨折损伤。

| 用法用量 | 外用适量，研末麻油调敷；或鲜品捣敷。

地钱科 Marchantiaceae 毛地钱属 Dumortiera

毛地钱 *Dumortiera hirsuta* (Sw.) Nees

| **药 材 名** | 毛地钱（药用部位：叶状体。别名：毛地片）。

| **形态特征** | 叶状体呈扁平带状，多回 2 歧分叉，深绿色或淡绿色，长 5 ~ 15 cm，宽 1 ~ 2 cm，边缘呈波状，具无色透明的齿；质地较柔软，无气孔及气室，中肋居中，腹面呈黄绿色、暗榄绿色，具多数细长的假根；中部近肋处有 12 ~ 16 层细胞紧密排列。雌雄异株或同株；雌托圆盘状，托柄细长，赤褐色，长 4 ~ 5 cm；孢子黄褐色，具疣；雄托生于叶状体先端，圆盘状，中央内凹，托柄极短；雌托、雄托均密被毛绒。

| **生境分布** | 生于流水处或潮湿的岩石表面。湖南各地均有分布。

| 资源情况 | 野生资源丰富。药材来源于野生。

| 采收加工 | 夏、秋季采收，洗净，鲜用或晒干。

| 药材性状 | 本品呈皱缩的片状或小团块状，湿润后展开呈扁平带状，多回 2 歧分叉，先端心形，长 5 ～ 10 cm，宽 1 ～ 2 cm，深绿色；中部较厚，腹面色淡，具多数须状假根，先端背面有时可见圆盘状的雄托或雌托，雌托有长柄。质硬而脆。气微，味淡。

| 功能主治 | 淡，平。清热，拔毒，生肌。用于热毒疮痈，溃疡久不收口，创伤，烫火伤。

| 用法用量 | 外用适量，捣敷。

地钱科 Marchantiaceae 地钱属 Marchantia

地钱

Marchantia polymorpha L.

| 药 材 名 | 地钱（药用部位：叶状体。别名：脓痂草、地浮萍、一团云）。

| 形态特征 | 叶状体暗绿色，宽带状，多回 2 歧分叉，长 5 ~ 10 cm，宽 1 ~ 2 cm，边缘微波状；背面具六角形、整齐排列的气室分隔，每室中央具 1 烟囱型气孔，孔口边有 4 列细胞，呈 "十" 字形排列；腹面鳞片紫色。假根平滑或带花纹。雌雄异株；雄托盘状，波状浅裂，精子器埋于托筋背面；雌托扁平，先端深裂成 9 ~ 11 指状裂瓣；孢蒴生于托的指腋腹面。无性芽胞杯生于叶状体背面前端，杯状，内生胚芽，无性生殖。

| 生境分布 | 生于阴湿的土坡或湿石及潮湿的墙基处。湖南有广泛分布。

| **资源情况** | 野生资源较丰富。药材来源于野生。

| **采收加工** | 夏、秋季采收，洗净，鲜用或晒干。

| **功能主治** | 淡，凉。清热利湿，解毒敛疮。用于湿热黄疸，疮痈肿毒，毒蛇咬伤，烫火伤，骨折，刀伤。

| **用法用量** | 内服煎汤，5 ~ 15 g；或入丸、散剂。外用适量，捣敷；或研末。

蕨类植物

石杉科 Huperziaceae 石杉属 Huperzia

皱边石杉 *Huperzia crispata* (Ching ex H. S. Kung) Ching

| 药 材 名 | 皱边石杉（药用部位：全草。别名：虱子草、矮杉树）。

| 形态特征 | 多年生土生植物。茎直立或斜生，高 16 ～ 32 cm，中部直径 2 ～ 3.5 mm，枝连叶宽 2 ～ 3.5 cm，2 ～ 4 回二叉分枝，枝上部常有芽胞。叶螺旋状排列，疏生，平伸，狭椭圆形或倒披针形，向基部明显变狭，通直，长 1.2 ～ 2 cm，宽 2 ～ 3.5 mm，基部楔形，下延，有柄，先端急尖，边缘皱曲，有粗大或略小而不整齐的尖齿，两面光滑，有光泽，中脉凸起明显，薄革质；孢子叶与不育叶同形。孢子囊生于孢子叶的叶腋，两端露出，肾形，黄色。

| 生境分布 | 生于海拔 900 ～ 1 800 m 的林下阴湿处。湖南各地均有分布。

| 资源情况 | 野生资源丰富。药材来源于野生。

| **采收加工** | 夏、秋季采收，洗净，鲜用或晒干。

| **功能主治** | 化瘀，止血，固肾涩精，益气。用于湿热黄疸，疮痈肿毒，毒蛇咬伤，烫火伤，骨折，刀伤。

| **用法用量** | 内服煎汤，5 ~ 15 g；或入丸、散剂。外用适量，捣敷；或研末调敷。

石杉科 Huperziaceae 石杉属 Huperzia

蛇足石杉 *Huperzia serrata* (Thunb.) ex Murray Trevis.

| 药材名 |

千层塔（药用部位：全草。别名：蛇足石松、千金虫、矮罗汉）。

| 形态特征 |

多年生土生植物。茎直立或斜生，高 10 ~ 30 cm，中部直径 1.5 ~ 3.5 mm，枝连叶宽 1.5 ~ 4 cm，2 ~ 4 回二叉分枝，枝上部常有芽胞。叶螺旋状排列，疏生，平伸，狭椭圆形，向基部明显变狭，通直，长 1 ~ 3 cm，宽 1 ~ 8 mm，基部楔形，下延，有柄，先端急尖或渐尖，边缘平直不皱曲，有粗大或略小而不整齐的尖齿，两面光滑，有光泽，中脉凸起明显，薄革质；孢子叶与营养叶同形。孢子囊生于孢子叶的叶腋，两端露出，肾形，黄色。

| 生境分布 |

生于海拔 300 ~ 1 800 m 的林下、灌丛下、路旁。湖南有广泛分布。

| 资源情况 |

野生资源较丰富。药材来源于野生。

| **采收加工** | 夏末、秋初采收，除去泥土，晒干。

| **药材性状** | 本品根须状。茎一回至数回二叉分枝，先端常具生殖芽。叶片完整者披针形，长 1 ~ 3 cm，宽 2 ~ 4 mm，先端锐尖，边缘有不规则的尖锯齿，基部渐狭，楔形，仅有 1 主脉，薄革质；孢子叶和营养叶同形，绿色。气微，味略苦、辛。

| **功能主治** | 苦、辛、微甘，平；有小毒。散瘀止血，消肿止痛，除湿，清热解毒。用于跌打损伤，劳伤吐血，尿血，痔疮下血，水湿臌胀，带下，肿毒，溃疡久不收口，烫火伤。

| **用法用量** | 内服煎汤，5 ~ 15 g；或捣汁。外用适量，煎汤洗；或捣敷；或研末撒；或调敷。本品有毒，中毒时可出现头昏、恶心、呕吐等症，内服不宜过量。

石杉科 Huperziaceae 马尾杉属 Phlegmariurus

福氏马尾杉 *Phlegmariurus fordii* (Baker) Ching

| **药 材 名** | 福氏马尾杉（药用部位：全草）。

| **形态特征** | 中型附生蕨类。茎簇生，成熟枝下垂，1 至多回二叉分枝，长
20 ～ 30 cm，枝连叶宽 1.2 ～ 2 cm。叶螺旋状排列，但因基部扭曲
而呈 2 列状。营养叶（至少植株近基部叶片）抱茎，椭圆状披针形，
长 1 ～ 1.5 cm，宽 3 ～ 4 mm，基部圆楔形，下延，无柄，无光泽，
先端渐尖，中脉明显，革质，全缘。孢子囊穗比不育部分细瘦，顶生。
孢子叶披针形或椭圆形，长 4 ～ 6 mm，宽约 1 mm，基部楔形，先
端钝，中脉明显，全缘。孢子囊生于孢子叶腋，肾形，2 瓣开裂，黄色。

| **生境分布** | 生于竹林下阴处、山沟阴岩壁、灌木林下岩石上。分布于湖南永州（江
华）等。

| **资源情况** | 野生资源稀少。药材来源于野生。

| **功能主治** | 清热解毒，止咳，止血，生肌。用于气管炎，哮喘，尿路感染，毒蛇咬伤，外伤出血，刀伤。

石杉科 Huperziaceae 马尾杉属 Phlegmariurus

闽浙马尾杉

Phlegmariurus minchegensis (Ching) L. B. Zhang

| 药 材 名 | 青丝龙（药用部位：全草。别名：阳痧草、阴痧草、晒不死）。

| 形态特征 | 中型附生蕨类。茎簇生，成熟枝直立或略下垂，1 至多回二叉分枝，长 17 ～ 33 cm，枝连叶中部宽 1.5 ～ 2 cm。叶螺旋状排列。营养叶披针形，疏生，长 1.1 ～ 1.5 cm，宽 1.5 ～ 2.5 mm，基部楔形，下延，无柄，有光泽，先端尖锐，中脉不显，草质，全缘。孢子囊穗比不育部分细瘦，顶生。孢子叶披针形，长 8 ～ 13 mm，宽约 0.8 mm，基部楔形，先端尖，中脉不显，全缘。孢子囊生于孢子叶腋，肾形，2 瓣开裂，黄色。

| 生境分布 | 生于海拔 700 ～ 1 600 m 的林下石壁、树干上或土壤中。分布于湖南郴州（宜章）等。

| **资源情况** | 野生资源稀少。药材来源于野生。

| **采收加工** | 全年均可采收，去净泥土、杂质，晒干或鲜用。

| **功能主治** | 苦，寒。清热解毒，消肿止痛，灭虱。用于发热，头痛，咳嗽，泄泻，肿毒，头虱病。

| **用法用量** | 内服煎汤，5 ~ 15 g。外用适量，捣敷。

石松科 Lycopodiaceae 扁枝石松属 *Diphasiastrum*

扁枝石松 *Diphasiastrum complanatum* (L.) Holub

| 药 材 名 | 过江龙（药用部位：全草或孢子）。

| 形态特征 | 藤本。小型至中型土生植物，主茎匍匐状，长达 100 cm；侧枝近直立，高达 15 cm，多回不等位二叉分枝；小枝扁平状。叶 4 行排列，密集，三角形，长 1 ~ 2 mm，宽约 1 mm，基部贴生于枝上，无柄，先端尖锐，略内弯，全缘，中脉不明显，草质；孢子叶宽卵形，覆瓦状排列，长约 2.5 mm，宽约 1.5 mm，先端急尖，尾状，边缘膜质，具不规则的锯齿。孢子囊穗（1 ~ ）2 ~ 5（~ 6）生于长 10 ~ 20 cm 的孢子枝先端，圆柱形，长 1.5 ~ 3 cm，淡黄色；孢子囊生于孢子叶叶腋，内藏，圆肾形，黄色。

| 生境分布 | 生于海拔 1 300 ~ 2 000 m 的山坡、草地、林缘。分布于湖南怀化（溆

浦）、郴州（桂东）等。

| **资源情况** | 野生资源稀少。药材来源于野生。

| **功能主治** | 辛、苦，温。归肝、膀胱经。祛风胜湿，舒筋活络，散瘀止痛，利尿。用于风湿痹痛，手足麻木，跌打损伤，月经不调。

| **用法用量** | 内服煎汤，9 ~ 15 g。外用适量，捣敷；或煎汤洗。

石松科 Lycopodiaceae 藤石松属 Lycopodiastrum

藤石松

Lycopodiastrum casuarinoides (Spring) Holub ex R. D. Dixit

| 药 材 名 |

舒筋草（药用部位：全草）。

| 形态特征 |

多年生攀缘草本，长达 4 m。主茎下部有疏生的叶。叶钻状披针形，先端长渐尖，膜质，灰白色；向上的叶较小，绿色，厚革质，有早落的膜质尖尾。营养枝多回二叉分枝，末回小枝纤细，下垂，扁平，叶 3 列，2 列较大，贴生于小枝的一面，三角形，另一列的叶较小，贴生于小枝另一面的中央，刺状。孢子枝从营养枝基部下侧的有鳞片状叶的芽抽出，多回二叉分枝，末回分枝先端各生 1 孢子囊穗。孢子囊穗圆柱形，多少下垂；孢子叶阔卵圆状三角形；孢子囊近圆形。9 月孢子成熟。

| 生境分布 |

生于海拔 700 ~ 2 000 m 的林下、林缘、灌丛下或沟边。湖南各地均有分布。

| 资源情况 |

野生资源丰富。药材来源于野生。

| **采收加工** | 夏、秋季采收，鲜用或晒干。 |

| **功能主治** | 微甘，温。归肝、肾经。祛风除湿，舒筋活血，明目，解毒。用于风湿关节痛，跌打损伤，筋骨疼痛，月经不调，脚转筋，夜盲症，盗汗，风湿腰痛，腰肌劳损，烫火伤，疮疡肿毒。

| **用法用量** | 内服煎汤，15 ～ 30 g。外用适量，煎汤洗；或捣敷。

石松科 Lycopodiaceae 石松属 *Lycopodium*

石松
Lycopodium japonicum Thunb.

| 药 材 名 |

伸筋草（药用部位：全草）、石松子（药用部位：孢子）。

| 形态特征 |

多年生土生植物。主茎直立，高达 60 cm，圆柱形，中部直径 1.5 ～ 2.5 mm，光滑无毛，多回不等位二叉分枝；侧枝上斜，多回不等位二叉分枝，有毛或光滑无毛。主茎上的叶螺旋状排列，稀疏，钻形至线形，长约 4 mm，宽约 0.3 mm，通直或略内弯，基部圆形，下延，无柄，先端渐尖，全缘，中脉不明显，纸质；侧枝及小枝上的叶螺旋状排列，密集，略上弯，钻形至线形，长 3 ～ 5 mm，宽约 0.4 mm，基部下延，无柄，先端渐尖，全缘，表面有纵沟，光滑，中脉不明显，纸质；孢子叶卵状菱形，覆瓦状排列，长约 0.6 mm，宽约 0.8 mm，先端急尖，尾状，边缘膜质，具不规则的锯齿。孢子囊穗单生于小枝先端，短圆柱形，成熟时通常下垂，长 3 ～ 10 mm，直径 2 ～ 2.5 mm，淡黄色，无柄。孢子囊生于孢子叶叶腋，内藏，圆肾形，黄色。

| 生境分布 |

生于海拔 100 ～ 1 800 m 的林下、林缘、灌

丛下的树荫处或岩石上。湖南各地均有分布。

| 资源情况 | 野生资源丰富。药材来源于野生。

| 采收加工 | **伸筋草：** 夏季采收，除去杂质，洗净，切段，干燥。

石松子： 7 ~ 9 月当孢子囊未完全成熟或未裂开时，剪下孢子囊穗，在防水布上晒干，击震，收集脱落的孢子，过筛。

| 药材性状 | **伸筋草：** 本品匍匐茎圆柱形，细长弯曲，长可达 60 cm，多断裂，直径 3 ~ 5 mm，表面黄色或淡棕色；侧枝直径约 6 mm，表面淡棕黄色。匍匐茎下有多数黄白色的不定根，2 歧分叉。叶密生，线状披针形，常皱缩弯曲，长 3 ~ 5 mm，宽 0.3 ~ 0.8 mm，黄绿色或灰绿色，先端芒状，全缘或边缘有微锯齿，叶脉不明显。枝端有时可见孢子囊穗，孢子囊穗直立棒状，多断裂，长 3 ~ 10 mm，直径约 2.5 mm。质韧，不易折断，断面浅黄色，有白色木心。气微，味淡。

石松子： 本品微细而疏松，呈粉末状，淡黄色。质轻，无吸湿性。于器皿中稍振摇即易滑动。

| 功能主治 | **伸筋草：** 微苦、辛，温。归肝、脾、肾经。祛风除湿，舒筋活络。用于关节酸痛，屈伸不利。

石松子： 苦，温。归肝、脾经。收湿，敛疮，止咳。用于皮肤湿烂，小儿夏季汗疹，咳嗽。

| 用法用量 | **伸筋草：** 内服煎汤，9 ~ 15 g；或浸酒。外用适量，捣敷。

石松子： 入丸、散剂内服，3 ~ 9 g。外用适量，研末撒。

石松科 Lycopodiaceae 垂穗石松属 Palhinhaea

垂穗石松 *Palhinhaea cernua* (L.) Vasc. et Franco

| 药 材 名 |

铺地蜈蚣（药用部位：全草）。

| 形态特征 |

多年生土生植物。匍匐茎细长横走，2 ~ 3 回分叉，绿色，被稀疏的叶；侧枝直立，高达 40 cm，多回二叉分枝，稀疏，压扁状（幼枝圆柱状），枝连叶直径 5 ~ 10 mm。叶螺旋状排列，密集，上斜，披针形或线状披针形，长 4 ~ 8 mm，宽 0.3 ~ 0.6 mm，基部楔形，下延，无柄，先端渐尖，具透明发丝，全缘，草质，中脉不明显；孢子叶阔卵形，长 2.5 ~ 3 mm，宽约 2 mm，先端急尖，具芒状长尖头，边缘膜质，啮蚀状，纸质。孢子囊穗（3 ~ ）4 ~ 8 集生于长达 30 cm 的总柄上，苞片螺旋状稀疏着生于总柄上，薄草质，形状如叶片，孢子囊穗不等位着生（小柄不等长），直立，圆柱形，长 2 ~ 8 cm，直径 5 ~ 6 mm，具长 1 ~ 5 cm 的小柄。孢子囊生于孢子叶叶腋，略外露，圆肾形，黄色。

| 生境分布 |

生于海拔 100 ~ 1 800 m 的林下、灌丛下、草坡、路边或岩石上。湖南各地均有分布。

| **资源情况** | 野生资源丰富。药材来源于野生。

| **采收加工** | 7 ~ 9 月采收，除去泥土、杂质，晒干。

| **药材性状** | 本品呈黄绿色。茎圆形，长 8 ~ 9 cm，具棱线，分枝较多。茎上生有淡棕色、圆形的根，细而坚。质脆，易折断，断面淡黄色，有明显的白色髓部。茎上密生细小、披针形似鳞片的小叶。味苦。以色青、质净者为佳。

| 功能主治 | 甘，平。归肝、脾、肾经。祛风湿，舒筋络，活血，止血。用于风湿拘疼麻木，肝炎，痢疾，风疹，赤目，吐血，衄血，便血，跌打损伤，烫火伤。

| 用法用量 | 内服煎汤，6～15 g。外用适量，煎汤洗；或研末调敷。

卷柏科 Selaginellaceae 卷柏属 Selaginella

布朗卷柏 *Selaginella braunii* Baker

| 药 材 名 |

毛枝卷柏（药用部位：全草）。

| 形态特征 |

多年生草本。主茎直立，高达 30 cm。枝系三角状卵形，小枝有白色短毛。叶二型，在枝两侧及中间各 2 行；侧叶三角状卵形，长 2 ~ 2.5 mm，宽 0.5 ~ 1 mm，基部上侧圆形，下侧贴生于枝上，先端急尖，全缘；中叶纸质，披针形，长约 1.5 mm，宽约 0.5 mm，基部上侧圆形，下侧贴生于枝上，先端渐尖，全缘；孢子叶宽卵形，长约 2 mm，宽约 1 mm，全缘。孢子囊穗单生于小枝先端，长 1.5 ~ 3 mm。孢子囊近球形，大、小孢子囊位置不固定。

| 生境分布 |

生于海拔 400 ~ 1 400 m 的山坡、草地或林边。分布于湖南邵阳（邵阳）、永州（零陵）、怀化（辰溪、麻阳、芷江）。

| 采收加工 |

全年均可采收，洗净，鲜用或晒干。

| **资源情况** | 野生资源较少。药材来源于野生。

| **功能主治** | 辛、微甘，平。清热利湿，止咳。用于黄疸，痢疾，肺热咳嗽，烫火伤。

| **用法用量** | 内服煎汤，15 ~ 30 g。外用适量，捣敷。

卷柏科 Selaginellaceae 卷柏属 *Selaginella*

蔓出卷柏 *Selaginella davidii* Franch.

| 药 材 名 | 小过江龙（药用部位：全草）。

| 形态特征 | 多年生草本。根托断续着生于主茎分叉处下方，长 0.5 ~ 5 cm，纤细，直径 0.1 ~ 0.2 mm；根多少分叉，被毛。主茎伏地蔓生，通体羽状分枝，不呈"之"字形，无关节。叶交互排列，二型，背、腹各 2 列，草质，表面光滑，明显具白边；主茎上的叶排列紧密，较分枝上的叶大，绿色或黄色；腹叶（中叶）指向枝顶，长卵形，具锐尖头或渐尖头；背叶（侧叶）向两侧平展，卵状披针形，具钝尖头，基部为不对称的心形，边缘膜质，白色，多少有睫毛状齿；孢子叶卵状三角形，具长渐尖头，边缘有微齿。孢子囊穗生于小枝先端，孢子囊圆形。孢子二型。

| 生境分布 | 生于海拔 100 ~ 1 200 m 的灌丛中的树荫、潮湿地或干旱的山坡。

分布于湖南株洲（茶陵）、邵阳（洞口）、张家界（永定、桑植）、永州（双牌、江华）、娄底（新化）、衡阳（衡东）、常德（石门）、郴州（安仁）、湘西州（保靖）等。

| **资源情况** | 野生资源较丰富。药材来源于野生。

| **采收加工** | 秋季采收，洗净，晒干。

| **药材性状** | 本品主茎伏地蔓生，多回分枝，各分枝基部生根。根细小，纤弱。营养叶二型，草质，背、腹各 2 列；腹叶（中叶）指向枝顶，长卵形，具锐尖头或渐尖头；背叶（侧叶）向两侧平展，卵状披针形，具钝尖头，基部为不对称的心形，边缘膜质，白色，多少有睫毛状齿；孢子叶卵状三角形，具长渐尖头，边缘有微齿。孢子囊穗生于小枝先端。孢子囊圆形。孢子二型。

| **功能主治** | 苦、微辛，温。归肺、肾经。清热利湿，舒筋活络。用于肝炎，腹泻，风湿性关节炎，烫伤，外伤出血，筋骨疼痛。

| **用法用量** | 内服煎汤，9 ~ 15 g。外用适量，煎汤洗；或捣敷。

卷柏科 Selaginellaceae 卷柏属 Selaginella

薄叶卷柏
Selaginella delicatula (Desv.) Alston

| **药 材 名** | 薄叶卷柏（药用部位：全草）。

| **形态特征** | 多年生草本，高 30 ~ 50 cm。主茎禾秆色，多回分枝。叶二型，枝两侧及中间各 2 行；侧叶斜长圆形，长 2.5 ~ 3 mm，宽 1.2 ~ 1.5 mm，具短尖头，两侧略不等，上缘略有齿，下缘全缘；中叶斜卵形，长 1.8 ~ 2 mm，宽约 0.6 mm，明显内弯，具渐尖头，全缘；孢子叶宽卵形，长约 2 mm，宽约 1 mm，龙骨状，先端长渐尖，全缘。孢子囊穗单生于小枝先端，长 0.6 ~ 2 cm，有 4 棱。孢子囊圆肾形，大、小孢子囊异穗，或大孢子囊位于穗的中部，小孢子囊位于上、下部。

| **生境分布** | 生于海拔 100 ~ 1 000 m 的林下或背阴处的岩石上。分布于湖南常德（澧县、石门）、湘西州（花垣、永顺、古丈）等。

| **资源情况** | 野生资源较丰富。药材来源于野生。

| **采收加工** | 全年均可采收，鲜用或晒干。

| **药材性状** | 本品高 30 ~ 50 cm。主茎禾秆色，多回分枝。叶二型，枝两侧及中间各 2 行；侧叶斜长圆形，长 2.5 ~ 3 mm，宽 1.2 ~ 1.5 mm，具短尖头，两侧略不等，上缘略有齿，下缘全缘；中叶斜卵形，长 1.8 ~ 2 mm，宽约 0.6 mm，明显内弯，

具渐尖头，全缘；孢子叶宽卵形，长约 2 mm，宽约 1 mm，龙骨状，先端长渐尖，全缘。孢子囊穗单生于小枝先端，长 0.6 ~ 2 cm，有 4 棱。孢子囊圆肾形，大、小孢子囊异穗，或大孢子囊位于穗的中部，小孢子囊位于上、下部。

| **功能主治** | 苦、辛，寒。清热解毒，活血，祛风。用于肺热咳嗽，咯血，肺痈，急性扁桃体炎，乳腺炎，漆疮，烫火伤，月经不调，跌打损伤，小儿惊风，麻疹，荨麻疹。

| **用法用量** | 内服煎汤，10 ~ 30 g。外用适量，鲜品捣敷；或煎汤洗；或干品研末撒。

卷柏科 Selaginellaceae 卷柏属 Selaginella

深绿卷柏 *Selaginella doederleinii* Hieron.

| 药 材 名 | 石上柏（药用部位：全草）。

| 形态特征 | 多年生草本，高 15 ～ 35 cm。主茎直立或倾斜，具棱，禾秆色，分枝处着生支撑根（根托），多回叉状分枝。叶二型，侧叶和中叶各 2 行；侧叶在小枝上呈覆瓦状排列，紧贴于枝的两侧，卵状长圆形，长 3 ～ 5 mm，宽 1.5 ～ 2 mm，具钝头，基部心形，叶片内侧下方边缘有微锯齿，外侧的中部以下几全缘，叶片两侧上方均有疏锯齿；中叶 2 行，覆瓦状交互排列，直向枝端，卵状长圆形，长 2.2 ～ 2.5 mm，宽 1 ～ 1.2 mm，先端渐尖，具短刺头，基部心形，边缘有锯齿，中脉龙骨状向上隆起，前后中叶的中脉相接成狭脊状；孢子叶 4 列，交互覆瓦状排列，卵状三角形，长约 1.5 mm，宽约 1 mm，先端长渐尖，边缘有锯齿，龙骨状。孢子囊穗常 2 并生于小枝先端，长 3 ～ 8 mm，

四棱形。孢子囊近球形，大孢子囊生于囊穗下部，小孢子囊生于囊穗中部以上，或有的囊穗全为小孢子囊。

| **生境分布** | 生于海拔 200 ～ 1 000 m 的林下湿地、溪边或石上。湖南各地均有分布。

| **资源情况** | 野生资源丰富。药材来源于野生。

| **采收加工** | 全年均可采收，洗净，鲜用或晒干。

| **功能主治** | 甘、微苦、涩，凉。归肺、胃、肝经。清热解毒，祛风除湿。用于咽喉肿痛，目赤肿痛，肺热咳嗽，乳腺炎，湿热黄疸，风湿痹痛，外伤出血。

| **用法用量** | 内服煎汤，10 ～ 30 g。外用适量，研末敷；或鲜品捣敷。

卷柏科 Selaginellaceae 卷柏属 Selaginella

异穗卷柏
Selaginella heterostachys Baker

药材名

异穗卷柏（药用部位：全草）。

形态特征

土生或石生，直立或匍匐，直立能育茎高 10 ~ 20 cm，具匍匐茎。叶全部交互排列，二型，草质，表面光滑，无虹彩，不为全缘，边缘不具白边。茎上的腋叶较分枝上的大，卵圆形或近心形，分枝上的腋叶对称，卵形或长圆形，（1.4 ~ 2.6）mm×（0.4 ~ 1.2）mm，边缘有细齿。中叶不对称，分枝上的中叶卵形或卵状披针形，先端具尖头或短芒，基部楔形，边缘具微齿。侧叶不对称，边缘有细齿，上侧基部扩大，加宽，覆盖小枝，边缘有细齿，下侧基部圆形，具细齿。孢子叶穗紧密，背腹压扁，单生于小枝末端，大孢子叶生于孢子叶穗上下两侧的基部，或大、小孢子叶相间排列。大孢子、小孢子均为橘黄色。

生境分布

生于海拔 130 ~ 1 300 m 的林下岩石上。分布于湖南邵阳（新宁、武冈）、郴州（宜章）、怀化（通道）、湘西州（吉首）等。

| **资源情况** | 野生资源稀少。药材来源于野生。

| **采收加工** | 夏、秋季采收,晒干或鲜用。

| **功能主治** | 微涩,凉。解毒,止血。用于蛇咬伤,外伤出血。

| **用法用量** | 内服煎汤,9 ~ 15 g。外用适量,捣敷;或研末敷。

卷柏科 Selaginellaceae 卷柏属 Selaginella

兖州卷柏

Selaginella involvens (Sw.) Spring

药材名

兖州卷柏（药用部位：全草）。

形态特征

多年生草本，高 14 ～ 45 cm。主茎直立，下部不分枝的部分长 6 ～ 15 cm，圆柱形，稻秆色。叶覆瓦状排列，卵状矩圆形，渐尖，基部心形，上部三回羽状分枝；枝上的叶较密，异型，排成 4 行；侧叶不对称，急尖，长 2 mm，宽 1.25 mm，平滑，上半部半卵形，基部心形，有细锯齿，下半部半卵圆状披针形，基部截形，全缘，有缘毛；中叶卵圆形，渐尖或有短芒，外侧全缘，内侧边缘有锯齿；孢子叶圆形、卵圆状三角形，渐尖，龙骨状，有齿。孢子囊穗单生，少数 2 着生于枝端，4 棱，长 4 ～ 20 mm。

生境分布

生于海拔 450 ～ 1 800 m 的岩石上或林中的树干上。湖南有广泛分布。

资源情况

野生资源较丰富。药材来源于野生。

| 采收加工 | 全年均可采收，鲜用或晒干。

| 功能主治 | 淡、微苦，凉。归肺、肝、心、脾经。清热利湿，止咳，止血，解毒。用于湿热黄疸，痢疾，水肿，腹水，淋证，痰湿咳嗽，咯血，吐血，便血，崩漏，外伤出血，乳痈，瘰疬，痔疮，烫伤。

| 用法用量 | 内服煎汤，15 ~ 30 g，鲜品 30 ~ 60 g。外用适量，研末调敷；或鲜品捣敷。

卷柏科 Selaginellaceae 卷柏属 *Selaginella*

细叶卷柏

Selaginella labordei Hieron. ex Christ

| 药 材 名 | 细叶卷柏（药用部位：全草）。

| 形态特征 | 高 10 ~ 40 cm。主茎禾秆色。营养叶二型，枝两侧及中间各 2 行，侧叶狭卵形，长 2 ~ 3 mm，宽 1 ~ 1.5 mm，叶基不等，先端具钝尖头，边缘有疏细齿，中叶薄纸质，卵形，长 1.5 ~ 2 mm，宽 0.8 ~ 1 mm，叶基不相等，先端突尖呈芒状，边缘有细刺状齿；孢子叶二型，侧叶卵形，长约 1.8 mm，宽约 0.6 mm，先端渐狭成尾状，边缘有小齿，膜质，中叶较大，长三角状卵形，长约 2 mm，宽约 0.6 mm，先端钝，边缘有小齿，薄纸质。孢子囊穗扁，单生于小枝先端，长 0.5 ~ 1.2 cm。大孢子囊近球形，生于囊穗下部；小孢子囊圆肾形，生于囊穗上部。

| 生境分布 | 生于海拔 1 000 ~ 1 800 m 的林下湿地。湖南有少量分布。

| **资源情况** | 野生资源较少。药材来源于野生。

| **采收加工** | 全年均可采收，鲜用或晒干。

| **功能主治** | 微苦、涩，凉。归肺、肝、脾、大肠经。清热利湿，平喘，止血。用于小儿高热惊风，肝炎，胆囊炎，泄泻，疳积，哮喘，肺痨咯血，月经过多，外伤出血。

| **用法用量** | 内服煎汤，9 ~ 15 g，大剂量可用至 30 g。外用适量，捣敷。

卷柏科 Selaginellaceae 卷柏属 Selaginella

江南卷柏
Selaginella moellendorffii Hieron.

| 药 材 名 |

地柏枝（药用部位：全草）。

| 形态特征 |

多年生草本。茎直立，高 10 ~ 20 cm；下部茎不分枝。茎下部叶疏生，贴伏，钻状卵圆形，具短芒；枝上的叶较密，羽状分枝，呈卵状三角形，长 5 ~ 12 mm，排列成 4 行，2 行侧叶两侧不对称，急尖，长约 2.5 mm，宽约 1.7 mm，平滑，上半部的叶半卵圆形，基部圆，边缘白色，下半部的叶半矩圆状披针形，边缘有疏齿，基部心形，2 行中叶卵圆状椭圆形，渐尖，有芒，中脉明显，边缘白色；孢子叶圆形至卵状钻形，渐尖，龙骨状，微有毛，有孢子囊。孢子囊穗单生于枝顶，4 棱，长 3 ~ 6 mm；孢子囊内含孢子。

| 生境分布 |

生于海拔 100 ~ 1 500 m 的潮湿山坡、林下、溪边或石缝中。湖南各地均有分布。

| 采收加工 |

7 月（大暑前后）采收，抖净根部泥沙，洗净，鲜用或晒干。

| 资源情况 | 野生资源丰富。药材来源于野生。

| 药材性状 | 本品根茎灰棕色，屈曲。根自根茎左右发出，纤细，具根毛。茎禾秆色或基部稍带红色，高 10 ～ 20 cm，直径 1.5 ～ 2 mm；下部不分枝，疏生钻状三角形的叶，叶贴伏于茎上，上部羽状分枝，呈卵状三角形。叶多扭曲皱缩，上表面淡绿色，背面灰绿色，二型；枝上两侧的叶卵状披针形，约与茎生叶等大，贴生小枝中央的叶较小，卵圆形，先端尖。孢子囊穗少见。茎质柔韧，不易折断；叶质脆，易碎。气微，味淡。

| 功能主治 | 甘、辛，平；无毒。归肝、胆、肺经。清热利湿，止血。用于肺热咯血、吐血，衄血，便血，痔疮出血，外伤出血，发热，小儿惊风，湿热黄疸，淋病，水肿，烫火伤。

| 用法用量 | 内服煎汤，15 ～ 30 g，大剂量可用至 60 g。外用适量，研末敷；或鲜品捣敷。

卷柏科 Selaginellaceae 卷柏属 Selaginella

伏地卷柏 Selaginella nipponica Franch. et Sav.

| **药 材 名** | 小地柏（药用部位：全草）。

| **形态特征** | 根生于匍匐茎的分叉处下方。茎纤细，匍匐蔓生；生孢子的小枝直立，高 4 ~ 10 cm。叶二型，互生，枝两侧及中间各 2 行，排列稀疏；侧叶斜卵形，长 2 ~ 3 mm，宽 0.8 ~ 1 mm，先端渐尖，基部斜心形，边缘有细齿；中叶与侧叶相似而较狭，长 1.5 ~ 2 mm，宽 0.5 ~ 0.7 mm。孢子囊生于枝上部的叶腋，不形成特化的孢子囊穗，卵圆形，大孢子囊位于下部，小孢子囊位于上部。孢子二型。

| **生境分布** | 生于海拔 80 ~ 1 300 m 的草地或岩石上。湖南有广泛分布。

| **资源情况** | 野生资源较丰富。药材来源于野生。

| **采收加工** | 夏、秋季采收，晒干。 |

| **功能主治** | 微苦，凉。止咳平喘，止血，清热解毒。用于咳嗽气喘，吐血，痔血，外伤出血，
淋证，烫火伤。 |

| **用法用量** | 内服煎汤，9 ~ 15 g。外用适量，研末撒。 |

卷柏科 Selaginellaceae 卷柏属 Selaginella

垫状卷柏 *Selaginella pulvinata* (Hook. et Grev.) Maxim.

| 药 材 名 | 卷柏（药用部位：全草）。

| 形态特征 | 多年生草本，呈垫状，无匍匐根茎或游走茎。根散生，分枝多而密。叶交互排列，二型，质厚，表面光滑，无白边；主茎上的叶相互重叠，斜升，边缘撕裂状；分枝上的叶对称，边缘撕裂状，具睫毛；中叶不对称，小枝上的叶斜卵形或三角形，覆瓦状排列，背部不呈龙骨状，先端具芒，基部平截，具簇毛，边缘撕裂状，外卷；侧叶不对称。孢子叶穗紧密，四棱柱形，单生于小枝末端。大孢子黄白色或深褐色，小孢子浅黄色。

| 生境分布 | 生于海拔 100 ~ 1 500 m 的潮湿山坡、林下、溪边或石缝中。分布于湘东等。

| 资源情况 | 野生资源稀少。药材来源于野生。

| 采收加工 | 全年均可采收，除去残留须根及杂质，洗净，切段，晒干。

| 药材性状 | 本品须根多散生。中叶（腹叶）2行，卵状披针形，直向上排列，叶片左右两侧不等，内缘较平直，外缘常因内折而加厚，呈全缘状。

| 功能主治 | 辛，平。归肝、心经。活血通经。用于经闭，痛经，癥瘕痞块，跌扑损伤。

| 用法用量 | 内服煎汤，4.5 ～ 9 g。外用适量，研末敷。

卷柏科 Selaginellaceae 卷柏属 Selaginella

疏叶卷柏 *Selaginella remotifolia* Spring

药材名

蜂药（药用部位：全草）。

形态特征

茎匍匐，长约30 cm。叶二型，枝两侧及中间各2行；侧叶卵形，长2～2.5 mm，宽1～1.2 mm，基部偏斜，心形，先端尖，全缘或有小齿；中叶斜卵状披针形，长1.5～1.8 mm，宽0.6～0.8 mm，基部偏斜心形，下侧下延成耳状，先端长渐尖，全缘或有小齿；孢子叶长三角状披针形，长约2 mm，宽约0.8 mm，呈龙骨状，先端长渐尖。孢子囊穗单生于小枝先端，长0.5～2 cm，有4棱；孢子囊圆肾形，大孢子囊极少，生于囊穗基部，小孢子囊生于囊穗基部以上。

生境分布

生于林下。湖南各地均有分布。

资源情况

野生资源丰富。药材来源于野生。

采收加工

全年均可采收，鲜用或晒干。

| **功能主治** | 淡，凉。归肺经。祛痰止咳，解毒消肿，凉血止血。用于肺热咳嗽，痔疮，疮毒，烧伤，蜂刺伤，出血。 |

| **用法用量** | 内服煎汤，10 ~ 30 g。外用适量，捣敷；或塞鼻。 |

卷柏科 Selaginellaceae 卷柏属 Selaginella

卷柏
Selaginella tamariscina (P. Beauv.) Spring

| 药 材 名 |　卷柏（药用部位：全草）。

| 形态特征 |　多年生草本，呈垫状。根托只生于茎的基部，长 0.5 ~ 3 cm，直径
0.3 ~ 1.8 mm。根多分叉，密被毛，和茎及分枝密集成树状主干。
主茎自中部开始羽状分枝或不等二叉分枝，不呈“之”字形，无关节，
禾秆色或棕色；枝丛生，直立，干后拳卷，密被覆瓦状叶，扇状分
枝至二至三回羽状分枝。叶小，异型，交互排列；侧叶披针状钻形，
长约 3 mm，基部龙骨状，先端有长芒，远轴的一边全缘，宽膜质，
近轴的一边膜质缘极狭，有微锯齿；中叶 2 行，卵圆状披针形，长
2 mm，先端有长芒，斜向，左右两侧不等，边缘有微锯齿，中脉在
叶上面下陷；孢子叶三角形，先端有长芒，边缘宽膜质。孢子囊穗
生于枝顶，四棱形；孢子囊肾形，大、小孢子排列不规则。

| 生境分布 | 生于海拔 60 ～ 2 000 m 的石灰岩上。分布于湘东等。

| 资源情况 | 野生资源较丰富。药材来源于野生。

| 采收加工 | 全年均可采收，除去残留须根及杂质，洗净，切段，晒干。

| 药材性状 | 本品卷缩似拳状，长 3 ～ 10 cm。枝丛生，扁而有分枝，绿色或棕黄色，向内卷曲，密生鳞片状小叶。叶先端具长芒；中叶（腹叶）2 行，卵状矩圆形，斜向上排列，边缘膜质，有不整齐的细锯齿；背叶（侧叶）背面的膜质边缘常呈棕黑色。基部残留棕色至棕褐色的须根，须根散生或聚生成短干状。质脆，易折断。气微，味淡。

| 功能主治 | 辛，平。归肝、心经。活血通经。用于经闭，痛经，癥瘕痞块，跌扑损伤。

| 用法用量 | 内服煎汤，4.5 ～ 10 g。外用适量，研末敷。

卷柏科 Selaginellaceae　卷柏属 Selaginella

毛枝卷柏

Selaginella trichoclada Alston

药材名

毛枝卷柏（药用部位：全草。别名：拨云丹、岩白草、土柏子）。

形态特征

土生，直立，高 0.5 ~ 0.8 m，具横走地下根茎和游走茎。根托生于茎基部，根多分叉，被毛。主茎中下部羽状分枝，分枝呈"之"字形，禾秆色，有棱，具沟槽，无毛或分叉处被毛，主茎先端非黑褐色，侧枝 5 ~ 7 对，2 ~ 3 回羽状分枝，小枝较密，排列规则，主茎分枝带叶小枝背腹扁，两面被毛。叶交互排列，草质，光滑，全缘，具白边，不分枝主茎的叶排列稀疏，相距 1.5 ~ 2 cm，较分枝主茎的叶大，一型，绿色，卵形，背腹扁，背部非龙骨状，全缘；主茎的侧叶大于侧枝的叶，宽卵形或近圆形，长 3.8 ~ 4.5 cm，基部钝或近心形；分枝的腋叶对称，窄椭圆形，长 2.4 ~ 4.2 cm，全缘，基部双耳状；中叶不对称；侧叶不对称，主茎的较侧枝上的大，分枝的长圆形或镰形，略斜升或外展，接近，长 2.5 ~ 4 cm，先端渐尖，全缘，上侧基部具三角形耳，不覆盖小枝，下侧边基部无耳。孢子叶穗紧密，四棱柱形，单生于小枝末端；孢子叶一型，宽卵形或近圆形，

全缘，具白边，先端尖或渐尖，略呈龙骨状；1 大孢子叶分布于孢子叶穗中部的下侧和基部的下侧，其余的均为微小孢子叶。大孢子深褐色，小孢子浅黄色。

| 生境分布 | 生于海拔 150 ～ 900 m 的林下。分布于湖南衡阳（南岳）、邵阳（洞口）、永州（江永）、湘西州（凤凰）等。

| 资源情况 | 野生资源稀少。药材来源于野生。

| 采收加工 | 全年均可采收，洗净，晒干或鲜用。

| 功能主治 | 辛、微甘，平。清热利湿，止咳。用于黄疸，痢疾，肺热咳嗽，烫火伤。

| 用法用量 | 内服煎汤，15 ～ 30 g。外用适量，捣敷。

卷柏科 Selaginellaceae 卷柏属 Selaginella

翠云草
Selaginella uncinata (Desv.) Spring

| 药 材 名 | 翠云草（药用部位：全草）。

| 形态特征 | 多年生草本。主茎先直立而后呈攀缘状，有细纵沟，长 50 ～ 100 cm 或更长，无横走的地下茎；侧枝疏生，多次分叉，分枝处常生不定根。叶二型，枝两侧及中间各 2 行；侧叶卵形，长 2 ～ 2.5 mm，宽 1 ～ 1.2 mm，基部偏斜心形，先端尖，全缘或有小齿；中叶质薄，斜卵状披针形，长 1.5 ～ 1.8 mm，宽 0.6 ～ 0.8 mm，基部偏斜心形，淡绿色，先端渐尖，全缘或有小齿，嫩叶上面呈翠蓝色；孢子叶卵圆状三角形，长约 2 mm，宽约 0.8 mm，先端长渐尖，龙骨状，4 列覆瓦状排列。孢子囊穗四棱形，单生于小枝先端，长 0.5 ～ 2 cm；孢子囊圆肾形，大孢子囊极少，生于囊穗基部，小孢子囊生于囊穗基部以上。孢子二型。孢子期 8 ～ 10 月。

| 生境分布 | 生于海拔 50 ~ 1 200 m 的林下。湖南各地均有分布。

| 资源情况 | 野生资源丰富。药材来源于野生。

| 采收加工 | 全年均可采收，洗净，鲜用或晒干。

| 功能主治 | 淡、微苦，凉。清热利湿，解毒，止血。用于黄疸，痢疾，泄泻，水肿，淋病，筋骨痹痛，吐血，咯血，便血，外伤出血，痔漏，烫火伤，蛇咬伤。

| 用法用量 | 内服煎汤，10 ~ 30 g，鲜品可用至 60 g。外用适量，晒干或炒炭存性，研末调敷；或鲜品捣敷。

木贼科 Equisetaceae 木贼属 Equisetum

问荆

Equisetum arvense L.

| 药 材 名 |

问荆（药用部位：全草）。

| 形态特征 |

多年生草本。根茎匍匐，黑色或暗褐色。地上茎直立，二型；营养茎在孢子茎枯萎后生出，高 15 ~ 60 cm，有 6 ~ 15 棱脊；主枝中部直径 1.5 ~ 3 mm，节间长 2 ~ 3 cm，绿色，轮生分枝多，主枝中部以下有分枝。叶退化，下部联合成鞘，鞘齿披针形，黑色，边缘灰白色，膜质，分枝轮生，中实，有棱脊 3 ~ 4，单一或再分枝；孢子叶六角形，盾状着生，螺旋状排列，边缘着生长形的孢子囊。孢子茎早春萌发，常紫褐色，肉质，不分枝，鞘长而大。孢子囊穗 5 ~ 6 月抽出，顶生，有钝头，长 2 ~ 3.5 cm。孢子一型。

| 生境分布 |

生于溪边或阴谷。分布于湖南衡阳（衡东）等。

| 资源情况 |

野生资源较少。药材来源于野生。

| 采收加工 |

夏、秋季采收，鲜用或阴干。

| **药材性状** | 本品长约 30 cm，多干缩，或枝节脱落。茎略呈扁圆形或圆形，浅绿色，有细纵沟，节间长。退化的鳞片叶鞘状，先端齿裂，硬膜质。小枝轮生，梢部渐细；基部有时有部分根，呈黑褐色。气微，味稍苦、涩。 |

| **功能主治** | 苦，平。归肺、胃、肝经。止血，利尿，明目。用于吐血，咯血，便血，崩漏，鼻衄，外伤出血，目赤翳膜，淋病。 |

| **用法用量** | 内服煎汤，3 ~ 15 g。外用适量，鲜品捣敷；或干品研末调敷。 |

木贼科 Equisetaceae 木贼属 Equisetum

披散木贼 *Equisetum diffusum* D. Don

药 材 名	密枝问荆（药用部位：全草）。
形态特征	多年生草本，高可达 60 cm。根茎横走，黑色，节和根有黄棕色长毛。茎绿色，直径 2 ~ 3 mm，分枝多而细密，主枝有 6 ~ 10 棱脊，棱脊上有 1 行小疣状突起；侧枝纤细，有 4 ~ 8 棱脊。叶退化，轮生，鞘筒狭长，鞘齿披针形，先端尾状，背部有 2 棱脊，棱上有小疣状突起，鞘齿不脱落。孢子囊穗圆柱形，长 1 ~ 4 cm，先端钝，成熟时柄伸长。
生境分布	生于海拔 1 800 m 以下的空旷潮湿的砂土上。分布于湖南湘西州（花垣）等。
资源情况	野生资源稀少。药材来源于野生。

| **采收加工** | 夏、秋季采收，洗净，鲜用或晒干。 |

| **药材性状** | 本品茎长 20 ～ 50 cm，基部分枝，各分枝中空，有 6 ～ 10 棱脊，粗糙，每节有细而密的轮生小枝。叶退化，下部联合成鞘，鞘片背上有 2 棱脊，鞘齿短三角形，黑色，不脱落。气微，味淡。 |

| **功能主治** | 甘、微苦，平。清热利尿，明目退翳，接骨。用于感冒发热，小便不利，目赤肿痛，翳膜遮睛，跌打骨折。 |

| **用法用量** | 内服煎汤，9 ～ 15 g。外用适量，鲜品捣敷。 |

草问荆

Equisetum pratense Ehrhart

| 药 材 名 | 草问荆（药用部位：全草。别名：马胡须）。

| 形态特征 | 中型植物。根茎直立和横走，黑棕色，节和根疏生黄棕色长毛或光滑。地上枝当年枯萎。枝二型，能育枝与不育枝同期萌发。能育枝高 15 ~ 25 cm，中部直径 2 ~ 2.5 mm，节间长 2 ~ 3 cm，禾秆色，最终能形成分枝，有脊 10 ~ 14，脊上光滑；鞘筒灰绿色，长约 0.6 cm；叶鞘长约 1.5 cm，叶鞘齿分离，长三角形，先端尖，披针形，膜质，背面有浅纵沟；孢子散后能育枝能存活。不育枝高 30 ~ 60 cm，中部直径 2 ~ 2.5 mm，节间长 2.2 ~ 2.8 cm，禾秆色或灰绿色，轮生分枝多，主枝中部以下无分枝，主枝有脊 14 ~ 22，脊的背部弧形，每脊常有一行小瘤；鞘筒狭长，长约 3 mm，下部灰绿色，除上部有一圈为淡棕色外，其余部分为灰绿色，鞘背有 2 棱；鞘齿

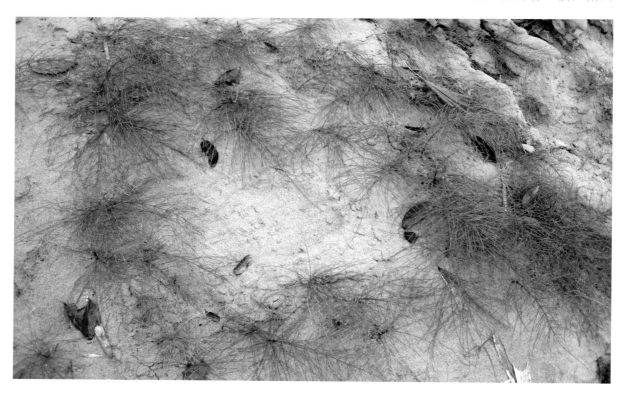

14 ~ 22，披针形，膜质，淡棕色，但中间一线为黑棕色，宿存。侧枝柔软、纤细，扁平状，有 3 ~ 4 狭而高的脊，脊的背部光滑；鞘齿不呈开张状。孢子囊穗椭圆柱状，长 1 ~ 2.2 cm，直径 3 ~ 7 mm，先端钝，成熟时孢子囊柄伸长，柄长 1.7 ~ 4.5 cm。

| **生境分布** | 生于路旁、山坡。湖南各地均有分布。

| **资源情况** | 野生资源较少。药材来源于野生。

| **采收加工** | 夏季采挖，洗净，晒干或鲜用。

| **药材性状** | 本品呈干缩状，枝常脱落。茎有多数轮生的细长分枝。叶鞘齿分离，长三角形，长约 1.5 cm，先端尖，中部棕褐色，边缘白色、膜质。气微，味淡。

| **功能主治** | 苦，平。活血，利尿，驱虫。用于动脉粥样硬化，小便涩痛不利，肠道寄生虫病。

| **用法用量** | 内服煎汤，5 ~ 10 g，鲜品 30 ~ 60 g。

木贼科 Equisetaceae 木贼属 Equisetum

节节草

Equisetum ramosissimum Desf.

| 药 材 名 |

笔筒草（药用部位：全草）。

| 形态特征 |

多年生草本。根茎直立，横走或斜升，黑棕色，节和根疏生黄棕色长毛或光滑无毛。地上枝一型，高 20 ~ 60 cm，中部直径 1 ~ 3 mm，节间长 2 ~ 6 cm，绿色；主枝多在下部分枝，常呈簇生状，幼枝的轮生分枝明显或不明显，主枝有 5 ~ 14 脊，脊的背部弧形，有 1 行小瘤或浅色小横纹，鞘筒狭长，长达 1 cm，下部灰绿色，上部灰棕色，鞘齿 5 ~ 12，三角形，灰白色、黑棕色或淡棕色，边缘（有时上部）膜质，基部扁平或弧形，早落或宿存，齿上气孔带明显或不明显；侧枝较硬，圆柱状，有 5 ~ 8 脊，脊上平滑、有 1 行小瘤或浅色小横纹，鞘齿 5 ~ 8，披针形，革质，边缘膜质，上部棕色，宿存。孢子囊穗短棒状或椭圆形，长 0.5 ~ 2.5 cm，中部直径 0.4 ~ 0.7 cm，先端有小尖突，无柄。

| 生境分布 |

生于海拔 100 ~ 1 800 m 的路旁、山坡草丛、溪边、池沼边等。湖南各地均有分布。

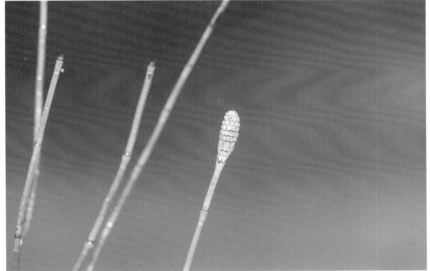

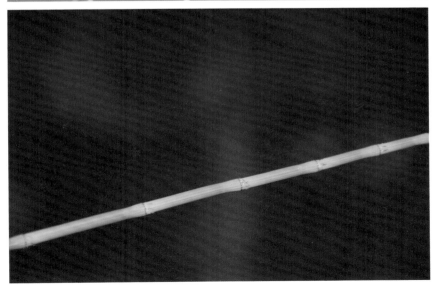

| **资源情况** | 野生资源丰富。药材来源于野生。

| **采收加工** | 夏、秋季采挖，洗净，鲜用或阴干。

| **药材性状** | 本品茎灰绿色，基部多分枝，长短不等，直径 1 ~ 2 mm，中部以下节处有 2 ~ 5 小枝，表面粗糙，有 5 ~ 14 肋棱，棱上有 1 列小疣状突起。叶鞘筒似漏斗状，长为直径的 2 倍，叶鞘背上无棱脊，先端有尖三角形裂齿，黑色，边缘膜质，常脱落。质脆，易折断，断面中央有小孔洞。气微，味淡、微涩。

| **功能主治** | 甘、苦，微寒。归心、肝、胃、膀胱经。清肝明目，止血，利尿通淋。用于风热感冒，咳嗽，目赤肿痛，云翳，鼻衄，尿血，肠风下血，淋证，黄疸，带下，骨折。

| **用法用量** | 内服煎汤，9 ~ 30 g，鲜品 30 ~ 60 g。外用适量，捣敷；或研末撒。

木贼科 Equisetaceae 木贼属 Equisetum

笔管草

Equisetum ramosissimum Desf. subsp. *debile* (Roxb. ex Vauch.) Á. Löve et D. Löve

| 药 材 名 | 土木贼（药用部位：地上部分）。

| 形态特征 | 多年生草本。根茎直立和横走，黑棕色，节和根密生黄棕色长毛或光滑无毛。地上枝一型，高达 60 cm 或更高，中部直径 3 ~ 7 mm，节间长 3 ~ 10 cm，绿色，成熟主枝有分枝，但分枝常不多；主枝有 10 ~ 20 脊，脊的背部弧形，有 1 行小瘤或浅色小横纹，鞘筒短，下部绿色，顶部略为黑棕色，鞘齿 10 ~ 22，狭三角形，上部淡棕色，膜质，早落或有时宿存，下部黑棕色，革质，扁平，两侧有明显的棱角，齿上气孔带明显或不明显；侧枝较硬，圆柱状，有 8 ~ 12 脊，脊上有小瘤或横纹，鞘齿 6 ~ 10，披针形，较短，膜质，淡棕色，早落或宿存。孢子囊穗短棒状或椭圆形，长 1 ~ 2.5 cm，中部直径 0.4 ~ 0.7 cm，先端有小尖突，无柄。

| **生境分布** | 生于溪边、沟边、砂壤土或黏土上的半阴湿处。湖南各地均有分布。

| **资源情况** | 野生资源丰富。药材来源于野生。

| **采收加工** | 秋季采收身老体大者，割取地上部分，拣除杂草，晒干。

| **药材性状** | 本品为细长分枝的圆柱状茎条，淡绿色至黄绿色，长约 60 cm，表面粗糙，有纵沟，多节，节间长 5 ～ 8 cm；干时易断，潮湿时坚韧，中空。叶鞘呈短筒状，紧贴于茎，基部及钝头的齿片呈黑褐色。以条粗、色青绿、身长肉厚者为佳。

| **功能主治** | 甘、微苦，凉。利湿清热，明目。用于目赤胀痛，翳膜胬肉，急性黄疸性肝炎，淋病。

| **用法用量** | 内服煎汤，3 ～ 6 g。

阴地蕨科 Botrychiaceae 阴地蕨属 Botrychium

薄叶阴地蕨
Botrychium daucifolium Wall.

| 药 材 名 | 西南小阴地蕨（药用部位：全草或根茎。别名：西南阴地蕨）。

| 形态特征 | 根茎直立，短圆柱形，有许多肉质根。叶高 30 ~ 40 cm，茎长 10 ~ 12 cm。不育叶片：茎长 7 ~ 8 cm，无毛；二至三回羽状，近五边形，（15 ~ 20）cm×（16 ~ 24）cm，草本；羽片 6 ~ 7 对，互生，短柄；基部羽片最大，三角形，（12 ~ 14）cm×（6 ~ 10）cm，2 回羽状半裂；小羽片 4 ~ 5 对，狭卵形至宽披针形，下部基部小羽片最大，可达 8 cm×3 cm，羽状半裂，末端裂片具锐锯齿，先端锐尖或渐尖；脉明显，轴和肋具稀疏、白色、长毛。孢子体生于普通柄中部以上，与不育叶片等长，具柄 14 ~ 16 cm，双三回羽状，10 ~ 12 cm，具长软毛。孢子表面有密集的乳突，通常形成网状图案，带有微小的颗粒。

| **生境分布** | 生于森林阴凉潮湿处。分布于湖南湘西州（永顺）、怀化（通道）、永州（江华）等。

| **资源情况** | 野生资源稀少。药材来源于野生。

| **采收加工** | 全草，全年均可采收，晒干或鲜用。根茎，秋季采挖，去除叶与须根，洗净，晒干或鲜用。

| **功能主治** | 甘、辛，微寒。清肺止咳，解毒消肿。用于肺热咳嗽，疟腮，乳痈，跌打肿痛，蛇犬咬伤。

| **用法用量** | 内服煎汤，15 ~ 30 g。外用适量，捣敷。

阴地蕨科 Botrychiaceae 阴地蕨属 *Botrychium*

华东阴地蕨
Botrychium japonicum (Prantl) Underw.

| 药 材 名 |

华东阴地蕨（药用部位：全草或根茎）。

| 形态特征 |

根茎短而直立，有较粗的肉质根。总叶柄短，长 2 ~ 6 cm，无毛。营养叶长 18 ~ 24 cm 或更长，柄长 10 ~ 15 cm，宽 3 ~ 4 mm，无毛或向先端略有一二疏毛。叶片略呈五角形，长 12 ~ 15 cm，宽 16 ~ 18 cm，具渐尖头，三回羽状；羽片约 6 对，对生或近对生，斜出，彼此密接，下部 2 ~ 3 对羽片相距 2.5 ~ 3 cm，有柄，其上各对无柄，基部 1 对最大，略呈不等边宽三角形，长 8 ~ 10 cm，宽 5 ~ 6.5 cm，柄长 1.5 ~ 2.5 cm，基部心形，具渐尖头，2 回羽状深裂；一回小羽片 4 ~ 5 对，彼此密接，基部 1 对较大，对生或略下先出，基部下方 1 羽片最大，长圆形，具渐尖头，有柄，一回羽状，其上各对渐短，无柄或合生，羽状深裂或浅裂；末回小羽片（或裂片）为椭圆形，具急尖头，长 1.5 cm，宽 7 ~ 8 mm，基部合生，边缘有整齐的尖锯齿，尖端向前。自第 2 对羽片起为长圆状披针形，有柄，长达 8 cm，宽约 3 cm，具短渐尖头，基部不等，近心形，一回羽状，下先出。叶为草质，干后为绿色，叶轴光滑或偶有一二

柔毛。叶脉明显，直达锯齿。孢子叶全长 25 ～ 35 cm，自总叶柄基部生出，远高过营养叶片，孢子囊穗长 8 ～ 10 cm，宽 4 ～ 5 cm，圆锥状，二回羽状，无毛。

| **生境分布** | 生于海拔 1 200 m 以下的林下溪边。分布于湖南湘西州（永顺）、张家界（桑植）、株洲（炎陵）等。

| **资源情况** | 野生资源稀少。药材来源于野生。

| **采收加工** | 全草，夏、秋季采收，洗净，晒干或鲜用。根茎，秋季采挖，洗净，去除须根与叶柄，晒干。

| **功能主治** | 甘、苦，微寒。清肝明目，化痰消肿。用于目赤肿痛，小儿高热抽搐，咳嗽，吐血，瘰疬，痈疮。

| **用法用量** | 内服煎汤，9 ～ 15 g。外用适量，捣敷。

阴地蕨科 Botrychiaceae 阴地蕨属 Botrychium

阴地蕨
Botrychium ternatum (Thunb.) Sw.

| 药 材 名 |

阴地蕨（药用部位：全草。别名：一朵云）。

| 形态特征 |

多年生草本。根茎短而直立，有 1 簇粗健肉质的根。总叶柄短，细瘦；营养叶的叶柄细，长 3 ~ 8 cm 或更长，光滑无毛，叶片阔三角形，长 8 ~ 10 cm，宽 10 ~ 12 cm，具短尖头，3 回羽状分裂，侧生羽片 3 ~ 4 对，几对生或近互生，最下方的羽片最大，有长柄，呈长三角形，其上各羽片渐无柄，呈披针形，裂片长卵形至卵形，宽 0.3 ~ 0.5 cm，有细锯齿，表面无毛，质厚；孢子叶有长柄，叶柄长 12 ~ 25 cm，少有更长者，远超出营养叶之上。孢子囊穗圆锥状，长 4 ~ 10 cm，宽 2 ~ 3 cm，二至三回羽状；小穗疏松，略张开，无毛。

| 生境分布 |

生于海拔 400 ~ 1 000 m 的丘陵地的灌丛背阴处。湖南有广泛分布。

| 资源情况 |

野生资源较丰富。药材来源于野生。

| **采收加工** | 冬季至翌年春季采收，洗净，鲜用或晒干。

| **药材性状** | 本品根茎长 0.5 ~ 1 cm，直径 2 ~ 3.5 mm，表面灰褐色，下部簇生数条须根。根长约 5 cm，直径 2 ~ 3 mm，常弯曲，表面黄褐色，具横向皱纹；质脆易断，断面白色，粉性。总叶柄长 2 ~ 4 cm，表面棕黄色，基部有干缩、褐色的鞘，营养叶叶柄长 3 ~ 8 cm，直径 1 ~ 2 mm，三角状而扭曲，具纵条纹，淡红棕色；叶片卷缩，黄绿色或灰绿色，展开后呈阔三角形，3 回羽裂，侧生羽片 3 ~ 4 对，叶脉不明显；孢子叶叶柄长 12 ~ 25 cm，黄绿色或淡红棕色。孢子囊穗棕黄色。气微，味微甘、微苦。以根多、叶绿者为佳。

| **功能主治** | 甘、苦，微寒。归肺、肝经。清热解毒，平肝息风，止咳，止血，明目去翳。用于小儿高热抽搐，肺热咳嗽，咯血，百日咳，癫狂病，痢疾，疮疡肿毒，瘰疬，毒蛇咬伤，目赤火眼，目生翳障。

| **用法用量** | 内服煎汤，6 ~ 12 g，鲜品 15 ~ 30 g。外用适量，捣敷。

| **附　　注** | 该种接受名为瓶尔小草科 Ophioglossaceae 阴地蕨属 *Sceptridium* 阴地蕨 *Sceptridium ternatum* (Thunb.) Lyon。

阴地蕨科 Botrychiaceae 阴地蕨属 Botrychium

蕨萁
Botrychium virginianum (L.) Sw.

| **药 材 名** | 蕨萁（药用部位：全草。别名：春不见）。

| **形态特征** | 根茎短而直立，有一簇不分枝的粗健肉质的长根。总叶柄长 20 ~ 25 cm，宽常达 5 ~ 10 mm，多汁草质，干后扁平，几光滑无毛，或略疏生长毛，基部棕色托叶状的苞长 2.5 ~ 3 cm。不育叶片为阔三角形，先端为短尖头，长 13 ~ 18 cm，基部宽 20 ~ 30 cm 或更大，三回羽状，基部下方为 4 回羽裂；侧生羽片 6 ~ 8 对，对生或近对生，下部 2 对相距 3 ~ 4 cm，基部 1 对最大，张开或几水平开展，长 10 ~ 15 cm，中部最宽，宽 8 ~ 11 cm，长卵形，向基部稍狭，一回小羽片上先出，有短柄（柄长约 1 cm），具短尖头，二回羽状，或基部下方为 3 回羽裂；一回小羽片 8 ~ 10 对，近对生，长

圆状披针形，具渐尖头，有短柄，不等长，向基部渐短，上方的最短，长不及3 cm，向中部的渐长，中部下方的最长，长 5 ~ 7 cm，一回羽状或 2 回羽裂；二回小羽片长圆状披针形，基部的长约 1 cm，中部的长约 2 cm，无柄，并以狭翅沿中肋两侧下沿，深羽裂；末回裂片狭长圆形，长约 5 mm，有长而粗的尖锯齿，每齿有 1 小脉；第 2 对羽片斜出，远比基部 1 对小，长 8 ~ 12 cm，中部宽约 4 cm，向基部稍狭，有短柄，二回羽状，以上各对羽片逐渐变短；叶为薄草质，干后绿色。叶脉可见。孢子叶自不育叶片的基部抽出，柄长 14 ~ 18 cm，孢子囊穗为复圆锥状，长 9 ~ 14 cm，宽 4 ~ 6 cm，成熟后高出不育叶片，直立，几光滑或略具疏长毛。

| **生境分布** | 生于海拔 1 600 ~ 1 800 m 的山地林下。分布于湖南张家界（桑植）、常德（石门）等。

| **资源情况** | 野生资源稀少。药材来源于野生。

| **采收加工** | 春季采收，洗净，晒干或鲜用。

| **功能主治** | 甘、苦，微寒。清热解毒，祛风定惊。用于肺痈，疮毒，蛇虫咬伤，小儿急惊风，瘰疬，风湿痹痛，跌打损伤。

| **用法用量** | 内服煎汤，6 ~ 9 g。外用适量，捣敷。